文庫

長編小説

神様からひと言

荻原　浩

光　文　社

目次

神様からひと言

1

商品開発部長の秋津が、重そうな黒ぶち眼鏡をはずしたのが合図だった。

「えー、ただいまより新製品TF01LLの決裁会議を始めたいと思います。本日ご検討いただくのはネーミングに関してですが、えー、その前に商品プロフィールに二、三、変更がございます。えー、お配りした資料の四ページ目をご覧ください」

秋津に続いて会議テーブルの左右に並んだ何人かが眼鏡をはずし、書類を手もとに近づけて目を細めた。みんな老眼なのだ。そうしない残りの人間も、初めから老眼鏡を使っているか、そもそも眼鏡をかけていないかのどちらかだった。本社ビルの四階会議室に集まっている面々はおおかたが部課長クラスだが、平均年齢はかなり高かった。

どう見ても自分が最年少だ。佐倉涼平《さくらりようへい》は父親と言ってもおかしくない年齢の出席者たちを眺めまわし、指の骨を鳴らす。それから左肩に手をあて、動物の毛にそうするように軽く撫《な》でた。気合を入れる時のいつもの儀式だ。この会社に中途入社して四カ月。ようやく自分のために用意されたステージが始まるのだ。

さっきから何度目だろう、涼平はテーブルに置いた企画書をぺらぺらとめくり、厚紙製の提案ボードの枚数をぱたぱたと数えた。何度同じことをしたって内容も枚数も変わるはずがないのだが、そうせずにはいられない。ぺらぺら。ぱたぱた。ボールペンを落としてしまった。がさごそ。隣に座った末松が睨《にら》んでくる。販売促進課の課長、涼平の上司だ。洋梨みたいな下ぶくれの顔にシズカニシロと書いてあった。オマエナンカ誰モ眼中ニナイヨ。

「えー、変更点その一は、懸念であったRMの目標数値です。研究所より改善策が示され、えー、これにより2・7を3・2に向上させることが可能になりました」

小さなどよめきがあがる。2・7が3・2。その数字に感銘を受けているのだ。しかし、一同の声は、テーブルのはるか上席から、蠟燭《ろうそく》の炎同然にかき消された。

「だいじょうぶなのか、3・2で」

溝口専務だ。眼鏡のつるを嚙《か》みながら眉をしかめている。

「4とまでは言わんが、3・5は欲しいな。他社との差別化のポイントだろう」

深海魚を思わせる容貌にふさわしい威圧的な低音。チョウチンアンコウが言葉を話せれば、たぶんあんな声を出すだろう。本人もその効果を熟知している濁声《だみごえ》に呑まれ、部課長たちが小魚のように慌てふためきはじめた。皆の視線がテーブルの中ほど、スーツのかわりに作業着を着こんだ技術屋三人に集まる。

中央に座った研究開発部長補佐の佐藤は、右を見、そして左を見、両側に座った研究開発部長と東京工場長の顔まで自分に向けられていることに気づいて、目の光を失った。

「だいじょうぶなのか」

さっきと同じセリフだが、今度は語尾に苛立《いらだ》ちがにじんでいる。研究開発部長が空咳《からせき》をしたのを号令に、佐藤が尻にバネをつけたように立ち上がった。

「あのぉ……」白目を剝《む》いて五秒ほど中空を見つめてから、佐藤が喋りはじめる。「コストを考えますと、これが限界かと……設定価格が高めとはいえ……今回は我が社初のＬＬ製品ですので、スーパージョイント製法と多層構造製法のために新たに設計した生産設備ひとつをとりましても……」

技術用語を駆使しはじめると、専務は佐藤の言葉を振り払うように顔の前で手を往復させた。もういいと言っているのだ。よくわからないからだろう。一番わかりやすい言葉だけつかまえて、また深海の底から響くような声を出す。

「うむ、そうだ、価格も問題だったな。もう少し安くせねば、な」

「な」と言われても困る。専務以外の誰もの顔にそう書いてあった。

また始まった。前回の会議と同じ。専務のひと言で会議はストップし、初めて出席した涼平たち販売促進課のネーミング案はまったく議題に上らないまま、今日に持ち越しになってしまった。もっとふやせ、もっと安くしろ。めちゃめちゃだ。まるで妨害工作。

「この間も言ったはずだよ。再検討をしてくれと――」

専務はそこまで言うと、顔の前にかざした書類をボロ雑巾をつまむ手つきでひらつかせ、

「まったく変わってないじゃないか」

書類を指で弾いた。

風船の破裂音に似た鋭い音がした。書類を読むふりをしていた末松がヤドカリのように首を縮める。誰もが溝口専務と目が合うのを避けて、顔を伏せるか、そっぽを向いた。末松と同じように少しだけ首を縮めてしまった自分が腹立たしくて、涼平は顔を上げ、専務にせいいっぱいの挑戦的な視線を飛ばしたが、向こうは涼平の存在にすら気づいていないようだった。

もう一人、顔を上げ、まっすぐ専務を見つめている人間がいた。涼平の向かい側の末席に座っている村島。新製品ＴＦ０１ＬＬのブランドマネージャーだ。

二十七歳の涼平より五、六歳は上のようだが、それでも出席者の中では、涼平に次いで若いだろう。クレリックシャツと赤系統のワイドタイが、混ポリエステル素材以外のスーツなどこの世に存在しないと信じこんでいるような白シャツ、暗色系ネクタイの中で異彩を放っていた。

涼平自身はこの会社の面接を受けるために買った、二着で二万八千八百円のグレースーツ。前の会社を辞めた時、サラリーマンからは足を洗うつもりで、それまで着ていたものはみな人にあげてしまったし、もともとスーツに凝るたちじゃない。ただし靴だけはぴかぴかに磨き上げている。三年前から履いているモレスキーのローファーだ。

新製品決裁会議は、企画管理本部長でもある溝口専務以下、各セクションのトップクラスが集まるのがいままでの通例で、本来なら涼平はもちろん、新設されたばかりのマーケティング室長の村島も出席できる場ではない。すべては、この春、営業企画部長から二段飛びで就任した玉川副社長の意向であるらしい。

「仕入れから設定価格を再検討してみようか？　こちらはいくらでも抑える準備があるよ」

原料の仕入れを担当している購買部長の星が、芝居じみた柔和さで溝口専務の言葉をフォローし、褒美を期待する飼い犬よろしく専務の顔色を盗み見る。星は会議が始まる前、この間の社内コンペにおける十七番ホールの専務のショットがどれほど素晴らしかったかを、スピーカーみたいに連呼していた。たぶん本当に飼い犬なのだろう。忠犬ポチ。そういえば耳のまわりだけ禿げ残った髪が妙にふさふさしているところなど、太りすぎのダルメシアンみたいだ。

「いえ」村島が答えた。上司へ無礼にならない程度のそっけない口調。「現状のままでいきたいと思います」

標的を見つけた対空ミサイル砲の非情さで専務の首が村島へ向いた。

「ちゃんと根拠があって言ってるのか」

「そのつもりですが」

専務の顔をまっすぐ見つめて村島が言い、これを見たでしょ、というふうに積み上げた分厚い書類へ片手を置く。たいしたもんだ。四十代、五十代の部課長たちでさえ、専務のひと言ひと言に金玉を縮みあがらせているのに、正直に言って涼平も半分ほど縮みあがっているのに、村島は平然としている。

「いまのご時世、とにかく安く安くだ。280は、いくらなんでも高すぎるだろう。せめて250ぐらいでないとな。理想は180だな」

専務がまたもやすべてをひっくり返すことを言いはじめたが、村島は眉ひとつ動かさない。スクエアタイプの眼鏡を指で押し上げただけだ。

「お言葉を返すようですが、TF01LLは低価格品とは一線を画すところからスタートした商品ですので、いまから価格を大幅に変えるということは、初めから製品企画をやり直すことになりますが」

その通り——唇から言葉が飛び出しそうになって、涼平はあわてて口をつぐむ。そのかわり、膝に置いた両手で小さく拍手した。危ない危ない。涼平には、頭の中に浮かんだ言葉がそのまま口をついて出てしまう悪い癖があるのだ。脳みそと口との距離が人より近いのかもしれない。

「そこまでは言っておらんだろう。理想と言ったはずだ。しかし280を250にすることはじゅうぶん可能なはずだが。時代認識が甘すぎやしないかね」

「高価格帯へ位置づけた商品に、原材料の収縮を行ってまでコストダウンをはかるのはいかがかと」

上座の取締役と末席の室長の論争。初めて見る光景なのだろう。テーブルの両サイドの面々は目を丸くし、テニスの試合を見守る観客のように首を右に振り、左に振る。

「君は昼飯にいくら金を使う?」

専務が椅子に背をあずけ、顎《あご》の贅肉が三重になるほど体をそり返らせて、取り出した煙草のパッケージをもてあそびはじめた。自分が村島よりはるかに格上の人間であることを知らしめるためのしぐさに見えた。

「は?」

「最近、牛丼屋やハンバーガー屋に入ったことはあるかね」

「……いえ、あまり」

初めて村島が言葉を濁らせた。そうだろう。どこから見ても牛丼屋のカウンターよりイタ飯屋のオープンカフェのほうが似合いそうな男だ。あのツイード地のスーツにつゆだくの飯粒や生卵をこぼしてしまったら、クリーニング代は馬鹿にならないはずだ。

専務が不機嫌そうに歪めていた唇を、うっすらと笑ったかたちにした。ストレートが通じないとわかって、ロブを打ち上げたのだ。

「私は時々行くよ。もちろん、うまいなどとは思わん。行きたくて行くわけじゃない。市場調査のためだ。机上の論議や報告書の数字では知り得ないことを知るためだよ。行けばわかるんだ、今がどういう時代であるかが。誰が何を求めているかがね」

忠犬ポチほか数名が、尻尾を振るかわりに大きく首を振ってうなずく。専務がわざとらしく村島から顔をそむけて他の面々の顔を見まわした。

「諸君、厳しい状況下にあるいまこそ、先代が常々おっしゃっていた言葉を思いだそうじゃないか。我が社の正面玄関を通る者なら、誰でも毎日、心に刻むあの言葉を――」

そこで専務は伝道師のように薄く目を閉じて皆を睥睨《へいげい》し、重々しく言葉を継いだ。

「お客様の声は、神様のひと言」

お客様の声は、神様のひと言――この会社の社訓だ。本社一階ロビーの大きな掲示板の上には、横長の漆額が掲げられていて、有名書家が揮毫《きごう》したというこの言葉が躍っている。社員はみな会社の恥だと思っているのだが、専務はそうではないらしい。抜き出した煙草の尻でテーブルを叩きながら、村島に底意地の悪い笑みを投げかけた。これで議論はおしまいだというふうに。

「市場の声を真摯《しんし》に聞きたまえ。君だって値引き商戦を展開している平日のハンバーガーの値段がいくらなのか、そのくらい知らんわけではないだろう。ブランドマネージャーだかなんだか知らんが、勉強不足じゃないかな。君も行ってみなさい。牛丼屋に、ハンバーガー屋へ、立ち食いそばへ。どこもサラリーマンであふれている」

最後の詰めが甘かった。痛恨のミスショット。サラリーマン——専務のそのひと言で村島が息を吹き返した。

「男性就労層マーケットのリサーチは今後の課題とさせていただきます。別の機会に。言わずもがなですが今回のターゲットは——」そこでほんのわずかに、しかしあきらかに意識的な間をとり、いっきにまくし立てた。「あくまでもTF01LLの購入決定権を持つF1後半とF2層、いわゆる三、四十代の主婦がメインですので、こちらに関しては徹底的にリサーチを行いました。詳細は以前お渡しした資料の通りです。低価格化は確かに現在の流れです。しかし一方で本物志向、健康志向も衰えてはいません。首都圏八カ所でフィールドワークも実施しましたが、主婦層には他者と差別化が図れる商品が有効であると改めて認識しました。彼女たちはレジの前で胸を張れる商品を必要としているのです」

息を呑むラリーだった。トップランカーのくせ球を、名もない新人がはじき返したのだ。ゲームの主導権を村島に奪われた専務が、分厚い下唇を突き出して渋面をつくる。煙草をくわえようとして灰皿がないことに気づいて、灰皿並みに下唇を尖《とが》らせた。

社内的な肩書がどうあれ、ブランドマネージャーには担当製品に関する絶対的な権限が与えられる。大手メーカーではもう珍しくもないのだが、この会社では副社長の肝いりで初めて導入された制度で、TF01LLと村島が第一号だ。いままで新製品の企画開発のすべてを牛耳っていた専務にはそれが面白くないのだろう。副社長のひと声で会議室が禁煙になってしまったのも。

巨大なバーカウンターを思わせる長方形の会議テーブルの端に座った専務が、かつては自分の指定席だった長方形の短い辺、窓を背にしたたったひとつの椅子に苦々しげな目を走らせた。ナンバーワンのための玉座であるそこは空席だった。今日から新製品決裁会議に出席するという話だった副社長は、急な来客とのことでまだ姿を見せていない。

強引に火をつけようかどうか迷ったふうに煙草を出し入れし、結局パッケージに戻してから、専務がまた攻め方を変えた。

「本質がわかってないねぇ」ゆっくり首を振って重々しく言葉を放つ。「タマちゃんラーメンの」

顔と声におそろしく似合わないフレーズだが、しかたない。タマちゃんラーメンは、涼平の新しい会社、珠川食品の主力商品であり、「タマちゃん」は、麺製品全体の愛称だ。今回のTF01LLは、単なる製品番号。いままで乾燥麺しか手がけていなかったこの会社の初めてのLLタイプ——つまり生麺製品だ。予定価格は280円。

『タマちゃん』という言葉を聞いたとたん、村島の顔に自分の企画書が汚《けが》されたとでも言いたげな表情が浮かんだ。分厚いファイルに視線を落とし、中を透かすように眺める。真向かいに座る涼平には、なぜ自分の出色の企画書が、高級乗用車や流行のファッションに関するものではないのだろうと訝《いぶか》っているふうに見えた。

「タマちゃん麵シリーズは、庶民の味、家計の味方ということでずっとやってきたのだよ。それをいきなり高級路線だなどと――私は納得がいかんね」

専務は自分の最後の砦であるキャリアを、積もった埃を振り払って持ち出してきた。町工場に毛の生えたような食品加工会社「玉川漬物」の時代から、この会社一筋五十年のキャリアだ。引退した先代とともに返品の山を積んだリヤカーを引っ張ったという自慢げな苦労話は、社内行事の挨拶のたびに、まだ入社四カ月の涼平もすでに三回は聞かされている。

「タマちゃんラーメンはね、マーケティングやらリサーチやら、そんな言葉がない時代に先代と私たちが手さぐりでつくって、リヤカーを牽《ひ》いて、ここまでに育てたのだよ。思えば、あれこそブランドマネージャーだ。他に人がいないんだから、なんでも自分でやるしかなかったんだ。だがタマちゃんラーメンはいまも生き続けている。タマちゃんブランドは皆に愛されている。なぜだかわかるかね。タマちゃんラーメンを、数字や理論ではなく、肌で感じ、汗をかき、涙を流して世に送り出したからなんだよ」

専務が「タマちゃん」を連呼するたびに、村島の頰が凌辱される花嫁のように紅潮していく。そう言えば前回の会議でも、この男が商品名をタマちゃんという愛称で呼んだことは一度もなかった。

「タマちゃんラーメンの産みの親、育ての親の一人として、言わせてもらおう。ま、老兵からの諫死《かんし》の言《げん》と思って聞いてくれ。はっきり言って、このままでは今度の新しいタマちゃんは失敗するよ」

呪いの魔法をかけるように、専務が村島へ言葉とひとさし指を突きつけた。どうやら本気で新製品の発売を妨害しようとしているらしい。専務が一転、物わかりのいい上役といったつくり笑いを浮かべて、ラストサーブを繰り出す。

「もうちょっと揉《も》まんといかんね、社内的に」

「いえ、すでに副社長の了承はいただいておりますので」

村島のリターンが決まった。ややアンフェアだが、これでゲームセット。専務は餌のかわりに石ころを呑みこんでしまったアンコウの顔で口を閉ざした。

専務がだんまりを決めこんでしまうと、口を開く人間はもう誰もいない。会議室を覆ってしまった沈黙のカーテンをおそるおそる開けるように秋津がかすれ声を出した。

「えー、では続けさせていただきます。四ページ目中段からです——これにより」

涼平は再び二十部の企画書と、高さ三十センチほどに積み上げた提案用ボードのチェックを開始した。何度確かめても気になる。なにしろこの会社に入ってからの数カ月のほとんどの時間と労働がこの中に詰まっているのだ。

企画書は表紙を入れて十三ページ。涼平のラッキーナンバーだ。手間はかかったが、珠川食品に入社する以前は広告代理店にいた涼平にとって、手慣れた仕事だった。代理店時代のクライアントたち——主に大手企業の宣伝部の人間——だったら、わかりきったことを説明するなと怒り出しそうな内容なのだが、珠川食品はそういう会社とは違う。いままでのネーミングはみな社内公募を募り、専務が最終的に決定を下していたのだそうだ。妙な名前の商品が多いのは、そのためだろう。

『のどごしつるつる麵自慢和風ラーメン』は専務自身が名づけ親だそうだ。だから、『のどごしつるつる汁自慢広東風ラーメン』は、腰巾着の誰かの作に違いない。

『愛・LOVE・茎わかめ』は、おおかた専務がお気に入りの女子社員のネーミング。ろくに商標登録も調べずにパッケージまでつくるから、発売直前に同名商品の存在に気づき、あわててラベルを刷り直したこともあったという。

B4の厚紙一枚に一案ずつ、八十を超えるネーミング案は、代理店の制作進行部時代のルートを使って旧知の広告制作会社やフリーのコピーライターに依頼した。不採用の場合、制作費は払えない、と言い添えたにもかかわらず膨大な量が集まった。広告業界の不況もだいぶ深刻らしい。

集まったネーミングはあえて選別せず、玉石混交のままにしてある。キャッチフレーズ案は少なめに、ネーミング案は多めに——広告のプレゼンテーションの基本だ。キャッチコピーは確信と気合をこめて提案前に候補を絞りこむべきものだが、商品のネーミングの場合、そうもいかない。メーカーにとって新製品はわが子同然。赤の他人にあっさり名前を決められたくないというのが人情だからだ。涼平自身が秘《ひそ》かに本命と見なしている数案はいちばん最後、議論が紛糾してから出すつもりだった。

後はどうやって説明し、説得するかだ。涼平の代理店での仕事は、入社以来ずっと制作進行だった。いわば営業部と制作セクションの調整役。裏方だ。だからプレゼンテーションには参加しても、自分自身が説明役《プレゼンター》になったことは一度もなかった。

昨日帰宅したのは、深夜零時近かったのだが、何度もリハーサルをした。部屋の中を歩きまわり、「販売促進課の佐倉です。さっそく始めたいと思います」「お配りした書類は、あくまでも資料です。のちほどお読みいただくとして、とりあえず私の話を聞いてください」などと一人芝居を繰り返していたのだから、我ながら肌寒い光景だったろう。

深夜二時をすぎる頃には、頭の中で翌日のプレゼンテーションのイメージがすっかりできあがっていた。イメージの中の涼平は、現実の自分よりずっと柔和で礼儀正しい好青年で、語り口調もソフトだった。前の会社で上司に目つきが悪いと言われていた表情からも険《けん》が消えている。「では次に、カップ麺市場における他社のネーミング戦略について――」「結論として、私は、この方向こそベストではないかと確信します」重役たちの賛辞の声や、握手を求められる自分の姿まで想像してしまった。独演を続けている自分の間抜けな姿が窓ガラスに映っているのを見て、急にあほらしくなって企画書を放り出した。

もし鈴子がいたら、きっとベッドに体を投げ出して大笑いをして、それから、あんたもちっちゃくなったねぇ、なんて皮肉っぽくため息をつかれていただろう。リンコ――本名はスズコなのだが、誰もそう呼ばないし、本人も呼ばれたがらない——は半年前に部屋を出ていったきりずっと帰ってこない。リンコがいなくてよかったよ。ほんとうに。

会議はいっこうに進んでいない。「えー」ばっかりの秋津の長ったらしい「手短な説明」が終わると、今度は研究開発部長が、2・7ミリだったRMを3・2ミリに変更することがどれほど困難な作業であり、またスタッフ——あくまでも自分を中心とする——が、いかにそれを克服したかについて、難解な専門用語ばかりで演説しはじめた。

RM3・2ミリというのは、なんのことはない、カップ麺に入れるレトルト・ミート、つまりチャーシューのことだ。ただの生麺タイプではいまどき珍しくないから、今度のタマちゃんラーメン生タイプは、厚切りチャーシュー入りを最大のセールスポイントにしているのだ。

眠りの呪文みたいな技術解説を聞きながら、涼平は重くなっていくまぶたをけんめいにこすった。何しろ昨夜の睡眠時間は二時間ほどだ。

まずい。涼平はいったん眠くなると、どんな場所でも平気で寝てしまう。昔、バンドをやっていた頃は、開演直前の照明を落としたステージで、タカシのベースの単調なチューニングの音を聞いているうちに眠ってしまうことがあって、よくリンコにマイクでぶったたかれた。涼平はそれを、俺ってプレッシャーを感じないたちだから、なんて自慢のひとつにしていたのだが、リンコに言わせると、そうじゃないそうだ。「あんたはね、緊張すると寝ちゃうの。お手軽な現実逃避。口では強がり言ってても、リョウちゃん、本当はチキンハートだから」

目がしらを揉みほぐし、深く息を吸うと、頭の中の霧が少し晴れた。右手でもう一度左肩に触れる。今度はさっきより強く。わし摑《づか》みするように。体を流れる血液の温度が上昇していくのがわかる。だいじょうぶ、俺はやれる。俺にはできる。チキンハートなんかじゃない。

「よし、やるぞ」

頭の中で呟《つぶや》いたつもりのその言葉が、つるりと口から飛び出してしまったらしい。末松が訝しげな視線を寄こしてきたから、咳払いをしてごまかした。

販売促進課長の末松は、いちおう今回のネーミング作成案の責任者なのだが、まったく何もしていない。いちいち報告しなくていいと言うから、途中からは独断で仕事を進めている。

「いきなりネーミングを考えろなんて言われても困るよ。僕は店頭販売のことしかわかんないから。ほんとに副社長は何を考えてるんだか。全部君にまかせるよ。たぶん副社長は、そのために君を入社させたんだろうし。好きにやっていいから」

気楽なもんだ。研究開発部長の話に退屈しきった末松は、鼻毛をむしって吹き飛ばしている。

前の会社を辞め、珠川食品に再就職したことにたいした理由はない。貯金はなかったが、しばらくは失業保険で何とかなるはずだった生活設計が狂っただけだ。家賃を半分ずつ出し合って暮らしていたリンコと喧嘩して、リンコが出ていったとたん、マンションの家賃が払い切れなくなってしまったのだ。リンコがいなくなる直前、ギブソンのアコースティックギターを衝動買いしてしまったのも痛かった。

リンコのことを思い浮かべると、なぜかまた睡魔が襲ってきた。やば。涼平は頭の中のその顔を吹き払うように、ぶるりと首を振った。

珠川食品が大がかりな人材募集をしていることは、コンビニで立ち読みした就職情報誌で知った。ほんとうにただの偶然。から揚げ弁当をチンしてもらう時間が長かっただけ。たまたま開いたページの『広告宣伝のスペシャリスト求む』という募集要項が目に飛び込んだのだ。宣伝部も宣伝課もないことは、最終面接に行くまで知らなかった。

珠川食品は従業員七百三十人。国内に工場が四つ。研究所が二つ。アジアだけだが海外にもいくつか拠点がある。大手とは言えないが食品会社としてはそれなりの規模で、取り扱い品目も手広いから、社名と商品のいくつかは涼平も知っていた。会社が倒産しようがリストラされようが人は飯を食う。不況だといっても食い物業界なら、それこそ食いっぱぐれはないだろう。応募書類を出した時も、そのくらいの軽い気持ちだった。

失業者にはことかかない時節がら、面接会場は満員だったが、すんなり入社できた。涼平の勤めていた広告代理店が、名前を言えば誰でも知っている業界大手だったからだと思う。涼平が曖昧《あいまい》に答えていた、会社を辞めた本当の理由を知ったら、採用に二の足を踏んだかもしれないが。

「えー、ではそろそろ本題に入りたいと思います。えー本日の議題であるネーミングに関してですが……」

秋津はそこで口ごもり、昼近い陽光の中で文字通り玉座さながらに輝いている、窓際の空席へ目を走らせた。副社長抜きで本題に入っていいものかどうか、決めかねているのだ。いや、自分で決めるのを恐れているのだろう。テーブルに並んだ面々の顔に探る視線を投げかける。

誰もがその視線を避けた。

　副社長が顔を出してから始めたい。涼平はそう願っていた。老害にむしばまれたこの会社の上層部の中で、副社長の玉川政彰《まさあき》が唯一話の通じる人物に思えたからだ。なにより決定権がある。社内プレゼンとはいえ、決定権を持つキーマンに話をしなければ意味がない。開会すべきかどうかも決められない会議で、はたして何が決まるだろう。

「始めよう」溝口専務が腹立ちを吐き出すように言った。

「では、専務のお言葉に従いまして」抜け目なく責任の所在を明確にして、秋津が声を張り上げる。「まず販売促進課から試案を提出いたしますので、ご検討ください」

　しゃあない。やるか。涼平は小さな咳払いをテーブルの下に落として、企画書の束に手をかけた。と、突然、海底火山が噴火するような声がした。

「販促ぅぅ」溝口専務だ。長く伸びた語尾が不満と侮蔑を示している。夕飯に納豆ぅぅ。そんな感じだ。「販促課も来てるのか」

　鼻毛を飛ばしていた末松の頰が引きつった。強張《こわば》った愛想笑いを上座へ向けたが、専務は気づかない。顔も名前も知らないのだ。眼中にないのは涼平だけではなく末松も同じのようだった。

「販促が名前をつけるだとぉぉ」またも語尾が伸びる。納豆にワサビだとぉぉ、と怒りをにじませた感じだ。「そんな話、聞いてないぞ」

　忠犬ポチに何事か耳打ちをされ、ようやく口をつぐんだと思ったら、五秒もたたないうちにまた唸り声をあげた。

「だいじょうぶなのか、大切な商品の名を販促課なんぞに任せて」

販促課なんぞの課長、末松の顔から表情が消えた。動揺と恐怖と屈辱。どんな感情を顔面に表せばいいのかわからなくなっているのだ。ニワトリのような目をした末松が、ニワトリ並みの素早さで涼平に首をねじまげ、早く企画書を配れというしぐさをする。

涼平が企画書を配りはじめると、末松も立ち上がって上座へ向き直った。小太りの体をそり返らせ、自分の愛想笑いに専務の目が止まるのを辛抱強く待ち続けている。

「販促課、課長、ス、エ、マ、ツ、でございます。今回はこのような重責を我々販促課にお任せいただき、まことに身にあまる——」

なんのつもりか挨拶をはじめた。たぶん出席者を苛立たせる以外に何の効果もないだろう。涼平は企画書を配り終えて席に戻り、「では、佐倉君、頼む」という末松のひと言を待った。しかし、そうはならなかった。末松がこう言い出したのだ。

「では、まことにまことに僭越《せんえつ》ではありますが、私、ス、エ、マ、ツがネーミングを、いや、あくまでもネーミング案でありますが、ご説明させていただきます」

呆然。この男は企画書の中身を見てもいないのだ。

「その一、カップ麵市場における他社のネーミングの現状と傾向。現在食品業界においてネーミングの持つ重要性はますます大きな——」

もったいぶった手つきで企画書の一ページ目をめくり、すべてが自分の仕事であるかのような顔をして棒読みをはじめた。

おい、ちょっと待てよ。末松にアイコンタクトを試みたが、涼平の視線に気づいて、そっぽを向いてしまった。普段のねちゃねちゃとしたスルメをしゃぶっているような声よりいくぶん朗々とし、いくらかは軽快な口調でまくし立て、ときおり上目づかいで自分の言葉がもたらした効果を専務の顔に探している。

涼平は心の中で舌打ちをした。そうだった。この末松はそういう男だったっけ。


涼平は三カ月前のことを思い出していた。六月初め、販売促進課の恒例だという課内旅行でのことだ。場所は鬼怒川温泉――。

夜の宴会は涼平の歓迎会も兼ねているという話だったが、すでに半分できあがっている課員たちの前で誰も聞いていない挨拶をさせられただけで、とくに歓迎されず、涼平はいつの間にか人の輪からはずれてしまい、一人でコップ酒を食らっていた。

ふと、同じく輪からはずれて――たぶん皆から敬遠されて――いた末松と目が合った。涼平を手招きしている。まねき猫みたいな正体不明の笑顔で。空《から》であることに涼平が気づくまで自分のコップを突き出し続け、酌をしたとたん、喋りはじめた。

「君って、あそこに居《い》たんだって？」

あそこ――思わせぶりに言う。涼平のいた代理店だ。業界のガリバーと呼ばれている最大手。とりあえず合コンの相手探しには困らない会社だ。その名前が口にするのも忌まわしいものであるように末松は、「あそこ」を連発する。

「あそこに僕、知り合いが何人かいるよ。後藤さんって知らないかな。営業の」

涼平は儀礼的に考えるふりだけして首を振った。従業員五千人だ。後藤だけで何十人もいるだろう。

「けっこう大変みたいだね、あそこも。昔はうちなんか相手にしなかったのに、最近じゃテレビでコマーシャルやらないかとかキャンペーンガールはいらないか、なんて上のほうに売り込みにきてるらしいよ」

曖昧に返事をした。何と答えたか、その場で忘れてしまうような返事だったから覚えていない。末松が秘密めかしたしぐさで顔を近づけ、酒臭い息を吹きかけてきた。

「なんで辞めちゃったの」

「さぁ、なんででしょう」

それは言えません。涼平は苦手な愛想笑いを浮かべて場を逃れようとしたのだが、末松は執拗だった。

「なんでよぉ。うちなんかよりずっと給料いいでしょ。仕事もハデそうだし。ロケとか水着オーディションとか。新人のタレントと寝ちゃったりもするんだろ」ちょっと誤解があるみたいだ。「うちなんかだめよ。タマちゃんラーメンの会社だもん。あとは漬物とメンマ。コマーシャルやんないもんな。ねぇ、なんで、なんで？」

四十過ぎの年齢なのに、子どものように口を尖らせて、なんでなんでと繰り返す。しかたがないから、面接の時のせりふを繰り返した。モノを一からつくる仕事をしてみたかった。代理店はあくまでも代理業で飽き足りなさを感じていた。本当は学生時代から食品業界が第一志望であり、御社のことは前々から――まぁ、後はいいか。以下省略。どうせ、ぜんぶ嘘だ。

「人事の人間から噂は聞いてるよ。副社長に期待されてるらしいじゃないの。羨《うらや》ましいねぇ。たいしたもんだ。副社長に個人的なコネとかあったの?」

「いいえ、別に」

そんなものはない。副社長とは最終面接の時に顔を合わせたのが最初で最後。話をしたのもその時だけだ。君みたいな人材がもっとうちの会社に必要なんだ――などと言われたから、まぁ、入社は出来そうだなとは思ったが。販売促進課にネーミング案提出という異例の仕事がまわってきたのを、課内の誰もが副社長から涼平への勅命だと噂しているが、もちろん、そんな命令をされた覚えはない。

「ま、僕は新発売キャンペーンのプレミアムのほうを担当するよ。ネーミングの件は全部君にまかせる。こう見えても僕は部下の自主性を重んじるほうだからね。自由を愛するフォーク世代だもの。仕事さえしてくれれば、個人的なことには目くじらは立てない。ファッションに手間ひまかけるのも悪いことじゃないと思うしね。ぜんぜん気にしないから」

そう言いながら上目づかいで涼平の髪に視線を走らせる。表情だけは正直な人のようだ。目がキニシテルと言っていた。くせ毛をそのまま伸ばした、ちょっとだけシド・ヴィシャス風のショートウルフ。染めているわけではないし、スキンヘッドやモヒカンのグラフィックデザイナーやコピーライターがごろごろしていた前の会社ではとりたてて目立つヘア・スタイルじゃなかったが、服務規定であるかのように誰もかれもが七三分けか八二分け、九一分けの珠川食品では珍しがられる。年配の社員には露骨に非難がましい視線を浴びたりもしていた。末松のように白髪染めを使っているらしい真っ黒な髪を大量の整髪料できっちり撫でつけるより、よほど手間はかかっていないのだが。

空になったコップをこれみよがしに突き出してくるから、そのたびにビール瓶を手にとった。いくら待っても向こうに酌をしてくれる気はないようだから、自分の分は自分でついだ。あまり酒に強くないらしい末松の顔はすでに真っ赤で、口にくわえた割り箸を赤ん坊のように吸いはじめた。

「いいな、いいな、君は。まだな〜んにも仕事してないのに期待されちゃって。がんばって、期待に応えてよっ」

どんと肩を叩かれた。必要以上に痛い気がした。

「君はうちのホープだよ。なんたって副社長のお気に入りなんだから。ほんと、たいしたもんだ。広告宣伝のスペシャリスト」最後のワンフレーズを揶揄《やゆ》するように英語っぽく発音してから、末松はくすりと笑う。「うち、宣伝なんてしてないのにね」

「これから体制づくりを始めるって聞いていますが」

「あ、そ。僕は聞いてないよ」

喧嘩を売ってるのか？　ムカついたが、黙ってまたビール瓶を末松のコップにかたむけた。

昔の涼平なら、この時点でビール瓶のネックのほうを握っていただろうが、社会人になって五年。サラリーマンには絶望的に向かないと言われてきた涼平にだってそのくらいの我慢は出来るようになった。大いなる進化。類人猿が直立歩行を覚え、石器を手にしたような。

「うちもね、以前シーエフをやったことがあったんだよ、七、八年前。テレビじゃなくて雑誌のCF《シーエフ》」雑誌広告はCF《コマーシャルフィルム》とは言わないが、そのことは黙っていた。大いなる進化。いや、退化しているのかもしれない。「でも一回こっきり。あの時はまだ先代が会長をしててね、後で知って激怒したんだ。そんなものに金を使うなら、麺の量をふやせってね。先代は嫌いなんだよ、宣伝が。昔、タマちゃんラーメンが新発売された頃、よそが――日清チキンラーメンとかエースコックのワンタンメンとかが、みんなテレビCFをばんばんやっててね。知らないかな、♪明星即席ラァ～メン、パパと一緒に食べたいなっ、て、若い人は知らないか。あの頃にうちも対抗してCFを打とうとして、妙な業者にひっかかっちゃったらしいんだ。前払いした制作料だか放送料だかを全部持ち逃げされたんだって。それ以来、うちはだめ。先代がいなくなって五年たつのに、いまだに昔どおりだよ。いまの社長は先代の教えに忠実だからさ。馬鹿がつくくらい素直に。厳しくしこまれ過ぎてパブロフの犬になっちゃったのね。背中にアンテナがつけられてて、どこかから遠隔操作されてるんじゃないかって言われてるぐらいだもん」

　先代というのは、珠川食品の創業者、玉川政次《まさじ》翁のことだ。タマちゃんラーメンを自ら考案し、それまで漬物の袋詰や瓶詰を細々と生産していた小さな会社を、一代で中堅食品メーカーに築き上げた伝説の人物。とはいえ涼平は本社ビルの前の銅像と社史の中の写真でしか見たことがない。五年前に会長職を辞して、長野の山奥へひきこもり、隠居生活に入ったと言われているが、いまはそこも引き払ったまま行方がわからないそうだ。隠居というより隠遁。もう八十をとっくに超える年齢だ。生きていればだが。

二代目の現社長玉川和雄は、娘婿。元銀行マンで、一企業の社長というより、銀行の地方支店の支店長といった印象の人物だ。実際、玉川政次の娘と結婚していなければ、そういう人生しか歩んでいなかったに違いない。

女子社員が早々に部屋へ引き上げてしまうと、それまで躁状態だった男たちのテンションが急に下がった。そんな時、誰かが露天風呂で飲もうと言いだしたのだ。涼平はパスだ。しかし、どやどやと部屋を出かけた一行を見送っていると、

「あれ、佐倉君は？」

ねじり鉢巻きに割り箸を差した課員のひとりが、部屋へ残ろうとした涼平に気づいた。

「あ、僕はちょっと」

「なんで？　みんなで行こうよぅ」先頭に立っていた末松が、酒で真っ赤に茹《ゆ》であがった顔をふすまの蔭からのぞかせた。「行こうよ。吉岡のデカチン、見たくない？　すごいんだよ」

幼稚園児か、お前は。

「いや、いいです」

「どうしてよ」

「いえ、まぁ」それは言えません。

「もしかして、君……あ、そうか、タートルネックってやつ？　恥ずかしがらなくていいよ、安田も仮性だし。なぁ」

違うでしょっ。若手体育会系の安田が、手慣れた調子でお約束のつっこみを入れる。サラリーマンの様式美。

「いいじゃん、男同士だもん。ちんちんが小さくたってホーケーだって。だいじょうぶ、うちの課にホモはいないから、安田以外」

違いますってば。再びマンネリ漫才師のような安田の気のないつっこみ。あいにく包茎じゃない。たいしてでかくはないが短小でもない。だが、風呂には入れない事情があるのだ。

「どうぞ僕にかまわず」

涼平はせいいっぱいすまなそうな顔で言った。うひっく。末松が不気味な音を立ててしゃっくりをする。そのとたん形相が一変した。

「かまうよ」声も低く変わった。口調もだ。「あんだ、おめえは。広告代理店だかスペシャリストだか知んねぇけど、組織ってそういうものじゃねえだろが。うちの会社にはうちの会社の流儀があんだよ。同じ釜の飯を食って、ともに泣き笑いするんだよ。職場には職場のつきあいってものがあるだろが。だいたい、気持ち悪いんだよ、お前は。浴衣《ゆかた》の下にTシャツなんか着ちまってよぉ。おカマか？」

「人の勝手じゃないですか」

「勝手も玄関もねぇんだよ」

いきなり胸ぐらをつかんできた。自主性を重んじるっていう話は、どこへ行っちまったんだろう。末松がTシャツに手をかけてきたから、その手首をつかんだ。

「なんだなんだなんだ、この手は。俺は俺は俺は上司だぞ」

酔いに濁った目に血管を浮かせて、ろれつのまわっていない舌で啖呵《たんか》を切ってくる。上司なら部下に何をしてもいいと思っているのだ。自分は何もされるはずがないと信じこんでいるのだ。それが間違いであることを思い知らせてやった。涼平も胸ぐらをつかみ返して、引き上げる。背の低い末松が爪先立ちでじたばたしはじめた。それ以上、手荒なことをするつもりはなかった。末松が耳ざわりなきいきい声で、こう言うまでは。

「そそそうか、お前、前の会社でも、こうだったんだ。ぼ、暴行野郎だ。そそそれでクビになったんだろ」

大当たり。景品は強烈な足払い。考えるより先に体が動いてしまった。口だけじゃない、脳味噌と手足の距離も人より近いのだ。まるで自慢にならないが。

前の会社と同じだ。再現フィルムがまわっているようだった。相手は部下のミスに鉄拳制裁をするという熱血上司。カスだ。肩書で手足を縛った相手を殴る男を、熱血とは呼ばない。カスの上司に胸ぐらをつかまれ、それに熱くなって胸ぐらをつかみ返すカスの自分。違うのは、前回の場所が温泉旅館ではなく、オフィスの課長のデスクの前だったこと。そして、その時は、向こうが殴りかかってきたから、それをよけて殴り返したことぐらいだ。

ボクシングの試合ならパンチを当てた選手が褒められるのだが、残念ながら職場でのボクシングでは当ててしまったほうが責任を問われる。たまたま向こうのパンチがへなちょこだったために、涼平は会社をクビになった。前の会社の上司は鼻の骨までへなちょこで、鼻骨骨折。裁判沙汰にしたくなかったら辞表を書けといわれた。

末松は殴りかかっては来なかった。その度胸も腕力もなさそうで、若い娘のように両手を頬にあてがい、信じがたい超常現象を目撃したという目をして涼平を見上げてくるだけだった。

翌朝、謝る気など毛頭なく、一人でこのまま帰り、辞表を書こうと決めて荷造りをしていた涼平に、末松はにこやかな声をかけてきた。

「気にしないで、佐倉ちゃん。こっちも酔ってたし。何があったのかあんまり覚えてないんだよ」

案外、いい人かもしれない。思わずほろりとさせられて、その時は涼平のほうから頭を下げてしまったが、後で頭を下げた自分が馬鹿だったと気づいた。末松はしっかり気にしていたし、ちゃんと覚えていた。問題にしようとしなかったのは、副社長の勅命らしい自分にはわけのわからない涼平の仕事が途絶えてしまったら、困るのは自分で、責任問題になりかねないと思ったからだろう。

涼平が課員の誰からも昼飯に誘われなくなり、末松が報告を一切受けつけなくなったのは、その翌日からだ。

末松は涼平の企画書を棒読みし続けている。全十三ページのまだ二枚目。

「このようにネーミング戦略は、消費者に短期間で記憶されることを目的としたもの、あるいは長期的にブランドイメージの構築をはかるものなど、その達成目標に応じて——」

あれじゃだめだ。涼平は四カ月がかりの自分の仕事が、波を受けた砂の城となって崩れていくのを、奥歯を嚙みしめながら傍観しているしかなかった。

棒読みじゃだめだ。自分の言葉で説明しなければ。それも要点だけ簡潔に。全部読む必要はどこにもない。アイデアに添える企画書の厚さは、思いつきやいい加減な作業でアイデアが生まれたものではないことを相手にアピールするためのものだ——サラリーマン生活五年目で、たいして優秀でもなかった涼平ですらそんなことはわかっているのに。この男は二十年間何をしていたのだろう。

いや、他の部課長たちは辛抱強く——何人かは居眠りをしていたが——いつものことだという顔で末松の棒読みを聞いている。この会社は四十年間何をしていたのだろう。

だが、さすがに十三ページは長すぎた。末松が三ページ目をめくろうとしたところで、専務が恫喝《どうかつ》に近い声を出す。

「もう、いいよ。講釈は」

末松の小太りの体が椅子からはじけて宙に浮いたように見えた。

「皆、忙しい中を集まっているんだ。結論だけ言いたまえ。手短に」

末松がまたニワトリの目になってしまった。企画書の残りのページをめくり、また元へ戻し、またためくる。内容のわかっていない末松に結論を言えといっても無理だ。購買部長のポチが追い打ちをかけた。

「早くしなさい」

ひっく。末松は答えるかわりにしゃっくりをし、目を血走らせてページをめくり続けた。うなじから不気味なほど大量の汗が噴き出している。やばい。末松が壊れていく——。

凉平は再びアイコンタクトを試みた。末松の目をとらえ、自分がやると目でアピールをする。しかし末松のニワトリ目には何も見えていないようだ。凉平も、目の前の光景も、なにもかも。

凉平は提案ボードを取り出した。こうなったら先にアイデアを見せて、後で説明するしかない。だがボードに手をかけたとたん、末松がそれをひったくり、自分のふところに抱えこんでしまった。末松が口を開く前に、分厚いボードの束を見とがめた専務が敵意むき出しの胴間声をあげた。

「それは何だ？　全部出すつもりじゃないだろうな。ちり紙交換じゃあるまいし。提案はちゃんと整理しろ。最終候補を三つ四つ出せばじゅうぶんだ。それ以外は見ん」

珠川食品では店頭ディスプレイや試食販売派遣が主な仕事の販売促進課に、新製品の名前を考えさせること自体が許せないらしい。むちゃを言うなよ。末松に最終候補なんてわかるはずないじゃないか。

「早く！」

ひっく。壊れかけの末松がまたしゃっくりをする。そして凉平が止める間もなくいきなり一枚のボードをかざして、裏返った声を出した。

「これです」

残りのボードで頭をひっぱたいてやろうかと思った。違う。それは本命案を引き立てるための、ただの捨て案だ。

『タマちゃん豚骨生ラーメン』

視力検査表の1・0ぐらいに拡大し、イメージカラーをつけてプリントアウトしたボードの文字を見るなり、一同がいっせいに鼻を鳴らした。

「無芸きわまるねぇ」

「何カ月もかけて、それが結論かね」

「だから販促なんぞに」

「あ、いや、あの、その……」末松が取りすがるように二枚目のボードをつかんでテーブルの上に立てた。

『タマちゃんチャーシュー生麺』

二案目は常務の鼻息で吹き飛ばされた。ボードの裏に書いておいた番号を末松は完全に誤解している。あれはただの整理番号。誰だって後から見せられたものの方が、先に見たものより印象が強くなる。涼平は最初のうちは無難な案を手早く見せてゆき、しだいに本命に近づけていくつもりだったのだ。バッドニュース&グッドニュースの法則。これもプレゼンテーションのイロハだ。

「ねぇ、課長。あとは僕が」

末松に囁きかけたが、充血した涙目で涼平を睨み返して、駄々っ子のように首を振るだけだ。この男は新製品のネーミングではなく自分を社内にプレゼンテーションしたいのだ。そして見事に失敗を重ねている。

「営業のほうでも、試案を考えてきているらしい。現場を知ってる人間の意見は貴重だと思うんだ。ちょっと見てやってくれないか」

突然、忠犬ポチが切り出した。星の隣にいた営業一課長——忠犬のそのまた忠犬が、二、三枚綴りの書類を配りはじめる。その間に末松が三枚目のボードをデスクにかざしていたのだが、もう誰も見ていなかった。

レポート用紙をコピーしただけの書類だった。手書きのくせ字でネーミング案がびっしりと箇条書きされている。プレゼンテーションのやってはいけない見本のようなしろものだったが、一同はようやく安心した表情で書類を繰りはじめた。末松の暴走のせいばかりじゃない。この会社の社内プレゼンに、自分のやり方が通用しないことに涼平は気づきはじめていた。

「一枚目の最後のなんかいいんじゃないか」

「二枚目のこれもなかなか」

会議室が急に活気づく。営業一課長が、さりげなく言った。

「一枚目の三案目などはどうでしょう？」

研究開発部長がずり下げていた老眼鏡を元に戻して音読した。

「——タマちゃん・厚切り炭火焼きチャーシュー入り豚骨しこしこ麺。どうにも長すぎるなぁ。

これはちょっとねぇ」

「それは専務がお考えになったものです」

ムンクの『叫び』の表情になってしまった研究開発部長を除く一同が、深く感じいったという具合にうなずく。会議室に句会の選評終了といったふうのしみじみとした間が訪れた。

「さすが」

歌舞伎のかけ声を思わせる絶妙のタイミングで星が声を出す。本当に伝統芸の舞台を見ているようだった。いわゆる茶番劇。

「いいんじゃないですか」

「それで行きましょう」

「決定ですな」

「まあ、待ちたまえ」すっかり機嫌を直した専務が、大きな顔のわりには小さな手を胸の前で振る。「せっかく、こうして皆が集まったのだ。もう少し議論しようじゃないか」

総務課長の栗本がおそるおそる声を出す。

「あのぉ、ひとつだけ気になりますのが、炭火焼きという文言《もんごん》でありまして。炭火焼きと申しましても実際は炭火とよく似た条件下で加熱したというだけでして、法的にひっかかる可能性があるやも知れず……」

この春に食品の品質表示法が改定され、珠川食品のような表示にルーズだった会社は、戦々恐々としている最中だった。議論しようと言った当の専務本人が露骨に嫌な顔をする。

「じゃあ、『風』をつけたらいいだろう。炭火焼き風。それで異存はなかろう」

「は、はぁ」

「えー他にご意見は——」

肩を寄せ合いひそひそ話をしていた技術屋の三人が、はにかむ少女のようにもじもじしはじめた。早く彼に告白しちゃいなさいよと言わんばかりに両側の二人に肩をこづかれ、前のめりになった佐藤研究開発部長補佐がおずおずと声を出す。

「あの、技術的な面から申し上げますと、しこしこと言うのが若干……」

「若干なんだね」

自分だけ専務に睨まれているのを知り、佐藤が目をむいた。

「今回のTF01LLは、しこしこというほどしこしこはしておりませんで……」

「じゃあ、しこしこさせなさいよ」

「現在の製造工程では、さほどしこしこにはできかねるやも」

「いいよ、少しで。少しでいいから、しこしこ。いいね」

ブランドマネージャーの村島は会議の行くえにすっかり興味を失っているようだ。こめかみにひとさし指を当てて窓の外を眺めている。自分の本来いるべき場所を探しているのかもしれない。

「しこしこ、よろしいですね。じゃあ、まとめます。『タマちゃん　厚切り炭火焼き風チャーシュー入り豚骨しこしこ麺』こんなところでいかがでしょうか」

秋津の言葉に一同が大きくうなずこうと顎を上げた瞬間、専務がまた話をまぜ返した。

「そうそう、タマちゃんの後に『博多職人の味』という文句を入れたらどうだろう」

どこかで聞いたことがあると思ったら、それは企画書の中で紹介した他社のネーミング成功例のひとつだった。だめだ、そんなの。何か言わなければと涼平は焦ったが、末松のことは笑えない。目の前にいるのは涼平の給料の額やデスクの置き場所を決めている連中なのだ。そう思っただけで喉に詰めものをしたように言葉が出てこない。

「博多職人か。いやいや、我々では考えも及びません」

「新鮮でありながら、どこか聞きなじみがあるような言葉ですね」あたりまえだ。

「ヒットを予感させますな」予感じゃないだろ。

「さすが」さすがじゃないってば。

上機嫌の専務が、まぁまぁというふうに片手を振って称賛の声を押しとどめる。地雷源に踏みこむ顔つきで、また栗本が声を出した。

「あのぉ、しかし……今回の豚骨スープは群馬工場で製作したものです……そういう文言も、ともすると法的に……ご承知のように現在は加工食品にも原産地表示が義務づけられるのも間近の状況下でございまして……」

言いたくはないのだろうが、ここで言わずに後々トラブルになった時には、自分の立場がもっと悪化する。行くも地獄。退くも地獄。

「細かい男だね、君も」

栗本に向けられた専務の目が左隣の人事担当役員である塚田常務に移った。専務の突き出た下唇が、何かのブロックサインであるかのように、塚田が手帳になにやら書きこみをしているのに気づいて、栗本が震え上がった。

「あ、そうだ。具材担当の加藤君が福岡出身でしたな」

東京工場長がとりなすように言う。

「じゃあ問題なかろう」

「あ、いえ、それは……」

総務課長の魂の叫びは、秋津の声にかき消された。

「では、まとめます。TF01LLの名称は、『タマちゃん 博多職人の味 厚切り炭火焼き風チャーシュー入り豚骨しこしこ麵』――」

星部長の拍手に何人かが和した。しゃんしゃんしゃんしゃん。嘘だろ。涼平の目はまん丸になった。俺の四カ月はどうしてくれる。しゃんしゃんしゃんしゃん。スペシャリスト募集という誘い文句はなんだったんだ！

「ちょっと待ってください」

一同が怪訝《けげん》な顔をした。皆の顔が自分に向けられているのを見て、ようやく涼平は、自分の口から無意識に言葉が飛び出してしまったことに気づいた。

誰だこいつ、という表情で、会議テーブルに並んだ老眼近眼が一斉に睨んでくる。真っ白になってしまった頭の中で声がした。リョウちゃん、本当はチキンハートだから。ちょっとハスキーな、思い出すだけで甘酸っぱい酒を口に含んだ気分になる声。涼平は大きく息を吸い、今度はじゅうぶん自覚的に声を出した。

「話を聞いていただけませんか」

語尾が少し震えてしまった。

「おい、なんだ、あの若造は」溝口専務の声がした。誰かが説明する声も聞こえた。そしてまた再び専務の聞こえよがしの不機嫌な声。「新入社員? 販促の中途入社だあとぉ」

末松が飛び上がった。涼平は立ち上がろうとした。立てなかった。末松が涼平の靴を踏んづけているのだ。末松が表情の消えた顔を振り向けてきた。ヨケイナコトヲスルナ。構わず足を引き抜いて立ち上がったその時だ。会議室の扉が開いた。

「ごめんごめん。お待たせ」

まるで散歩から帰ってきたというふうな暢気《のんき》な声だった。ドアの前に立っているのは、涼平とさほど齢の変わらない若い男なのだが、宴会場に遅れてきた人間がするように手刀を切って部屋に入ってきただけで、会議室に緊張が走った。テニス選手のようによく日焼けした男だった。中背だが肩幅が広いから、イタリア製のソフトスーツがさまになっている。男の姿を見たとたん専務がそっぽを向き、村島が恋する乙女みたいな熱い眼差《まなざ》しを送った。副社長の玉川政彰だ。

「で、どうですか。ネーミング案は」

会議テーブルの上座に腰を落とすと、玉川政彰はのんびりした声を出す。

「いま決定を——いえ、副社長に決裁いただく段階まで話が詰まっておりまして」

玉川副社長と溝口専務の顔を交互にうかがいながら秋津が言う。

「僕の決裁？　今回の最終判断を下すのは、僕じゃない。ブランドマネージャーの村島君のはずだけど」

専務と忠犬たちが、目の前に盛られたドッグフードの器をひっくり返された顔になる。政彰が突っ立ったままの涼平に気づいて声をかけてきた。

「君は？」

末松がまた足を踏んでくる前に口を開いた。

「いま決まりかけているネーミング案に僕は反対です」

政彰がホワイトボードに書かれたおそろしく長いネーミング案に視線を走らせる。目が点になった。

「反対というからには、君にはもっといい考えがあるのかな」

涼平は大きくうなずいた。面白い、という顔で政彰が頬づえをつく。

「君のアイデアを聞かせてもらおう」

君のアイデアを聞かせてもらおう。心が震えるフレーズだった。この会社のナンバー2から、そう言われたのだ。従業員五千人の代理店では絶対にありえないことだ。珠川食品に入ってよかった——入社四カ月目にして涼平は初めてそう思った。

専務の突き出した下唇はいまやコーヒーカップの受け皿並みだ。

「しかし政彰君、さんざん議論はつくしたんだ。いまさら白紙に戻すこともなかろう。我々はもう一時間近くこうしている」

わざとらしく腕時計に目をやる。もちろん暗に玉川政彰が遅れて来たことを非難しているのだが、政彰にはまったく気にする様子がない。ぺこりと屈託なく頭を下げた。

「すいませんでした。そうですね。遅刻した僕が悪い。じゃあ、君、すまないけど十分で頼む。十分で僕らを説得してくれ」

十分あればじゅうぶんだ。涼平は末松からボードを奪い返して話しはじめた。昨日のリハーサルどおり、的確で快活で要点のみをしっかりと――。

想像の中ほど舌はうまくまわってくれなかったが、それでも最初は悠然と頬杖をついていた政彰が、しだいに身を乗り出してくるのがわかった。すべてを聞き逃すまいとするように。ほどなくこめかみに手を当てて考えこみはじめた。涼平の言葉のひとつひとつを熟慮するように。それから、ぱちりと指を鳴らした。テープレコーダーのスイッチを切るように。

「そこだ。いま言ったところ。ネーミングは短く、簡潔に、わかりやすく。僕も彼の言うとおりだと思うな。言いたいことをなんでもかんでも詰めこめばいいってもんじゃないと思うよ」

その通り。政彰はテーブルの向こうのホワイトボードを毒虫をつつくしぐさで指さした。

「あんなに長くては話にならないな。誰のアイデアか知らないが、僕に言わせれば、あれは論外ですね。村島君どう？」

村島が大きくうなずいた。涼平も。一同がざわめき、専務の下唇がひんまがった。末松はいつの間にか涼平が手にしたボードへ一緒に手を添え、副社長に向けて愛想笑いを投げかけていた。大逆転だ。

玉川政彰が涼平の目を捉える。敵陣でようやく援軍と巡り会ったという視線に思えた。涼平は気づいた。副社長は面接の時から自分のことを気に留めてくれていたのだ。ネーミング作成に販促課を指名したのは、やはり涼平がいたからなのだ。涼平も視線を返す。目で握手だ。政彰がいたずらっぽい表情で言った。

「君のプレゼン、アイデアはいいけど、ちょっと小細工しすぎかな。社内の会議なんだから、戦略はいらない。もっとザックバランに行こうよ。最後の三つはなかなかだと思った。最初からそのへんを本命にするつもりだったんじゃないの」

しっかり読まれてる。たいした男だ。キレ者という噂は聞いていたが、実は三十代前半で副社長になった男などあまり信用できないと涼平は思っていた。親の、いや祖父の七光で地位に就いただけの甘ったれたお坊っちゃまじゃないかと疑っていたのだが、ただの偏見と嫉妬だったようだ。

政彰は、視線とバイバイをするような茶目っ気たっぷりのしぐさだけで秋津を動かして、ホワイトボードを消させた。

「いまの彼の話で、僕が特に興味を惹《ひ》かれたのは、三つだ」政彰が一同に指を突き出してみせ、一本ずつ折りはじめた。「一つ、ネーミングは商品と企業の思想、姿勢を具現化するメッセージでなくてはならない。二つ、ネーミングは時代の言葉であり、社会性、時代性を含んでいることが必要。三つ、誰もが買う商品のネーミングは誰もにわかりやすく簡潔なものでなくてはならない——うん、いい提言だ」

凉平はひそかにテーブルの下でガッツポーズをした。よし、いよいよ本命中の本命だ。ボードを差し出しかけた時、玉川政彰がパソコンバッグの中を探りはじめた。

「そこでだ。ちょっとこれを見てくれないか。みんなの意見を聞きたい。実は遅刻したのも、これが届くのを待っていたからなんだ」

無造作に取り出したのは、TF01LLの試作パッケージだった。前回の会議ですでに提出されたものだ。だが、真っ白な鋳型でしかなかったはずのそれに、蓋ラベルとシール帯がついていて、きちんとデザインが施されている。政彰はカップ麺のパッケージ見本をテーブルの中央へ滑らせた。

プロの手によるものであることは、一目瞭然だった。しかも結構腕の立つ人間。グラフィックデザイナー御用達のマッキントッシュでつくったものではなく、手描きだったが、それがかえって効を奏している。

「芸大を出てパッケージデザインをやってる人間につくってもらったんだ。時間にルーズな男だけど、仕事はできる」

凉平は目を見張った。そのパッケージには、まだ命名されていないはずの商品名まで入っていた。くずし文字のアルファベットだ。

〝PORCO〟

「ポルコ。どうかな。三文字にしてみた。僕も僕なりに勉強したんだ。ネーミングって三文字がベストなんだろ」

政彰が涼平に向けて、今にもウインクをしそうな微笑みを投げかけてくる。

「いえ、それは……」ケース・バイ・ケースだ。一概には言えない。涼平が口ごもっているうちに政彰の視線は全員の顔へ戻ってしまった。

「言葉の中に濁音や半濁音があるといいそうだ。唇と唇が触れる発音が日本人好みなんだって言うよ。あとはラ行。これもいいらしい。舌が口の中をくすぐるからね。口唇愛撫だな。みんな愛情が足りないのかね。そうだ、知ってるかい。ヘビースモーカーになる原因は、小さい時に親の愛情が足りなかったせいらしいよ」

ぽかんと開けた口からヤニで黄ばんだ歯をのぞかせている専務へ横目を走らせて、くすりと笑う。会議はいつしか玉川政彰の独演会になってしまった。

「ゴジラ。パンダ。グリコ。パルコ。グッチ。プラダ……確かに昔から日本で流行した物の名前には三文字、ラ行、濁音、半濁音入りのものが多いよね。そこで、ポルコ。イタリア語で豚っていう意味だ。豚骨味にもチャーシューにも通じると思うんだけど」

「タマちゃんポルコ、ですか?」

秋津が首をかしげながら尋ねた。

「うーん、そこなんだよね。ひとつ、みんなに提案があるんだ。タマちゃんラーメンという名前、あれ、もうやめようよ」

　そろそろコンパはお開き、友達にそう告げるような気やすさで政彰が言う。溝口専務が目をひんむいた。

「しかし、政彰君、タマちゃんという名はね、私が社長と――いや先代とリヤカーを牽いている時にだね、タマちゃんがいいか、マサちゃんがいいか、などと二人で語り合ってだね――いいかい、タマちゃんのタマは玉川のタマではないんだ。先代が亡き母上、珠代さんを偲んで――」

「溝口さん、リヤカーなんていまの若い人、知りませんよ。ネーミングは時代感覚です。いまの消費者には、もっとハイセンスなブランド名がアピールすると思うんだけどな。この際ブランドの名前も見直しましょうよ。対外的なイメージのためだけじゃない。社内的《インナー》な意味合いもこめて」

　誰もが言葉の意味をうまく飲みこめず、政彰の話の続きを待った。

「この新しいネーミングには、うちの社員たちに会社や商品への自信や愛情を持ってもらう意味もあるんです。村島君とも話をしたんだけど、自分の会社が扱っているのが『タマちゃんラーメン』だなんて体裁悪いじゃないですか。みなさん方はご家族や友人に、自分の会社をどう説明されてます？『タマちゃんラーメン』の会社で働いてるなんて言いにくくありません？自分の会社に誇りを持たなくちゃ。誇りを持てない商品はつくっちゃいけない。違うかな。ま、これは僕からの一案ということで。あくまでもブランドマネージャーの決断次第だけど。村島君どう?」

返事を聞くまでもない。恋する乙女の目をした村島は、胸の前で手を握り合わせて政彰にうなずき返した。本当に恋をしているのかもしれない。

「ちょっと待ってください」

涼平は十五分前と同じセリフを会議テーブルの上にぶちまけた。玉川政彰がゆっくり振り返って、不思議そうに首をかしげる。その表情には不快感も警戒心もない。純粋に自分の意見に反対する人間がいることを理解できないのだ。涼平の顔を見てはいるが、もうその目は涼平個人を見てはいなかった。天守閣から足軽を見下ろす殿様の目だ。

「しかし、まだネーミング案は——」俺の四カ月はどうなる。

「ところで君」かしげた首をもとに戻しながら政彰は言った。「誰だっけ?」

左足が重い。また末松が涼平の靴を踏んでいるのだ。

「我々の案はまだ検討して——痛てっ」

肥満気味の全体重をかけてきた。磨き上げた涼平のローファーが、やつのゴキブリみたいなビニールシューズの泥にまみれた。末松の目には凶悪な光がともっている。オマエハダマッテロ。オレヲ巻キ添エニスルナ。

きたねえ靴をどけろ——涼平の頭の中で言葉がはじけた。末松がぽかんと口を開いた。末松の隣の総務課長も。そのまた隣も。頭の中の言葉が、知らないうちに口をついて出てしまったのだ。脳味噌と直結。致命的な欠点がまた出てしまった。

た。

「なんだね、あの男は」

新たな獲物を見つけたアンコウ溝口が大口を開けると、忠犬たちがいっせいに吠え立ててき
「おい、君っ！」

「何をしてるんだ、販促は」

「末松君か、その馬鹿を連れてきたのは」

「いったいどうなってるんだ、末松！」

罵声の中に自分の名前が混じるたびに末松がしゃっくりをする。玉川政彰は下々の世界には関心がない様子で、村島を手招きしている。村島がいそいそと駆け寄っていくのが目の端に映ったが、涼平はもうそれどころじゃなかった。完全に壊れた末松の目はニワトリから猛禽類のそれに変わっている。向こうずねを蹴りあげてきた。激痛。思わず足に手を伸ばすと、短い足でその手も蹴ってきたから、条件反射のように涼平も蹴り返した。末松が椅子からころげ落ちる。

「こら、会議室で喧嘩するやつがあるか」

「お前ら、出ていけ」

「クビだ、クビ！」

もうめちゃくちゃだった。

2

「しっかし、馬鹿だな、お前」

高野がぽかんと口を開け、ただでさえ長い馬面をさらに長くした。

「最初に会った時、もうすぐ面接の順番だってのにグースカ寝てただろ。あの時から、こいつは馬鹿だとは思ってたけど。これほどとはね」

高野への長い話を終えた涼平は、コップ酒をいっきに半分飲み、ふいっと厭世的な息を吐いた。

「だって、めちゃめちゃなんですよ。この会社の上の人間は。高野さんにも会議を見せてやりたかったな。ああいう場になれば誰だって同じことをしますよ、普通」

「しない。じっと我慢する。それが普通。お前の常識は世間の非常識」

つくねの串を突きつけて高野が断言する。

「そうかなぁ」

珠川食品本社に近いJR大森駅前の焼き鳥屋だ。高野は珠川食品の経理課。涼平と同じくこの春、中途採用された。涼平より三つ年上で妻子持ち。中途入社社員向けの研修旅行で同室になって以来、社内では涼平が唯一親しい人間だ。

「確かにタマちゃんの上層部は屁タレだな。体質も昭和の半ばあたりで止まってる。俺もこの四カ月でつくづくわかった」高野は珠川食品をタマちゃんと呼ぶ。「経理も同じようなもんよ。杜撰《ずさん》。非合理。前近代的。ディスクロージャーもまるでなってない。これで東証二部から一部に指定替えしようなんて言ってるんだから、笑っちまうよ。個人商店がわけわからんうちに人と金を集めてぶくぶく太っちまったようなとこだな。あ、お前、それ俺のつきだしじゃねえの」

二鉢目のヒジキの煮つけを食べながら涼平は、またため息をつく。

「やっぱ、ユニバーサル広告社のほうにしときゃあよかったかな、再就職」

就職情報誌に載っていた他の会社の名前を思い浮かべてみる。誰かが言ってた。「人生っていうのは毎日サイコロを振り続けているみたいなもの。出る目が最初からわかっちゃったら、面白くない」って。誰の言葉だっけ。

「俺もどこかのちっこい証券に潜りこんでおいたほうが正解だったかもな。でも証券も今はやばいし。三十過ぎると行き場も減るしなぁ」

高野は証券会社をリストラされて珠川食品の中途採用に応募した。本人は渡りに船だったと強がりを言う。見てな、俺のいた会社、一年以内に新聞に倒産記事が載るからさ、と。二人は居酒屋の煤《すす》けた壁を眺めて、自分の振ったサイコロの出目に首をかしげる。誰の言葉か思い出した。リンコだ。あの日、部屋を出ていったリンコが転がしたサイコロの出目は、なんだったんだろう。振り出しに戻る？

　思えば、嫌な予感はあったのだ。面接に行く前の日、涼平はコンビニで珠川食品のカップ麺をいくつか、そして瓶詰を何個か買いこんだ。それまでは袋麺のタマちゃんラーメンしか食べたことがなかったからだ。タマちゃん製品を置いている店が少なく、集めるのに苦労したのが、悪い予感その一。その二はカップ麺をひとくちすすった瞬間だ。

　まずかった。涼平もリンコも料理はあまり得意ではないから、カップ麺の味にはうるさい。タマちゃんカップ醤油ラーメンは、涼平の舌の記憶にあるかぎりのワースト3に入るだろう。だが、それでも続いて食べた味噌ラーメンよりはましだった。

　いまにして思えば、他社のヒット商品の真似をして、見事にしそこねているような腰のない麺と、味気ない具、旧態依然としたパッケージがあの会社の体質そのものだったのだ。よけいなモノを入れすぎて味がよくわからなくなってしまっている福神漬けも。

「あの会社、あれでよく倒産しませんね。この厳しい時代に」

　いつの間にか自分の会社をあの会社と呼んでいることに涼平は気づいた。

「まぁ、老舗だから固定客がいるしな。タマちゃんラーメンの遺産だけで食ってるようなもんだ」

　珠川食品は会社の規模のわりには、手広く商品を出している。即席麺だけでなく、漬物や輸入野菜の瓶詰、缶詰、袋詰め。誰も知らないだろうけれど、タマちゃん甲州ワインなんていうのもある。だが売れているのは、先代社長玉川政次翁が考案した、カップ麺ではなく袋麺のほうの『タマちゃんラーメン』だけだ。袋麺のユーザーというのは、一度味を覚えるとなかなか他に浮気をしないらしい。溝口専務の言葉はまんざら嘘でもない。珠川食品は即席麵の創世記に味を刷りこみされた人々のおかげで持ちこたえているのだ。

高野が串から焼き鳥を齧《かじ》り取りながら言う。

「先代が居た頃はまだよかったらしい。でも、次がな——」

次というのは現社長の玉川和雄のことだ。高野はそこで黙りこんでしまったが、言葉を続けるとしたら、たぶんこう。「無能だから」あるいは「ボンクラ」もしくは「屁タレ」なにしろ、あの末松にすらリモコンロボット呼ばわりされている人物だ。直接顔を見たのは、入社式の時だけ。うつむいて用意された原稿を読み、うつむいたまま去っていったから、涼平には薄くなった頭頂部の記憶しか残っていない。

むしろ社長にふさわしいのは、一度、本社ビルのロビーで出くわしたことのある妻の節子のほうだろう。幹部連中を小ガモのように従えて歩く姿は、さながら艦隊の巨大空母。狛犬《こまいぬ》と陰口を叩かれている先代の銅像に派手なカール付きのカツラをかぶせた感じの女だった。十メートル離れた場所まで香水の匂いをふりまき、百メートル離れていても聞こえるような大声で、役員用エレベーターが降りてこないことを理由に社長秘書をなじっていた。珠川食品の一服の清涼剤と謳《うた》われていたその美人秘書が、さえない三十男に替わってしまったのは、その翌日からだ。

「ま、いまの社長は、これよ」高野が焼き鳥の串で皿に残ったパセリをすくい上げた。「添えもの。いてもいなくても一緒。そこで専務の登場だ――」

串にレバ刺しを突き刺した。大きくて生臭いレバーの下でしおれたパセリが身を縮めているふうに見える。なるほど。この店のメニューにアン肝があれば、そのほうがよかっただろうけど。

「先代が引退したとたん、このレバーが、実質的な経営者になったんだな。不況の時代こそ攻めの経営なんぞと言いだして、誰に吹き込まれたか中国や東南アジアで現地生産に乗り出した。でも、もともと多すぎる商品ラインアップを増やしただけで成果は上がらない。で、一転、守りの経営に趣旨替えだ。つまり粛清の嵐。何年か前に一大リストラがあったんだそうだ。溝口専務自ら陣頭指揮をとってな。下の名前が清蔵だから、専務は人斬りセイゾーって呼ばれてたってよ」

高野が焼き串で自分の喉を掻《か》き切るしぐさをした。

「かなり癖があって人の選《え》り好みが激しい人らしいからな、下の人間はびくびくもんだったらしい」

「癖があるなんてもんじゃないですよ。レバ刺しなんて生やさしい。クサヤの干物とブルーチーズの味噌煮込みだ。デザートにドリアンを添えるのもお忘れなく」

「取締役だって例外じゃない。会議の時、あんまりいなかっただろ、取締役」

「そういえば、そうだな」

「それからは専務には誰も逆らわなくなった。あの人は珠川食品が即席ラーメンで当てる前の玉川漬物時代、一斗樽にたくわんを漬けてた頃からの生え抜きだからな。いまの社長なんて溝口のジイさんにしてみれば、どこかの馬の骨なわけよ。で、専務の天下かと思ったら、さて、話は終わらない——」

高野が割り箸で、講談師が扇子を使うようにテーブルを叩いた。よく喋る人だ。経理より営業に向いていると思うのだが。実演販売の企画を担当している末松に紹介したいぐらいだ。

「ここで登場するのが、若大将だ。玉川副社長な」

高野はレバ刺しを刺した串で、今度は手羽先をつつく。フォアグラがあればそっちを選んだだろう。

「この手羽が政彰坊っちゃま。専務も先代には忠実だったから、よろしく頼むとでも言われていたのか、社長夫人に押し切られたのか、まぁ、お飾りひとつ追加ぐらいのつもりで副社長にしたんだ。でも、副社長になったとたん、それまで大人しくしていた政彰坊っちゃまが動いた。専務が思ってるほど世間知らずの純情君じゃなかったんだ。最近はありがたみが下落してるとはいえ、いちおうアメリカで経営学修士《MBA》号とってるっていうしな。いきなり社内改革を唱えはじめたらしい。専務が人を斬りすぎて人材がいなくなった、ていうのを理由に、今年久々に人集めしたのも、副社長だよ。で、のこのこ入社しちまった馬鹿が俺たち。株式一部上場準備のため、経理のスペシャリスト募集とか、広告宣伝のスペシャリスト募集なんてのに釣られてね」

「くわしいですね。まだ四カ月しかいないのに」

「そういうことに敏感じゃなきゃダメよ、サラリーマンは。仕事ばっかしてちゃダメ。アンテナぴこぴこ立てて、そこらへんのツボを押さえなくちゃ。たとえば、いままでは専務派のひとり勝ち状態だったけれど、これからは風向きが違うみたいだとかな。どっちにつくか、みんな戦々恐々だぜ」

「どっちもスカかもしれない。最初から当たりくじなしだ」

涼平は手羽先にかぶりついた。

「副社長だめ？　けっこうできるって聞いてたんだけど」

涼平は首をかしげ、少し考えてから横に振った。ＭＢＡかＮＢＡか知らんけど、たぶん、ただのバカ殿だ。

「そうかぁ、俺はしばらく中立で行こうかな」

高野はぼんやりと天井の蛍光灯を仰ぐ。涼平は指を舐《な》めて、手羽先の残りにとりかかった。

「でも、クビにならなくてラッキーだったな」

「だけど仕事ないっすよ。誰も俺に口をきいてくれない。今日も机の前で一日中、新聞読んでた。日経と食品産業新聞。日経ってスポーツ欄が少ないから、すぐ読み終わっちまう」

「そうかな。俺、日経の証券欄なら一日中見てても飽きないけどな」

「今度、配置換えになるそうです。末松さんとはもう一緒に仕事はできないだろうからって」

「末松って、旅行で風呂に入るとか入らないとかで、揉めたって人だっけ」

「はいな」

高野が真顔で涼平をのぞきこんできた。

「ね、なんでそんなに風呂嫌いなの。研修の時も三日間入らなかっただろ。わっかんねえなぁ、たかが風呂だろ。そこまで依怙地《いこじ》になる必要があるのか」

涼平はとぼけて首をひねって見せる。風呂が嫌いなわけじゃない。みんなとは入れない事情があるだけだ。高野がさらに顔を近づけてきた。長い顎に突き刺されそうだった。

「いいか、ちょっと聞くぞ。いまここに風呂と左遷があるとする。さて、みんなで楽しく温泉に入るのと、一人寂しく左遷されるのと、あなたはどっちを選びますか?」

「左遷」

「ファイナルアンサー?」

「ファイナルアンサー」

高野が肩をすくめ、顎を胸に埋めた。

「わかんねぇ奴だな、お前は。俺と飲んでる時は素直なのに。見かけだって、温和そうに見えなくはない。少なくとも役員用会議室で暴れるようには見えないのになぁ。なにがお前をモグアイからグレムリンに変身させちまうんだ。月の光?」

涼平だって知りたい。水かな。

「嫌いなんですよ、肩書だけで威張ってるやつ」

知り合ってまだ四カ月なのに、少し年上というだけで高野も涼平に偉そうな説教ばかりする。でも、そういうのはぜんぜん嫌じゃない。腹が立つのは、肩書で人を抑えつけるやつだ。名刺一枚で他人を動かせると信じてるやつらだ。

「ぜぇえったい出世しないな、お前。上にしがみついて、下を蹴落とす。それが出世ってもんだ。上司にペコペコ、スリスリ。部下にガミガミ、ネチネチ。他人に厳しく、自分に甘く。そういう人間が出世するのよ」

「高野さんもそうするんですか」

「それができりゃ、リストラされてこんなとこにはいないって」

「なるほどね」

「納得するな、それと俺のつくねを食うな」

一個だけ残っていたつくねをコップ酒で流しこみながら、涼平はぼんやり呟いた。

「サラリーマンって何なんですかね」

「人のつくねを食いながら、自分の世界にひたるなよ」

「高野さんは、どう思う?」

「そうだなぁ」高野の滑らかだった口舌が初めてためらいを見せた。少しの間、言葉を選んでから、ぽつりと言う。「よくわかんねぇけど、なんだか会社に人質をとられてるみたいな気分になる時はあるな」

「人質?」

「ああ、俺の場合はたぶん女房と子供だな。ガキが生まれたばっかだからな。乳を飲んでる間は、うちのも働きに出られないから」

俺は何を人質にとられているのだろうと涼平は考えた。よくわからなかった。思い出したように高野が言う。

「そういえばどこに飛ばされるのよ」

「総務」

「総務課のどこ」

「お客様相談室」

長い顎がゆっくり伸びた。しばらく口を「O」の字にしてから、ようやく声を出した。

「まじ？」

「うん、なんで」

「あちゃちゃちゃちゃ」

「なによ、そのリアクション」

高野がハズレ馬券の山を眺める目を涼平に向けてくる。

「ヤバイな」

「なにが」

「ほんとぉぉに、社内事情に疎《うと》いな。あそこはリストラ要員の強制収容所だぞ。島流しされたんだ、お前。会社からいびり出すために。俺もくわしくは知らんけど、とんでもないところらしい。噂じゃ、たいていの人間は胃に穴を開けたり、毛がごっそり抜けたり——いや、言わんでおいたほうがいいかもな。人生には知らないほうが幸せなこともある。この塩辛のイカのワタの中に詰まってるはずの寄生虫とかな」

続けてくれというかわりに涼平はグラスを振った。後悔するなよ、という表情を見せてから高野が自分の頭を指でつついた。

「――ここをやられたりして、誰もが一カ月、長く持っても二カ月で辞めるっていう話だ。それでもしぶとく残ってる人間もいて、そいつらがまたとんでもないやつらだそうだ。なにしろ過酷な条件を生き延びたゴキブリみたいな連中だからな。新入りはケツの毛まで抜かれる。ますます胃の穴が大きく、毛がたばになってごっそりと――」

「あれでしょ。机しか置いてない部屋で仕事もさせずに飼い殺しにするようなの。それならいまも同じだ」

「まぁ、だったらいいんだけどな」さらに何か言いかけて高野は口をつぐむ。

「いいよ、どうせ辞めてやるんだ。あんな会社。飼い殺し結構。辞表を書く机さえあればいい」

「辞めてどこ行くのよ」

「はてな」

「贅沢こいてると、ほんとうに路頭に迷うぞ。大変だぜ、これからの再就職。四カ月か五カ月で会社辞めたっていうのは、はっきり言って面接官の好感度ゼロよ。脅かしといて言うのもなんだけど、少し頑張ってみ。会社はいまゴタゴタしてるから、しばらく耐えてりゃ風向きもころりと変わると思うぜ」

「まぁ、とりあえず今月の給料日までは」

高野がグラスを差し上げた。いつになく真面目な顔で言う。

「んじゃ、お前のお客様相談室行きに」

「おう」

「乾杯じゃなく水盃な」

「ちょっと待ってよ」

涼平の住まいは中野坂上。新宿からはふた駅の場所にあるマンションだ。通勤していた銀座に近い代理店と、リンコがアルバイトをしていた立川の引っ越しセンター、両方の中間地点になるというのが借りた時の理由だった。いまはもうどちらの理由もなくなってしまって、ただ乗り継ぎが面倒になっただけだ。二人分の住まいだったから一人暮らしには贅沢すぎるほど広く、新宿に近いせいか結構家賃が高い。

玄関のドアを開け、灯《あかり》の消えた部屋に足を踏み入れた時には、時刻はまだ午後十時前だった。二カ月前に子供が生まれてから、高野は急に帰宅を急ぐようになった。子供を風呂に入れるのは俺の役目なんだ。うちのカミさん、湯のぼせ症だから。赤ん坊のくせに馬面なんだよ、うちのガキ。しかも女の子。不憫でな。なんて言いながらいそいそと帰ってしまった。馬面の乳児だろうが湯のぼせ症の妻だろうが、待っている人間がいるやつは幸せだ。

真っ暗な部屋の奥で留守電ランプが点滅している。もしやと思い、急いで部屋にあがってボタンを押したが、マサヤからだった。

——えー横浜でハイスタンダードのライブがあります。行きますか？　行くなら——。

以前は留守電なんかいちいちセットしなかった。どうせ涼平が留守だとわかれば、みんな携帯へかけてくる。リンコ以外は。

リンコはいくら教えても涼平の携帯の番号を覚えようとしない。電話が好きじゃないのだ。携帯も持っていない。メールなんてとんでもない。いまどきの女としては——二十九歳をいまどきの女と言うとしたらだけど——天然記念物もんだ。

「なんか体に電線つけて歩いてるみたいでイヤなんだよ。あたし、受話器じゃないもの」なんて言う。古い女なのだ。別にいい意味ではなく。リンコはジム・モリスンやジャニス・ジョップリンとともに、いまも六十年代に生きる女なのだ。

冷蔵庫から缶ビールを取り出して飲む。正確には苦しくなった生活費を節約するために切り替えた発泡酒。結構気に入っているのだが、なんだか今夜は全然うまくなかった。

どうしてリンコが出て行ってしまったのか、よくわからない。確かに前の晩、些細《ささい》な言い争いはした。でも「あたしを怒らせるために生まれてきたような人」と言われていた涼平にとってはいつものことだった。もっとひどいケンカをしたことは何度もある。それなのに、翌朝、リンコはいなくなってしまった。四年前、涼平のアパートへころがりこんできた時と同じように唐突に。

言い争いと言ったって、リンコの場合、いつも脈絡もなく不条理芝居のセリフにしか聞こえないことばかり言う。「わたしはメンドリじゃないんだよ」とか。「あんたがスカートはけばいいんだ」とか。「そう思うんじゃないよ、そう感じるんだってば」とか。わけがわからない。涼平が理詰めで攻勢にまわると、チンパンジーみたいに下唇を突き出してヘッドホンで耳を塞いでしまう。根に持つタイプだから、機嫌が直ったと思って油断をしていると、危ない。翌朝、顔に口紅で「バカ」なんて落書きをされたりする。でも結局、なんで怒っていたのか本人もよくわかっていない時が多い。今回だってたぶんそうだ。違うのは額に書かれていた言葉が「バカ」ではなく「グッバイ」になっていたことだけ。

リンコは何に怒ったんだろう。リンコのいない部屋をぼんやり眺める。何か答えが見つかりはしまいかと。それさえわかれば、リンコがひょっこり帰ってくる気がして。何べんも同じことをして、そのたびに答えは解けないのだけれど。

本棚。涼平は要らない本は古本屋へ売ってしまうから、ほとんどはリンコのものだ。本は全部置いていった。リンコは本棚も不条理だ。少女コミックと難解な宇宙の本が隣り合わせになったりしている。

CD・MDのケース。リンコは自分の分だけ、それもお気に入りのものだけを抜き取っていった。ドアーズ。サンタナ。ジャニス・ジョップリン。紫（六十年代の沖縄のバンド。リョウちゃんは若いから知らないだろうねって言われた。自分だってまだ生まれてなかったくせに）。越路吹雪。二人で買ったCDウォークマンと二人で一緒に聴いていたCDは律儀に残してある。洋服簞笥《だんす》。リンコの服が半分以上残っている。でも、たいした量じゃない。リンコは女にしては恐ろしく服が少ない。二本のジーンズ——しかも一本は膝が抜けている——と、それに合わせた季節ごとの服少々だけで一年をやり過ごす。Tシャツだけは別だ。店を出せるほどある。

リンコが小物置き場にしていた旅行鞄はもうない。二年前、一度だけ二人で海外旅行へ出かけた。ベトナムとバリ島五日間という変な旅行だ。その時のために骨董品屋で買った大きくて四角いスーツケース。リンコは四年前、涼平のところへ来た時と同じようにバッグひとつで出ていったのだ。あの時はスポーツバッグ。今回はスーツケース。四年間の小さな変化。

たった四泊五日の旅行には大きすぎるって涼平は買うのを反対したのだが、やっぱりだ。部屋の中にぽっかり穴が開いちまった。

だからスーツケースの置かれていた場所には、ギターを立てかけている。ギブソンのアコースティックJ—45。これが口喧嘩の火種だった。

十九万円だと言うとリンコの目はまるくなり、それから、つり上がった。リンコが金のことに文句を言うなんて、新宿のホテルのラウンジで飲んだコーヒー代以来だ。生活費はアバウトながら折半だったし、文句を言われる筋合いはない、涼平がそんな反論をすると、「リョウちゃんは、いつもそうだよ」と言ったのを最後に、リンコが耳を塞いでしまった。ヘッドホンは涼平が使っていたから、赤いイヤーマフで。

1DKが、広く見えるほど部屋ががらんとしているのは、リンコがいなくなったせいばかりではなく、ギターを買う時、頭金の足しに、涼平が部屋の中のモノを処分してしまったからだ。少しでも金になりそうな本は古本屋へ持っていき、古道具や不用品はリサイクル・ショップに売りさばいた。

どれもたいして金になったわけじゃない。ベトナムで衝動的に買った二万円の木彫りの人形は千二百円。ガキの頃から持っていた藤子不二雄Aの本は保存が悪くてたったの三百円だった。なぜそうまでしてギターを手に入れようとしたのか自分でもわからない。買ったのは、前の会社をクビになってすぐ。たぶんギターが欲しかったわけじゃない。別のものを手に入れたかったんだと思う。

ギブソンを手にとった。買ってはみたものの、あまり弾いてはいなかった。隣の部屋の住人から壁を叩かれないように、小さくアルペジオ。

昔のようにうまく指が動かない。指の第二関節を伸ばしたまま、第一関節だけ曲げられるのが自慢だったのに。五分で投げ出した。

自分からは絶対に謝らない、と涼平は決めていた。だって一人で怒って勝手に出ていったのだ。理由もわからないのに、こっちから折れたくはなかった。だからリンコの行方を探したりはしていない。そのうち向こうから折れて戻ってくるはずだ。そう思っているうちに半年が過ぎてしまった。そろそろタイムリミットが――何のタイムリミットなのかはわからないが――来ているような気がして、このところの涼平は残尿感に似た焦燥にかられ続けている。

苦い薬を飲みくだすように缶ビールの残りを流しこみ、立ち上がった。シャツのボタンをはずしTシャツもろとも脱ぎ捨てる。まだ九月だが、厚手の冬物を着ているから、汗まみれだった。ネクタイはとっくのとう、いつものように玄関に放り出してある。午後十時半。風呂に入るぐらいしか、すべきことが思いつかなかった。

風呂は嫌いじゃない。毎日入っている。酔っぱらうと、そのまんま寝てしまうリンコよりよっぽど優秀だ。

金魚鉢みたいなちっぽけなユニットバスだが、浴室にはいちおう洗面鏡台がついている。腹の肉をつまんでみた。一日五十回の腕立てと腹筋で、なんとか保っていた体脂肪平均以下の体が、最近怪しくなりはじめている。八分割腹筋はもう過去の栄光。腹筋を百回にふやそうかな。

涼平は鏡に向かって力こぶをつくってみた。そうすると、左肩の狼の両眼が細まり、獲物を狙う表情になった。

涼平の左の二の腕には、真正面を向き、牙を光らせた狼の顔が彫りつけてある。まだら狼、ティンバーウルフの刺青《タトゥー》だ。

ヤーさんの和彫りとはまったく違うのだが、代理店に入社した時にはこの刺青のことでいろいろ言われた。あんなの得意先に連れていけない。あいつは絶対出世させない。お得意さんとのゴルフコンペはどうする。それ以来、人には見せないことにしている。会社に着ていくシャツは真夏でも透けて見えない生地の長袖。たぶん化石のように頭の固い珠川食品の上層部に知れたら大騒ぎだ。二週間後の給料日で辞めるんだから、もうどうでもいいけれど。

刺青は大学三年の夏に藤沢のサーフショップが副業でやっている店で彫ってもらった。狼の絵柄にしたのに特別な意味があったわけじゃない。見本帳の中でいちばん良さそうに思えただけだ。ティンバーウルフは、けっして人に慣れない狼の中の狼。誰かに絵柄の理由を尋ねられた時は、後から聞いたその話をすることにしていた。

刺青を入れたのには少々わけがあった。涼平がギターをやっていたアマチュアバンド『ポリボックス』が初めて音楽会社のオーディションを受けることになったのがその理由だ。気合を入れるため。そして少しでも目立ちたい一心だった。

メンバー四人全員で彫る約束になっていたのだが、ベースのタカシは「俺、皮膚弱くて。ガキの頃、アトピーだったから」と言ってパス。

ドラムのマサヤも「おふくろに泣かれちまって。鼻ピアスの時も泣きつかれたぐらいだからさ」だそうでパス。

ボーカルの浜尾は「お前、ほんとにやっちまったの。まずいな。やっぱ、俺、マイナスだと思うのよ、メジャーではさ。ゆくゆくはCMソングのスポンサーとか、テレビ出演のことなんかもあるわけだろ」と、やっぱりパス。

バンドの人間の刺青は、さほど珍しくないのだが、入れているのはたいてい高校中退フリーターでプロを目指しているようなハングリーな連中だ。学生バンドではめったにいない。プロになりたいと口では言っても、しょせん楽しい束の間のクラブ活動。ただの青春時代の懐かしい思い出。刺青は消せないが、鼻ピアスの穴ぐらいなら大人になれば消える。

オーディションの話は、たまたまライブを見に来ていた音楽プロデューサーが持ちかけてきた。涼平たちはすっかり有頂天になったのだが、当日オーディション会場には、とんでもない数のバンドが集まっていた。プロデューサーといっても男は二流会社に雇われた二流のフリーランスで、手配師みたいな仕事をしていたらしい。下手な鉄砲も数打ちゃ当たる。『ポリボックス』は、下手な鉄砲の弾のひとつだった。持ち時間は一組二曲分。ドラムも据え置きのものを使わされた。スネアの交換もだめだと言われたマサヤは、あんなクソ太鼓で俺の何がわかる、とかなり熱くなったもんだ。

浜尾の心配は杞憂に終わった。CMソングとテレビ出演どころか、涼平たちは持ち時間を使い切らず、新米のプロデューサーよりはるかに偉そうにしていたポロシャツ姿のパンチョ髭男にこう言われた。「はい、わかった。君たち帰っていいよ」

涼平たちの体に入り切れないほど大きなプライドは粉々に砕け散り、その日のために揃えたステージ衣装のヘルメットと雪駄《せった》も無駄になった。残ったのは涼平の左肩のティンバーウルフだけ。

オーディションが終わった後、浜尾が抜けると言い出した。「俺、ビッグになりたいのよ。お前らと組んでいるうちは無理みたいだからな。そのうちテレビで会おうぜ」

四年後、浜尾の予告通り、やつの名はテレビに流れた。ニュース番組で。ただしベンチャー企業の若き社長として。ただしその業績は、iモードを使った女子高生売春組織の開発。一回こっきり、時間わずか五秒ほどのテレビ出演。

浜尾が抜けたポリボックスのボーカルは涼平になった。大学に入ってバンドに誘われる前は、一人で弾き語りをしていたから自信はあったのだが、うまくいかなかった。ポリボックスのメンバーは大学の軽音楽部で知り合った人間たちで、部内で主流だったJポップス系の砂糖菓子みたいな音楽が嫌いな連中が吹き溜まった寄り合い所帯だ。昔のロックらしいロックをやろうぜ。アナーキーに行こうぜ。かけ声だけは一緒でも、あとはバラバラ。涼平のアコースティック向きの声では、ザ・クラッシュを敬愛するマサヤのドラムと、セックス・ピストルズのシド・ヴィシャスに憧れるタカシのベースに負けてしまうのだ。そこで涼平たちが目をつけたのが、リンコだ。

リンコは当時、涼平たちがよく出ていたアマチュアバンドばかりの、というかアマチュアしか呼べない東池袋のライブハウス『アーカホリック』では顔だった。特定のバンドとは組まないソロのボーカリスト。リンコの出る時だけは、いつもがらがらのアーカホリックが満員になった。ここから巣立つ初めてのプロだ。オーナーの窪田さんは目を輝かせてそう言い、出入りするバンド連中の誰もが、リンコはいつかメジャーになると噂していた。

「うちのボーカルになってくれませんか」

くじ引きで負けた涼平が申し込みに行った。アマチュア同士とはいえ、ドラフト指名されようかという投手を人数も揃わない草野球チームが誘うようなものだ。酒に酔った勢いで決まった、ダメモトのバンド再生作戦。

リンコの答えは簡潔だった。たったひと言。しかも二文字。

「やだ」

「なぜです」

「学生さんは嫌い」

「僕らの歌を聴いたことは？」

「ない」

「聴けば、気が変わりますよ」

そして涼平はリンコの前で弾き語りをした。リンコは「へただね」と言っただけだった。むりやりバンドの次の練習日と場所のメモを手渡した。手ぶらで帰ったらマサヤにスティックでぶったたかれるだろうから。でも、当日、なぜかリンコはやってきた。自分のオリジナル曲の楽譜を持って。少し後になってリンコはこう言った。ひと目で気に入ったんだと。

「あんたじゃないよ。あの時、あんたが着てたジャケット。前から欲しかったんだ、ああいうの。どこで売ってるのか聞き忘れちゃったから」

上野アメ横の中田商店に心から感謝した。リンコは「アメ横だって最初からわかってりゃ、行くんじゃなかった」と言っていたけれど。

それがもう六年前。

しばらくしてリンコは念願のエアフォース・ジャケットを手に入れた。新しく買ったのではなく、涼平のものをせしめたのだ。大学を卒業する年の春、リンコは当時涼平が住んでいた高田馬場のアパートにやってきて、勝手に住みついてしまった。猫みたいにさりげなく強引に。

シャワーを浴びると、酔いがすっかり覚めてしまった。涼平は考えた。新しい職場について高野の聞いた噂の通りなら、給料日までの半月だって我慢するのが癪《しゃく》だった。

風呂から出て、タオルで髪をこすっている時には、決意はすっかり固まった。今度の給料日までなんて半端なことはしないで、いますぐ辞表を書こう。いや、辞表なんかいらない。今日限りで行くのをやめればいいんだ。明日からバイト探し。日銭が入る仕事だったら、なんとか今月の家賃は払えるだろう。

家賃の高いこの部屋に住み続けるより、新宿を離れて敷金や礼金がただ同然の安アパートへ引っ越したほうが話が早いのだが、それだけはしたくなかった。いくらリンコだってここの電話番号だけは覚えているはずだ。そのうちひょっこり帰ってくるかもしれないし。

留守電ランプがまた点灯していた。最近は風呂に入る時も便所に行く時でもセットしているのだ。そういえば風呂の中でかすかに電話の音を聞いた気がする。

違う。絶対に違うぞ。妙な期待はするな。そう自分に言い聞かせながらボタンを押した。やっぱり違ってた。なんとマンションの大家からだった。

――もしもし、先月のお家賃、まだのようですが……。

げろ。忘れてた。家賃を払う係はリンコだったから、いつも忘れちまう。公共料金の振り込みだとか二輪免許の書き替えだとか、世間を渡るための面倒事はいっさい嫌がるくせに、このマンションの一階にすむ大家に直接支払っていた家賃だけは、なぜかリンコは自分で払いに行く。大家は涼平の母親ぐらいの年齢の口うるさいおばちゃんなのだが、妙に気が合うらしい。借りるときに面倒がないように夫婦ということにしてあるから、若奥さん、なんて呼ばれてる。

素早く頭の中で計算してみた。涼平の全財産から二カ月分の家賃を引くひき算。貯金通帳に残高なんかないから、簡単な計算だった。

今度の会社での涼平の給料は二カ月分を払える額じゃない。今月の家賃は少し待ってもらうとして……となると来月も給料をもらわなくちゃ。すぐに見つかるかどうかわからないバイトじゃあ無理だ……そこまで考えた時、壁際のギターが目に止まった。クレジット六カ月払いの支払いがまだ残っている。月々二万六千円。さ来月の給料も必要かも……げろげろ。

『お客様の声は、神様のひと言』

本社ロビーの社訓が躍る扁額の下に、大きなグリーン地の掲示板がある。ここには珠川食品の揺れる社内事情そのままに、このところ頻繁に異動通知や解雇通知が貼り出されていた。

今回のニュースの目玉は、玉川政彰副社長の開発本部長兼務の告知。先週、社長の玉川和雄が肝炎で入院した。そのための緊急措置だそうだ。片隅にひっそりと涼平の名前もあった。

佐倉涼平　九月十二日付けで総務部お客様相談室へ異動。

3

九月十二日。昨日までの本社ビルに足を向けそうになり、涼平はあわてて踵《きびす》を返した。今日から職場が変わるのだっけ。

品川区のはずれにある珠川食品本社は、東京工場を併設した五・五ヘクタールの敷地を持っている。正門を入ってすぐ左手が玉川政次翁の銅像が立つ五階建ての本社ビル。右手には物流倉庫。正面に巨大なブルーの蒲鉾《かまぼこ》を思わせる工場。涼平の新しい職場は、倉庫と工場の間に邪魔者のように建つ、古びたモルタルの二階建てだ。

通称旧館。実際この場所に建っているのは邪魔なのだが、なにしろここは先代の玉川政次が四十年前、玉川漬物から珠川食品に社名を変更し、即席麵の製造販売をはじめた当時の社屋だ。屋上に小さな神社があるせいもあって、取り壊されず今に至っている。

一階はかつては工場だったが、現在は補助倉庫になっていて、片隅に第一号製麵機だけが博物館の陳列物のように置かれている。玉川政次が現役の頃は毎日磨かれていたそうだが、引退して五年がたついまはすっかり埃をかぶり、これも室内の障害物としてしか機能していないようだ。涼平が旧館を訪れたのは、研修の時に第一号製麵機『タマちゃんＱＱ』を見学させられた時だけだから、二階がどうなっているのかよく知らない。デッドスペースだとばかり思っていた。

開け放たれたままの観音扉の先に階段がある。手すりの端が渦巻き模様になった骨董品に近い階段だ。昇りながらなにげなく数えると、十三段。涼平のラッキーナンバーだが、今日ばかりは不吉の前兆であるような気がした。

二階にはトンネルめいた薄暗い廊下が続いていた。煤けた天井に剝き出しの配線やダクトがうねっている。ベル式の火災報知機なんて見たのはいつ以来だろう。四十年前にワープしたかと錯覚しそうな光景だった。コンクリートの床が陰鬱な靴音を立てるたびに、足取りと同様、涼平の気分も重くなっていく。

廊下の左右に並んだドアの室名表示を読みながら歩いた。切れかかり点滅している蛍光灯の真下の部屋は『庶務課備品室』。その隣は『東京第二研究所』。八王子市にある第一研究所の他にもうひとつ研究所があるとは聞いていたが、ここだとは知らなかった。ただし閉ざされた扉は桟に埃が積もっていて、長い間開けられたことがないように見える。他の部屋にはプレートに名前がなく、使われているのかどうかもわからない。

『お客様相談室』は廊下の突き当たりだった。涼平は給湯室とトイレに挟まれたドアの前に立ち、大きく深呼吸した。ティンバーウルフをそっと撫ぜ、それからドアノブに手をかけた。蝶番《ちょうつがい》が軋《きし》みを立てる。恐怖映画の効果音だって、これほど見事に陰気な音は出さないだろう。

案外に明るくて広い部屋だった。少なくとも蛍光灯は全部ついている。近くに備品室があるのはダテじゃないようだ。壁の一面はガラスケースになっていて、珠川食品の商品サンプルが陳列されていた。もう一方の壁にはなぜか、のし紙つきの包装箱が山積みになっている。大、小二種類。そして大量のギフト用のタオル。

中央に机が六脚。向かい合わせで二列に並べられている。列を仕切った低いパーティションの上に電話機が三台。その向こうに頭が二つ見えた。

六つの机から少し離れた対角の位置にやや大ぶりのデスク。室長の席らしい。そこだけがひじ掛け椅子で、逆三角形の胃腸の弱そうな顔をした男が、つめ切りのやすりでカマキリのように爪を研《と》いでいる。四十代後半ぐらいか。

特に忙しそうではないのに、戸口に立っている涼平に誰も気づかない。カマキリの席に近づくと、フレームレス眼鏡を指で押し上げ、くいっと逆三角形の頭をもたげた。涼平は自己ベストの礼儀正しい声を出す。

「今日からこちらでお世話になります」

男は焦点を結ぶのに苦労しているといった様子で、数秒間無言で涼平の顔を見つめた。複眼かもしれない。

「ああ、聞いているよ、君が――」例の馬鹿かと言いたそうだった。眼鏡の奥の大きな目が、涼平の顔を探るように動く。カマキリに狙われた夏の終わりのトンボになった気分だった。

「佐倉君か。室長の本間だ。まぁ、よろしく頼むよ」

本間が手を伸ばしてきたから、握手かと思ってズボンで右手をこすったのだが、机に置いたつめ切りを再び手にしただけだった。立ったままの涼平を無視して爪磨きに戻る。しかたなく、ぼんやりと本間を見下ろした。髪は定規ではかったようにきれいに櫛《くし》が通っている。まるで竜安寺の石庭。手のひらを広げて自分の細い指に見とれながら本間が言う。

「話はよ～く聞いているよ、末松君に」

いきなり先制のジャブ。つくり笑いでパンチをかわした。

「末松君とは営業部時代によく一緒に仕事をしたんだよ。気持ちのいい男だよね、彼。ま、当時、僕は営業一課だったんだけど」

営業一課は、珠川食品の花形だ。自分は本来ここにいるべき人間ではないと弁解しているように聞こえた。

「ここの仕事は、どれだけ理解しているのかな」

「正直言って、あまり――」

「お客様からの問い合わせにお応えし、ご意見を伺い、正しい商品知識を啓蒙する、あるいはお客様の声をフィードバックして当社の商品やサービスに反映させる、それが我々の任務だ」

会社案内に書かれている通りのことを言った。涼平もそのくらいの予習はしてきている。食品メーカーはどこも自社製品に問い合わせ先を明記する。消費者の問い合わせが買った店に行ってしまうと、取引先である「販売店様」に迷惑がかかるからだ。それなりの規模の会社なら、本社の住所や電話番号ではなく専用の窓口を置く。こうした窓口は食品業界の場合、たいてい『お客様相談室』という名が冠され、製品パッケージのどこかに連絡先が入っている。お問い合わせと言ったって、小難しい機械を売っているわけじゃない。どう考えても忙しそうな部署とは思えなかった。

「ここはね、伝統あるセクションなんだよ。わが社は『お客様相談室』という名称が一般化する前から『お客様ダイヤル』という専属の部署を設けて、他社に先駆けた体制づくりをしてきた。前社長の『お客様の声は、神様のひと言』というモットーを体現化したものなんだ。ま、君は知らんだろうけど」

それは知らんかった。そう言えば、珠川食品のあらゆる職場と同様、壁のひと隅に額が掛けられていて、一階ロビーの揮毫を縮小コピーした社訓が部屋を見下ろしている。

「もっとも私も営業一課から移ってまだ一年もたっていないから、どういう体制でいくか、自分の色をどう出していくか、考慮中ではあるんだがね」

この男は何をやらかしてここへ飛ばされたのだろう。自分のプライドの置き場所に困っているように見えた。自分の居場所に言いわけしながら、本当は逃げ出したくて腰が完全に浮いている感じ。誰かに似ている。誰だっけ？

「ま、実務的な細かい作業は篠崎君にまかせてある。あとは篠崎君から聞いてくれたまえ。君の席は、あそこだ」

本間がつめ切りで二列に並べられた机の右手奥を指さした。篠崎というのはどの人だろう。涼平が指定された入り口側の並びにはまだ誰もいない。涼平にあてがわれたデスクの上には乱雑に書類が積み上げられている。パーティションの向かい側をのぞいてみた。

「佐倉です。よろしくお願いします」

カマを研ぐのに忙しい本間には涼平を紹介する気がなさそうだったから、スターバックスの店員程度の愛想の良さで挨拶をしたのだが、誰からも挨拶は返ってこなかった。

室長席に近いデスクに座っているのは、まだ若い小太りの男だ。額縁みたいにつるの太い眼鏡に見覚えがある。確か涼平が入社したての頃、販促課の景品キャンペーンに個人的な企画を持ちこんできたヤツだ。プレミアムのキーホルダーを恋愛シミュレーションゲームのキャラクターにしたらどうか。そう言って自作だと言う1／16だか、1／18だかの、アニメ少女のフィギュアを置いていった。スカートの中のパンツの柄まで描いてあるその力作は、末松の手でただちにゴミ箱へ却下され、女子社員たちには、こう評された、「げろげろ」。名前は知らない。ノートパソコンから顔を上げ、涼平にうっすらと笑いかけたが、またすぐにモニター画面へ戻ってしまった。

涼平の真向かいは空席。真ん中の席の男に声をかけようとしたとたん、パーティションの上の電話が鳴り、男が受話器を取った。フィギュア野郎より年長でまともそうだ。この人が篠崎さんだろうか。

電話が終わるのを待っていたが、なかなか終わらなかった。どこの誰と話しているのか、ハンカチでひたいの汗を拭きながら、消え入りそうな声で話し続け、しきりに頭を下げている。まだ三十代に見えるが、下げた頭の真ん中だけ毛がない。涼平は高野の言葉を思い出した。

「毛がたばになってごっそり——」まさか急性の脱毛症じゃあるまいな。

そのうちに、もう一人増えた。その男が部屋に入ってきた時には、地響きがしたかと思った。そのくらいでかい男だ。まるで冷蔵庫——それも業務用——にワイシャツを着せてネクタイをつけたみたいだった。涼平の側のひとつ置いた席に座ると、小さな事務用チェアが悲鳴をあげた。大男はしこたま汗をかき、体から湯気を立ちのぼらせている。ふうと大きく息を吐き出してから、ようやく涼平に気づき、坊主に近いスポーツ刈りの巨大な頭を振り向かせて、ほとんど眉のない眉根を寄せた。ちょっと怖い。

本間が不愉快そうな声をあげる。

「神保《じんぼ》君、何をしていたんだね」

よかった。この大型冷蔵庫が篠崎じゃなくって。何をしていたかは涼平にもわかった。腕まくりした神保の腕には竹刀《しない》がぶら下がっている。ボンレスハムより太いあの腕なら、一万回ぐらい素振りができるだろう。息が切れて返事が出来ないのか、もともと返事をする気がないのか、神保は本間から顔をそむけたまま、相撲取りのインタビューのように、ううっと低く唸っただけだ。

向かい側で電話の男の声が高くなった。

「まことに申しわけありませんっっ」悲鳴かと思うほどの切迫した声だ。「は、はいっ、ただいま、いますぐ、ただちにっ」

震える手で受話器を置くと、男は顔を上げたが、涼平など目に入らない様子だった。夢遊病めいた動作で上着を着こみ、ふらふらと壁際に歩み寄ると、山積みの包装箱の大きい方をひっつかんだ。爪を研ぎ終わり、頭髪のチェックをはじめていた本間が、手鏡の中の自分に話しかけるように言う。

「これこれ、山内君、どこへ行くんだね」

電話男が虚ろな目で振り返る。この人も篠崎ではなかった。

「……あの、例の明石町のお客様に……またトラブルがあったとか……」

「またか」本間が舌打ちをすると、自分が非難されたように山内が身を縮めた。「で、君、それ持ってくつもり？」

「は、はぁ」

実際に非難されているらしい。本間は山内が手にした包装箱に苦々しげな視線を走らせる。

「松はどうかと思うなぁ。明石町は毎度のことだろう。松は無駄だよ、竹にしたまえ。この間、溝口専務が全体朝礼でおっしゃっていたじゃないか。厳しい環境を乗り越えるためには、経費節減あるのみ。欲しがりません交際費、備品の一点は血の一滴ってね。うちだけむやみに交際費を使うわけにはいかないだろ。うちの評価に響くじゃないか。君の評価にもね」

松とか竹というのは、どうやら菓子折り風の箱の大きさのことらしい。

「しかし……この間も竹を持って行きましたら、それはもう……」

「そこをなんとかするのが我々の仕事じゃないか。竹でいい。いや、今後のこともある。今回からは梅で行こう」

「で、でも……」

山内はぶるぶると首を振る。本間も違う意味でゆっくり首を振った。

「悩んでる暇はないよ。ほら、時間に遅れると、それこそまた……前回のように……室長命令だ。松はやめたまえ。梅を持っていきたまえ……梅……梅」本間が催眠術師のように囁く。そして犬にハウスを命じる口調で声を荒らげた。「急げ！」

「うおう」山内は追いつめられた獣の叫びを上げて「松」を放り出し、タマちゃんマークの入った進物用タオルをつかんで部屋を出て行く。

涼平はあっけにとられて後ろ姿を目で追う。振り返ると本間はもうグルーミングの続きに戻っていた。涼平が問いかけの言葉を発しようとすると、椅子を回転させて、背中を向ける。慣れたゲームを眺める表情で首をもたげていた額縁眼鏡に、説明してくれと目で訴えたが、涼平と視線が合うとたちまちパソコンの中へ潜りこんでしまった。

篠崎が誰かはほどなくわかった。涼平の隣の空席の主だ。ほとんど何も置かれていないデスクの真ん中に封筒が一通。宛て先が「篠崎　薫様」になっている。

封筒の脇にころがっているボールペンはパステルピンクで、キャップにアニメのキャラクターがついている。パーティションの手前には大小のぬいぐるみがずらりと並べられていた。どうやら篠崎は若い女らしい。

自分より年下のキャラクターペンを使っているようなやつに指図されるのは嫌だな。そう考えてから、若いとはかぎらないことに気づいた。なにしろ実務的な仕事を任されている女だ。お局《つぼね》かもしれない。ファンシーグッズで書類を書き、ぬいぐるみ集めが趣味の実務に長《た》けた中年女——想像してはならないものを想像してしまい、涼平はぶるりと体を震わせた。

ふと気づくと神保がこっちを見ている。あわてて自分のデスクに顔を戻した。少したってまた左を見る。やっぱり涼平のほうを睨んでいた。俺、何か気に触ることをしただろうか。

十時十分前。始業時間をだいぶオーバーした頃だ。廊下を鳴らす靴音が聞こえてきた。近づいてくるにつれ駆け足がしのび足になっていることがここからでもわかる。涼平が振り向くと、ドアから顔がのぞいていた。

えらの張った四角い顔。やや後退した前髪。丸く小さな目をぱちくりさせて部屋の様子をうかがっている。

きょろきょろ動く目玉が本間を捉えた。本間が自分の職場を拒否するように背を向けていると知ると、目玉の持ち主が抜き足さし足で部屋に入ってきた。ずんぐりした体格の中年男だ。しわだらけのグレースーツ。派手なトイレカバーみたいなひどく趣味の悪いネクタイをしている。

「遅かったね、今日も」

本間が背中を向けたまま声をかける。片手に手鏡が握られていた。あれだけ盛大に足音を立てていたくせに気づかれないと思っていたのか、男は抜き足のまま静止して顔をしかめた。まるで遅刻した小学生のガキだ。

「ああ、申しわけない」申しわけないとはまるで思っていない口調で男が答える。「明石町のほうに立ち寄って来たもんで。昨日、また電話があったものだから」

「そうだったのか、電話がねぇ。ふぅ〜ん」

語尾をいやらしく伸ばして本間が言う。

「そう、昨日の夜遅く」

「君は僕より早く帰ったような気がするのだが、僕の思い違いかな」

「たぶんね」

「そうか、立ち寄りかぁ。いつもすまないね」

「いやいや、礼には及びませんよ」

「……しかし、おかしいな。今朝、始業時間の少し前に電話があってね、山内君が対応したんだけれど、あれは確か例の明石町だったんじゃないかな。君が行っているはずの」

男が犬の糞を踏んづけた表情になった。

「毎度毎度、同じことを言わせないで欲しいな」

「いや、実は目覚ましの調子が悪くてね。まったく独り暮らしはつらいよ」

「子供じゃないんだから。いつまでこんなことを私に言わせる気だね」

「今日まで。先代の銅像に誓う。明日から時間前にちゃんと来ますよ、室長」

男がシツチョウという言葉を、珍しい名の野鳥の一種かなにかのように言い捨てると、本間室長がけたたましく鳴いた。

「気をつけたまえ！　篠崎君」

篠崎薫は年下のＯＬでもお局でもなかった。もっと悪いかもしれない。趣味の悪いネクタイをした、むさ苦しくてだらしのないぐうたら社員だった。


「佐倉です、よろしく」

涼平が挨拶をしても、篠崎は目もくれない。本間の様子をうかがってから、目の高さまでしかないパーティションの下に頭を沈めて競馬新聞を読みはじめた。教科書に隠して漫画を読むガキと一緒。ここはいったいどういうところなのだろう。

「僕は何をすればいいんでしょう？」

声をかけたが、ちょっと待てと言うふうに手のひらを涼平に見せ、赤鉛筆で新聞に書きこみをはじめた。よく見ると競馬新聞じゃなかった。競艇の予想紙だ。ひとしきり新聞に赤い書きこみをしてから、ようやく顔をこちらに振り向ける。

「ところで、兄ちゃん、誰？」

　涼平はもう一度名のり、本間の言葉を伝えた。

「仕事を教えてください。実務的な仕事は篠崎さんにお任せしてあると聞きましたので」

　涼平がせいいっぱいの敬意を表してそう言うと、その言葉を篠崎が満々の悪意をこめてオウム返しにした。

「実務的なことはまかせてある⁉」

　小さな目をひんむいて涼平の顔に唾を飛ばしてくる。

「いいかい兄ちゃん、ここの仕事には実務しかないんだよ」

　本間に聞こえやしまいかとあわてたが、篠崎はまったくお構いなしだ。それどころか、さらに声を張り上げた。

「だいたい実務的じゃない仕事ってなんなんだ。教えて欲しいよ。眼鏡拭きか？　兄ちゃんにそんなまぬけなこと言ったのは、いったいどこのどいつ？」

　眼鏡を拭いていた本間の背中がぴくりと震えた。なおも何か言おうと口を開きかけた篠崎へ、涼平は叫ぶように言った。

「教えてください。まず何をすればいいんですか」

　篠崎はようやく口を閉じ、今度は言葉を節約するように前方へ四角い顎をしゃくった。顎のさしている先を確かめてから涼平はもう一度聞く。

「電話ですか？」

「そう、かかってきた電話をとる。それが基本」

言われた通り電話を待ったが、涼平の目の前の電話も、他の電話もまるで鳴らなかった。十時半に近くなると、本間が時計をしきりに気にしはじめた。そろそろ何か仕事の指示があるのだろうか。壁かけ時計の針が十時三十分きっかりを指すと、待っていたように本間が声をかけてきた。

「佐倉君、ちょっと」

手招きをしている。いよいよ初仕事だ。涼平たちのものよりずっと値の張りそうなデスクの前に立つと、本間がティーカップを差し出してきた。

「お茶、頼むよ」

三秒ほど意味がわからなかった。小洒落《こじゃれ》た花柄のティーカップに目を落とし、それから、たっぷり時間をかけて整えられた本間の頭を見た。

「給湯室は、ここを出てすぐ左だから。僕専用のダージリンが置いてある。砂糖を二つ添えてもらうと助かるな」

髪の毛をぐしゃぐしゃにして首を絞めてやった。どうせヒマなんだろ、自分でやれよ！　本間のこけた頬に言葉を叩きつけた——ただし、頭の中だけで。少し前までの涼平なら本当にそうしたかもしれない。だが出来なかった。なにしろ二カ月分の家賃を人質に取られているのだ。返事をせず、足音を荒くするという、ささやかな情けない抵抗だけ試みて給湯室に向かった。

「佐倉君、ちょっと」

ドアを出ようとした涼平の背中に、本間の声色をまねた声がかかった。篠崎だ。本間と同じしぐさで手招きをしている。あんたもか。あんたはなんだ。どくだみ茶か？　青汁か？　篠崎は耳を貸せというふうに指を動かして競艇新聞の中へ涼平を招き入れると、小さな声で囁いた。

「給湯室に僕専用の雑巾が置いてある。室長のダージリンに絞り汁を少し添えてもらうと助かるな」

今度はきちんと返事をした。ただし声ではなく大きくうなずくしぐさで。了解。直属上司の初めての指示だ。さからうわけにはいかない。

しかし篠崎の適切な業務命令はそれっきりで、『お客様相談室』の電話はいつまでたっても鳴らない。絞り汁入りの紅茶に目を細めている本間を眺めて、喜悦の表情を浮かべている篠崎に声をかけた。

「電話、来ませんけど」

篠崎が壁の時計を眺める。サラリーマンのくせに腕時計をしていなかった。

「これからだよ。うちが忙しくなるのは昼時からだ」

「じゃあ、いまのうちに実務的な——いえ、ここの業務内容を教えてください」

「電話が来ればわかる」

それだけ言ってまた新聞の中に潜りこもうとするから、涼平は思いついた言葉でそれをつなぎとめた。

「ぬいぐるみ、お好きなんですか」

むさくるしい中年男にはおそろしく似合わない、ファミリーカーのリアウィンドゥみたいなデスクを目でさし示すと、篠崎が鼻を鳴らした。

「俺が？　好きなわけないだろ。子供のだよ。娘にやろうと思ってクレーンゲームで集めてるんだ。誕生日プレゼントにこれをもらったお返しにな」

これ、と言って篠崎はパステルピンクのボールペンを振ってみせる。さっき独り暮らしって言ってなかったっけ？　篠崎が初めてにんまりした。ただし親密さのこもった笑いじゃない。下品さ丸出しの笑いだ。

「さてはお前、俺の机を見て、女だと思ったんだろ。俺の名前は美しいからな。へんな想像をふくらませてなかった？　ついでに股間も。あいにくだったね、こんなダンディなナイスミドルで」

けけけ、と笑って篠崎の頭が新聞に沈む。どこがダンディなナイスミドルだ。何日も着続けているらしいスーツはよれよれで、地色がもともとダークグレーだったのかどうかも疑わしいぐらいだ。その下のシャツもしわくちゃ。額が後退しはじめている髪はもじゃもじゃで、後頭部には寝ぐせが立ったままだ。

十一時半をまわった頃、篠崎の予言通り電話が鳴った。だが誰も取ろうとしない。五コール目で、全員が涼平を見つめていることに気づいた。俺？　涼平は自分の鼻先に指を突きつけるしぐさをしてみた。パーティションの向こうの額縁眼鏡がうなずく。

電話は二人に一台。パーティションの上の架台に載せてあるから座ったままでは取れない。立ち上がって受話器を耳にあてたとたん、いきなり罵声が飛びこんできた。

――馬鹿たれ、なにやってんだよ！

八コール目が鳴る直前だ。怒鳴られるほど待たせたわけじゃない。

「は？」

――とぼけてんじゃねぇ。

喧嘩腰の男の声だった。間違い電話かと思って言ってみた。

「こちら珠川食品お客様相談室ですが」

――わかってっから、かけてるんじゃねえか、脳みそねえのか、お前。

イタズラ電話？　見ず知らずの人間からいきなり馬鹿と言われる筋合いはない。涼平は思わず声を荒らげた。

「ふざけるのはいい加減にしなさいよ」

――なななんだその口の利き方は！　虫だよ虫。虫を食っちまったんだぞ、俺は。ふざけてんのは、そっちだろ。

男がわけのわからないことを喋りはじめる。まともじゃない。

――どうすんだよ、虫。

そうか。ようやく涼平は理解した。こいつは酔っぱらいだ。真っ昼間から酔ってやがる。なおも怒鳴り続ける声を無視して、涼平はすみやかに電話を叩き切った。あっけにとられて見つめてくる周囲に肩をすくめてみせる。

「イタズラ電話でした」

「やれやれ」篠崎がため息をつくのが聞こえた。

なぜか本間が唇をわななかせて涼平を睨みつけている。「佐倉君、君は君は——」

本間の言葉は最後まで涼平の耳には届かなかった。また電話が鳴り、すぐに受話器に耳を押し当ててしまったからだ。

——てててめえ、電話を切ったな切ったな。

さっきの男だ。ますます興奮している。しつこいやつだ。今度はもっと凄《すご》みをきかせて怒鳴り返してやろう。そう考えて大きく息を吸った。

——虫だぞ、らっきょうの中に虫が入ってたんだぞ。お前のところの瓶詰だ。どうしてくれる。

「は?」

そこでやっと気づいた。苦情電話だ。ユーザーの問い合わせ先である以上、そういう電話も多少はあるだろうと覚悟はしていたのだが。いきなりとは思わなかった。

——タマちゃん味つけらっきょう。お前んとこで出してんだろ。瓶に書いてあるぞ、なんでも電話をしてくれって。

「ちょっとお待ちを……」

送話口に蓋をして篠崎に声をかけた。

「あの、すいません」

「なん?」予想の再検討をしていた篠崎が赤鉛筆を舐めながら不機嫌な声を出す。

「どうも苦情電話らしくて。味つけらっきょうに虫が入っていたとか」

「お前がとった電話だろ。そんでお前が話をこじらせた。自分のけつを拭くのは誰だ？　母ちゃんか？」

ここからでも頬がひくついているのが分かる本間は、アドバイスではなく嫌味しか寄こしてこないだろう。額縁眼鏡と目が合うと、こそこそとパソコンに顔を伏せてしまった。鬼みたいな形相で一心不乱に書きものをしている神保は——声をかけるのがなんだか怖い。しかたなく電話に戻った。

——おいっ、聞いてるのかっ！

「はぁ」

——ちっこい蝿みたいな虫だよ。ちっこいったって、五ミリ、いや一センチ近くもあるぞ。変な味がしたから吐き出したらよ、やっぱりだ。ちゃんと、聞いてるのか、おいっ！

「ええ、聞いてます」

——どうすんだよ。責任とれよ。

「どうしましょ」

——どうしましょうじゃねぇよ。

背中がぞくりとした。男の声に恐れをなしたわけではない。後ろに誰かが立っている気配がしたのだ。受話器を耳に当てたまま振り返ると、神保がそびえ立っていた。けっして背の低いほうではない涼平のはるか上空から、尋常じゃない光をたたえた目で見下ろしてくる。

——らっきょう好きなのによぉ。当分食えねぇよ。酒のつまみに最高なのによぉぉ。どうしてくれんだよ。酒までまずくなっちまったじゃねぇか。どうしてくれる、おいっ！

男はやっぱり酔っていた。酒臭い息が受話器の向こうから臭ってくるようだった。神保がいきなり腕を伸ばしてくる。殴られるのかと思ったら、そうじゃなかった。一枚の紙片を凉平の手に握らせた。神保の巨大な手の中ではハガキにしか見えなかったが、Ｂ５のレポート用紙。こう書いてある。

『味つけらっきょうへの混入が考えられるのは、中国原産のマダラショウジョウバエかミカンコミバエ。顧客への対応は、①商品の交換を確約　②瑕疵商品の返送を要求　③関係部門に連絡・原因の究明——うんぬん』

せっかくの好意だが、悪筆のうえに何度も書き直しをしてあるからすこぶる読みにくい。しかも意味がよくわからない。しかし、それを頼りに言ってみた。

「あのぉ、その虫はたぶんマダラショウジョウバエかミカンコミバエと思われます」

——そんなこと聞いてねぇよ。

そりゃそうだ。

「すぐに新品とお取り替えします。それと——」瑕疵？　なんて読むんだろう。「あの、その商品をですね、虫の入っていたものを、こちらに返送していただければ」

——なんでそんな面倒なことしなくちゃなんねぇんだよ。こっちは被害者だぞ。すぐに来い。謝りに来いよ。誠意ってのを見せろ。いますぐだ！

「いや、いますぐというわけには……」

——いいから来い！　証拠の虫もとってある。来ねえとどうなるかわかってるだろうな。

電話が切れた。切ってから、男の住所を聞いていなかったことに気づいた。まずい。あの調子だとまたかかってくるぞ。

時刻は正午少し前。本間は涼平にそっぽを向いて壁の時計を眺めている。しかたがないから、篠崎に報告することにした。

「あの、篠崎さん」

「ああ、ご苦労さん。あとは報告書にして提出な」

「謝りに来いって言ってたんですけれど」

「行くって言っちまったのか」篠崎が露骨に顔をしかめる。

「あ、え、それがその……」

どうしよう。商品に虫。異物混入事故だ。しかも相手の住所も名前もわからない。本間になんと言えばいいのか迷っていると、時計の針が十二時きっかりをさすと同時に、本間がいそいそと立ち上がった。

「僕はランチだ。仕事がらみだから、少し遅くなるよ。すまんが後はよろしく。いつもどおり当番を一人残すように。いや今日は佐倉君を含めて二人だ。いいね」

そう言って出ていってしまった。先に篠崎に話をしておこうか。

「篠崎さん、実は、さっきのお客さんの名前と住所を……」

おずおずとそう切り出したのだが、篠崎はまるで聞いてはいなかった。本間が廊下へ消えるのを泥棒猫の目で追い続けてから、新聞と上着をひっつかんで立ち上がる。

「俺はちょっと出なくちゃならん。話は後でゆっくりな」

「あ、ちょっと待っ――」

言っているそばから電話が鳴った。またしても誰も出ようとしない。さっきの男からだろうか。涼平はあわてて受話器をとる。違った。今度は女だ。

――もしもし珠川食品さん。お客様相談室ってこの番号でいいのよね。

「ええ、そうです」

――ちょっと聞いてくれる？

「なんでしょう」

困り果てた様子のか細い声。少し安心した。今度は苦情じゃないだろう。

――蓋が開かないのよ。どうなってるの。

いや、やはり苦情電話だ。

「なんの蓋ですか？」

――味つけらっきょう。

またか。いったい誰だ、味つけらっきょうを作っているのは。

「ちょっとお待ちください」振り向くと、篠崎はもう消えていた。こっちを見ている神保に言う。「また味つけらっきょうです。蓋が開かないそうです」

神保が任侠映画の主人公風の重々しさでうなずく。そしてまた猛然とメモ書きをはじめた

——はじめたが、電話を替わってくれる気はなさそうだった。額縁眼鏡は言うまでもない。涼平は電話に戻った。神保のメモを待っている暇はない。適当に言ってみた。

「こうしたらどうでしょう。蓋に輪ゴムをはめてみるのです。で、逆さにして蓋ではなく瓶のほうを回す」この方法はリンコから教えてもらった。年上だからだろうか、こういう妙なことをよく知っているのだ。お婆ちゃんの知恵ぶくろ。「そうすると案外簡単に開いたりするんですが」

——ちょっと待って、やってみるから。

少しの間の後、女の息ばる声が聞こえてきた。ううん、うん、うん。

なんだかテレホンセックスみたいだったが、声の印象ではさほど若い女じゃない。

——ああん、だめっ。すっごくカタイいっっ。

「火で焙《あぶ》ってみては？」

——もうやったわよ。

女の声が少し尖った気がした。神保に助けを求める視線を投げかけたが、まだメモを書き続けている。

——なんでこんなに固いの？

「たぶん輸送時の事故を防ぐためだと思います。あまりゆるくしても、あれですし」あれというのが何を指すのかわからないまま言う。「あとは、そうですね、どなたか男の方に。ご主人

がお帰りになるまで待っていただくわけには――」

――ご主人？　ご主人がいなくちゃだめなの？

「あ、いえ、そういう意味では」

突然、女がキレた。

――じゃあ、どういう意味よ、え？　いまの言葉聞き捨てならないわ。独り暮らしの女は、らっきょうを食べるなってこと？　結婚してない女はダメってこと？　答えなさいよ。だいたい何よ、輪ゴムを使え、火で焙れって、あんたのとこの責任なのに、なんで私がそんなことまでしなくちゃならないの。マスコミに投書するからね。不買運動するからね。あなた、名前は？　名前を言いなさい！

神保が涼平のデスクにメモを滑らせてきた。

『当社味つけらっきょうは、合弁企業中国深圳《しんせん》珠川食品公司による現地生産製品であり、当該工場のQC面での立ち遅れが問題化しつつあるのが現状。顧客への対応　①商品の交換を確約。②瑕疵商品の返送を要求。尚――』

最後まで読まなかった。もうそういう段階じゃない。女のわめき声は、いまやギャオスの殺人超音波並みだ。

「私、佐倉と申します。千葉県佐倉市の佐倉。あのではすぐに――」

――知らないわよ、千葉のことなんかっ。どこからかけてると思ってるの？　ここは新潟よっ。

危なかった。すぐに伺いますと言おうと思っていたところだった。

「では、すぐに替わりの商品を送らせていただきます」福引の景品所のような部屋の壁の一方に目を走らせてから言葉を続けた。「それとお詫びのしるしに当社からのプレゼントを――」

女の声が少し冷静になった。

――プレゼントって何？　タマちゃんラーメン一年分？

とてもタオルだなんて言えない。

「えー松を――いえ、心ばかりのものを」松ってなんだ？　本当に心ばかりのものだったらどうしよう。

――タマちゃんラーメンもつけなさいよ。袋のほうよ。カップならいらないからね。

「はぁ、でも一年分はちょっと」

――じゃあ一カ月分。ただし私、一日に一回はインスタントラーメン食べるから、その一カ月ぶんだからね。

今度はちゃんと住所と名前を聞き、送るラーメンをなんとか徳用五個パック四つに値切ってから、涼平はようやく解放された。

神保に礼を言おうと思ったが、怒った顔で竹刀を手にし、地響きを立てて出ていってしまった。怖《こわ》。

額縁眼鏡はもう一本の電話の応対をしていた。これも苦情電話のようだ。応対といっても一方的に喋っているらしい相手に、「うう」とか「ああ」とか答えているだけ。販促課にフィギュアを売り込んで来たときには立て板に水で、一方的に喋りまくっていたが、人の話を聞くのは苦手なようだ。

電話を終えた額縁眼鏡に声をかけようとして、まだ名前を知らないことに気づいた。

「お聞きしたいことがあるんですが」

「何？」

「まずお名前を」

「ああ、僕はハザワ。羽衣《はごろも》の羽に、軽井沢の沢」

そんないいものじゃない気がする。不健康そうな小太りの丸顔。ハロウィーンのカボチャオバケが眼鏡をかけたような男だ。羽虫の羽に、沢蟹の沢とかはどうだろう。どうせ聞いていなかっただろうと思って、涼平がもう一度自己紹介をすると、羽沢がにやりと笑った。

「知ってるとも。あなたの噂は聞いてるもの」どんな噂だろう。あまり聞きたくはなかった。

「役員会議室の乱闘男。販促課の狂犬。後なんだっけな——」やっぱり聞かないほうがよかった。「もっとヤバそうな人かと思ったら、案外ふつうなんだね」

「おかげさまで。で、羽沢さん、いろいろ教えて欲しいんですけれど」

「羽沢君でいいよ。僕、まだ新入社員だから」

老《ふ》けた顔で偉そうな口をきくから、年上だと思っていた。

「えーと、じゃあ羽沢君、まず俺の机の書類だけど、これはどうすればいい？」

地層のように積み上がり、下の方は黄変している書類の山を手で叩いた。

「ああ、それ、全部篠崎さんのだから、篠崎さんの机に返しておけばいいと思うよ」

どうりで、だらしない身なりのわりに机の上が片づいていると思った。すみやかに書類の山脈を移動させた。

「報告書っていうのは？」

「これだよ」

ようやく地肌が見えた涼平のデスクに羽沢が紙束を置く。パソコンでつくった書式をＡ４のザラ紙にコピーしたものだ。何度もコピーを重ねたらしく、文字も罫線もだいぶかすれている。簡単な書式だった。一番上に月日、時刻の記入欄。その下に問い合わせ内容を書く空欄と相手の住所・氏名・電話番号の欄。一番下は所定項目に丸をつける形式で、こんな文字が並んでいる。

訪問の必要性（有・無）　贈品（松・竹・梅・なし）

「書き終わったら室長のとこのボックスに入れればいい。名前や住所はわからなければ書かなくてもオーケー。言わないで切っちゃう人が多いから」

「松、竹、梅って？」

「ほら、あそこに積んであるやつ。クレーム客への進呈品。訪問謝罪の時には手土産にするんだ。松は珠川食品の瓶詰セット。竹はタマちゃん袋麺の詰め合わせ。ずっと積んであるから賞味期限に気をつけたほうがいいかも。梅のタオルはだいぶ昔につくったキャンペーン用のあまりだって話だけど。案件によって使い分けるんだ。こっちの過失度とか客の重要度とか」

友だちに語りかける口調で羽沢が説明する。タメ口世代。自分が年寄りになった気がした。

「客の重要度?」

「口うるさくて、うちの悪い評判が広まりそうなヒトは、要注意。消費者運動に関わっているヒト、地域コミュニティの中心人物、マスコミ関係者とその家族なんかは、もう松しかないね。独り暮らしの若いヤツなんかは梅。ま、電話じゃわかんない場合が多いから、僕は勘でつけてるけど」

「ねぇ、羽沢君、ここの仕事ってそういうのばっかりなの」

「うん、何だと思ってた? パソコンや携帯なんかのユーザー窓口なら操作や商品情報の問い合わせとかが多いんだろうけど、うちの場合、調理法や開け方がわからないなんてヒトはあんまりいないからね。ほとんどがクレーム電話。あ、商品はあっちのサンプル棚に揃ってるから。いろいろ出してるから大変だよ。社員もほとんど誰も知らないようなものまである」

「結構来るのかい、苦情電話」

答えのかわりに羽沢は顔をしかめて見せた。

「よそのことは知らないけど、うちはすっごく多いね。製造管理も商品管理もいい加減だから。そのくせパッケージにはどこよりもでかでかと『お客様相談室』の名前を載せてる。しかもフリーダイヤル。カップ麵の粉末スープの袋にまでだもん。そりゃあ来るよ」

言われてみればそうだ。珠川食品のユーザー問い合わせ先は必要以上に大きい。目立たないようにこっそり入れればいいものを。『どんなことでもなんなりとお申しつけください』なんて書き添えられているものもあったっけ。文句をつけてくださいと言っているようなもんだ。「前の社長が『お客様の声は、神様のひと言』なんてのを社訓にしてたのを、いまの社長がバカ正直に守っているからららしいよ。あの頃はPL法も製造者表示義務もなかったから、そんな能天気なことを言ってただけだろうに。だいたい僕らみたいな、新人に応対させるのが間違ってるんだよ。だからリピーターも増える」

「リピーター？　苦情の？」

「うん、常連さん。さっき山内さんがビビってた明石町なんかはここの古なじみらしいよ。あ、そうそう、ここでは新しい人が最初に電話をとることになってるから、よろしく。昨日までは山内さんが優先順位一番、僕が二番。今日からは佐倉さんが一番だね。よかったよ、僕、電話応対が苦手でさぁ。僕がここに来てすぐ伊藤さんが入ってきてくれたから助かっちゃったけど」

部屋のどこを眺めても伊藤さんらしき人はいないし、ひとつだけ残っている空席には段ボールが積み上げられていて誰かが使っている気配はない。伊藤さんがどうしてしまったのかは、聞くまでもなさそうだった。

「本当はもっとベテランが対応しなくちゃいけないんだけど。まぁ、会社自体の体質が体質だから」

新入社員のくせに偉そうな口ぶりで、羽沢は涼平にうなずくひまも与えず喋り続ける。

「ベテランって神保さんとか？」

「……あの人は別格」

やっぱりな、強面《こわもて》だからな、と言おうとしたら、羽沢が意外なことを言う。

「喋れなくなっちゃったんだよ、人と。ストレスから来てる失語症とか言ってたな。もともとは購買部にいたんだけど、あの人、見かけによらず神経が細いらしくて。それでここにぶちこまれた。僕や山内さんより後、まだここは十日目だよ」

「神保さん、ずうっと俺の顔を見ているような気がするんだけど、気のせいかな？」

「ううん、気のせいじゃない。いつも右ばっかり見てるんだ。篠崎さんなんかよく冗談で言ってるもん。『俺に惚れるなよ』って。首が左を向かなくなっちゃったんだ。それも心因性。前の部署で口うるさい上司が自分の左側に座ってたからだとかで。うちの剣道部のエースだから、簡単に辞めさせるわけにはいかないんだって。ここに来るのは、みんな問題児だよ」

先代が剣道五段だそうで、企業スポーツにまるで熱意のない珠川食品の唯一の例外が剣道部だという話は、涼平も聞いたことがあった。

「羽沢君はなんで？」

ひひと笑って答えない。話題を変えることにした。

「じゃあ、仕事のことは誰に聞けばいいんだ」

「室長はいつもああだし。やっぱり篠崎さんだな」

「だけど、いないんだよ。急用とかで戻ってこない」

「ああ、今日から平和島だからな。まぁ、でも、篠崎さんに聞くのがいちばんだよ。ここの仕事のいちばんのプロだ。あの人、ここが長いから。七年居るんだもの」

ゴキブリみたいなやつもいる——高野の言葉を思い出した。七年物の大ゴキブリ。思い出したように羽沢が尋ねてくる。

「ところで僕のフィギュア、どうなった？　もう製造を開始したかな」

「……いや、まだだと思う」

篠崎はどうしてここにいるのか、それを聞き忘れていたが、聞くひまがなかった。また電話が鳴ったからだ。新入社員の羽沢が先輩面をして、どうぞという具合に受話器へ手を差しのべた。

——もしもし。

「はい、珠川食品お客様相談室です」

涼平はやけくそで明るい声を出した。

——私なんかの相談に乗ってくれるのかい？

消え入りそうな老婆の声だった。

「もちろんですとも」

——いまラーメンをつくってたんだけど、お汁に味がしないんだよ。お湯のままなの。

「は？」

何度か聞き返して、ようやくわかった。商品はタマちゃんのカップ麵。調味スープは別添えだ。老婆はどんぶりに入れ、お湯をかけて蓋をするだけで出来上がるタイプのものと勘違いしているのだ。そのことを納得させるだけで五分かかった。

——そうだったかしらね。即席ラーメンなんて食べるの久しぶりだから。

「まずカップの——器の中からスープの袋を探してみてください」

——そんなものあったっけ？　ちょっとお待ちよ。

「入ってるはずです」たぶん。

一分ほどの間《ま》。

——あらあら、ほんとだわ。お湯びたし。

「ありました？　では、それをお湯の中に入れてください。あ、封を切ってくださいね。一緒に特製オイルもついていますので、それも……」

——面倒だねぇ、嫌がらせかい。

「いえ、とんでもない。では、そういうことで」

受話器を置こうとすると、老婆の悲痛な声がした。

——切らないでおくれ！　心細いじゃないか。

三分の間。

——できたよ。いい匂いだわねぇ。

ずるり。電話の向こうで麵をすする音がする。一件落着。

「納得していただいてよかったです。それでは」

——おいしくないねぇ。

そこまでは責任持てない。再び電話を切ろうとすると、老婆のすすり上げる音がした。麺ではなく洟《はな》。泣いているらしい。

――情けないねぇ、この齢でこんなものを一人で食べなけりゃならないなんて。あのね、うちの嫁が働きはじめたんだよ。私が体弱いのを知ってて。ヨシオが安月給だからって当てつけみたいに言うけど、違うんだわよ。私と顔を合わせるのが嫌なだけなのよ。関節が痛くて昼御飯の支度がひと苦労なのに。あんた、どうすればいいと思う？

そういう相談は、みのもんたにして欲しい。老婆が泣き出してしまったから、電話を切るに切れなくなり、凉平は延々と続く愚痴につきあった。足の関節が痛い。腕の関節も。喉も（喉に関節なんかあったっけ？）。食事の味つけが濃い。孫の好物の油っぽいものばかり。七十八にもなってハンバーグなんて食べたくない。嫁の化粧が濃い。ヨシオがもっとぴしっと嫁に言わなくちゃ。ヨシオの育て方を間違った。などなど。

「……おバアちゃん、さ、もう泣かないで。元気出して。人生九十年。七十八なんてまだまだ若いんだから」

――ありがとうね。あんた、優しいねぇ。他人様だってこんなに優しくしてくれるのに、うちの嫁ときたら……ほんとに情けない。

「では、そういうことで」

――そうそう、もうひとつ聞いて欲しいことがあるのよ。姪のみいちゃんのところの娘なんだけど、杉本さんの次男のところへお嫁に行ったら、なんとまぁ――

その日の午後、涼平が受けた電話は九本。うち七本が苦情電話。味つけらっきょうへのクレームがもっとも多く、あの後も「蓋が開かない」というのが二件。「賞味期限が切れていないのに腐ったような味がする」二件（気になってサンプルを食べてみたら、もともとそういう味だった）。幸いなことに虫の混入は午前中の一本だけだったが、『タマちゃん味つけらっきょう』は、かなり問題ありだ。

たいていは簡単には許してもらえず、一本一本がやたらと長いから、涼平は昼飯を食いそびれ、午後も受話器を握り続けていた。だから二時すぎに戻ってきた本間が篠崎がいないと怒鳴りちらしている声も、そこへのこのこ帰ってきた篠崎のすぐにバレる言い訳も、三時半頃、再び本間が席を立ち「上に定例報告に行く」と言っていたのも、その隙《すき》を狙って、性懲《しょうこ》りもなく再び篠崎が出ていった足音も、すべて受話器を当ててないほうの耳で聞いた。例の虫混入の客からは、それっきり電話がなく、ボックスに置いていた書きかけの報告書が消えているのに気づいたのは、終業時間近くになってからだった。最後の電話を切った六時過ぎには、もう部屋には誰も残っていなかった。

お客様相談室のドアを出かけたところで、また新しい電話が鳴りはじめたが、もう涼平は振り返らなかった。

飯をつくる元気はもちろん、食い物屋のメニューを眺める気力もなかった。マンションに戻った涼平は、コンビニで買ったノリ弁と焼きそばパン、味噌汁がわりのカップ麺をテーブルの上に放り出す。昔から人より大食いで、これでも涼平のいつもの夕飯にしては少ないほうだ。腹は減っているはずなのに、なぜか胃が重かった。カップ麺はもちろん珠川食品のものじゃない。部屋の電話が鳴っていたが、無視した。電話は見るのも嫌だ。リンコみたいに電話嫌いになりそうだった。

電話の向こうから叩きつけられた、怒り、そしり、嫌味、皮肉、愚痴、あてこすり、恨み、嘲《あざけ》り……それらすべてを洗い流すつもりで、まずシャワーを浴びる。思わず排水口にからまった髪の毛の量を確かめてしまった。いつもより多いように思えるのは、単なる気のせいだろうか。鏡に映ったティンバーウルフも、心なしか飼い馴らされたシベリアンハスキーに見える。

飯を食い、発泡酒を二本空けると、もうやることがなくなった。MDをかけたが、いつもは聴きほれるはずのストリート・スライダーズのギターソロまで電話のコール音に聴こえてしまう。すぐにスイッチを切った。時刻はまだ九時。疲れてはいたが、眠りたくはなかった。眠って起きてしまえば、またお客様相談室が待っているだけだ。

よしっ。ゲン直し。久々に行ってみようか。涼平はギブソンをケースに入れて外へ出た。行き先は歩いて十分ほどの新宿中央公園だ。

熊野神社の脇を通って公園の南側の人工池のある場所まで行く。ギターケースを広げ、チューニングをした。半年ぶりの路上ライブ。といっても観客はいない。周囲の人影は、暗がりでいちゃつくカップルとホームレスのおっちゃんたち、時々通りすぎる深夜ウォーキングのおばちゃん軍団ぐらい。もっと人通りの多いところはいくらでもあるのだが、別に観衆や金が目的じゃない。ここが気に入っているのは、日比谷の野外音楽堂を小さくしたようなカタチをしているからだ。「ちっちゃな男だね」リンコの笑い声が聞こえるようだ。

音楽をやろう。涼平がそう思ったのは、高校生の時。日比谷野音で伝説のバンド、頭脳警察の復活ライブを見た瞬間からだ。脳天がくしゃみしたような衝撃だった。浜尾ほどの強烈なメジャー志向があったわけじゃないけれど、それからはずっと夢を見続けている。日比谷野音の客席ではない向こう側へ立ってみたいという夢だ。それは、まだあきらめたわけじゃない。ちっちゃな男で結構。

一曲目は、無難なポピュラーソングにした。ジョン・レノンの『イマジン』。タカシはクソ扱いするけれど、ビートルズは結構好きだ。しかもこの曲は中央公園にカラスと同じぐらいたくさんいるホームレスのおっちゃんたちに受けるのだ。小銭を投げてもらったこともある。いきなり派手な音を立てて酒盛りの邪魔をすると、逆に怒られる。

「俺、やっぱプロになろうかな」

ギターを買って帰った日、涼平はリンコにそう言った。あきれた、という顔のリンコに、さらに言った。

「もうサラリーマンはやだよ。リンコもやんない。二人で」

怒った時にいつもそうするように、リンコは唇を尖らせた。

「リョウちゃんのプロって何よ？　ギターケースに小銭を投げてもらうこと？」

そうそう、あのひと言で涼平のほうが先に熱くなってしまったんだっけ。

大学四年の夏、就職活動に走りまわる同級生たちを尻目に、涼平たちはまだバンドを続けていた。音楽的方向性なんて無いに等しかったポリボックスが、リンコがボーカルになったと同時に、ようやくバンドらしくなっていたのだ。リーダーはいちおう涼平だったが、実質的にはボーカルのリンコのワンマンバンドで、詞も曲もすべてリンコのオリジナル。それまではさばくのに苦労していたチケットが、すぐにソールドアウト。アーカホリックをずいぶん沸かせた。よそのライブハウスでも受けた。コミュニティペーパーが取材に来たこともあった。当時はまだお手軽にパソコンでCDをつくれる時代じゃなかったから、そろそろデモテープでもつくろうかなんて言い合っていた矢先、また話が来たのだ。プロにならないか。今度はオーディションなし。話を聞いた瞬間、メンバー四人は雄叫《おたけ》びを上げたのだが、すぐに三つのため息に変わった。誘われたのはリンコだけだったのだ。

「あたし決めたよ」リンコは柄にもなく何日も悩んだ末に、メンバーを集めた。

みんなと一緒じゃなくちゃやだよ。みんなで力を合わせてメジャーになろうよ——誰もが青春ドラマのようなそんな言葉を期待していたのだが、ドラマは昼下がりの奥様劇場しか観ないリンコはあっさり言った。

「まぁ、しかたないな。みんな、悪いね」

再びボーカルを失ったポリボックスは、秋風にふかれた線香花火のように、ぱちんと弾けて落ちた。面接までに穴がふさがるようにマサヤが鼻ピアスをとった。長かった髪をばっさり切ったタカシが言った。「リクルートカットでロックもねぇだろう」涼平はロングウルフの髪をショートウルフにした。いつでも七三分けができるように。たった五センチ髪を切っただけで、世間を斜めに睨み返す神通力を失ってしまった気分だった。ギリシア神話の勇者みたいに。

リンコが去って悲しかったのは、涼平の場合、他の二人と少し意味合いが違っていた。バンド消滅のことより、リンコとの接点が消えてしまうことが悲しかった。その頃はまだリンコとつきあっていたわけじゃなくて、涼平はリンコにとってただのバンドのメンバーだったから。バンドの切れ目が縁の切れ目。

『イマジン』を歌い終わると、公園の暗がりから拍手が聞こえてきた。ベンチで半分寝ている酔っぱらい。ご声援ありがとう。

二曲目は、頭脳警察の『さようなら世界夫人』。彼らの曲の中では、かなり静かなバラードだが、ブラウスの中と股間をまさぐり合っていたカップルが立ち去ってしまった。

リンコのデビュー曲のタイトルは『サニーデイズ』。本人はあまり好きではないのだが、難解な歌詞ばかりのリンコの歌の中では、一見《いちげん》さんにも受ける比較的わかりやすい曲で、よくライブの最初にかましていた。

もちろん歌唱力には問題はないし、涼平の口から言うのもなんだが、リンコはルックスもいい。ハスキーな声とふだんの言動にはぜんぜん似合わない、優しそうで儚《はかな》げですらある昔の美人画みたいな顔立ち。最初はみんなこれに騙《だま》される。大家の菅原さんもそうだ。リンコが家賃を払いに行く時は、よけいな刺激をしないように、コントの爆発シーンみたいな髪をひっつめにして、ボロのジーパンをエプロンなんかで隠していくから、なおさらだ。涼平は時々、玄関前を掃き掃除している菅原さんに声をかけられる。「奥さんにあんまり苦労かけちゃだめだよ」とか「毎晩遅いんだろ、お酒もほどほどにしなよ」いったいどんな話をしているのだろう。苦労をかけさせせられているのはこっちで、酒をほどほどにしたほうがいいのはリンコのほうなのに。

というわけで、わかりにくい歌詞以外は、なんの問題もなかったはずなのに、リンコの曲は絶望的に売れなかった。いい歌であることと、売れる商品であることは、どうやら別物のようだ。毎週かかさずチェックしていたカウントダウンTVのベスト100にも入らない。涼平が五枚もCDを買ったというのに。CDパッケージのいつもより化粧の濃いリンコの写真は、驚くほどきれいに撮れていたけれど、小さなケースが窮屈なのか、ちょっと不機嫌で、そして心細そうな顔をしてた。

広告代理店に就職が決まっていた春、忘れもしない三月十三日。リンコは突然、涼平のアパートに現れた。

「もうやめたよ、歌。事務所名義だったからマンションを追い出された。しばらくここに置いてくんない？」

所属事務所から二曲目は演歌で行くと言われたんだそうだ。

「演歌、好きじゃん」楽屋でよく歌ってた。涼平が爆発しそうな胸を抑えて軽口をたたくと「そういう問題じゃないよ」と口を尖らせた。

「齢をサバ読めだの、名前を変えろだのって言い出すんだよ。経歴も。津軽しのぶ。青森県生まれ。二十二歳。新曲『涙の別れ船』歌いま〜す。誰だよ、それ。別に嘘ついてまで、歌なんて歌いたくないよ」

リンコが涼平の部屋へ来たのには、特別な理由はなかったと思う。女友達が少なく、数少ないその友人も結婚していたり、同棲していたりして、他に行き場がなかったのと、一度だけ酔いつぶれてメンバーとここでザコ寝したことがあったから。たぶんその程度ものだ。ただの仲間の部屋。でも涼平にとってはそうはいかない。

嬉しくてしかたなく、でも、また出ていってしまうのが怖くてたまらない数日間のお友達ごっこの末、一週間目にお友達じゃなくなった。男女の友情なんてそんなもん。初めての後、リンコは言ったもんだ。なんか変だね、近親相姦みたいだって。「忘れてたよ、佐倉君も男だったんだね」そうとも。

そしてリンコは本当に歌うのをやめた。作曲に使っていたシンセサイザーは前の部屋に置いてきたまま。リンコが歌うとしたら、風呂の中ぐらいのもんだった。

結局、何も残らなかったね、とリンコは言う。歌にはきっといろんな物を変えられるパワーみたいなものがあるって思ってたけど、そう信じていろいろやってきたけれど、何が変わったわけでもない、誰かに何かを与えたわけでもない。結局、変わっちゃったのは私だけだってちょっと寂しそうに。

リンコはいい、たった一曲だけだとしてもプロになれたのだから。何も変わらなくたって、何かはやったんだから。ギターを買ったあの日、その時点では結構本気だった自分の気持ちを鼻先で笑われて、涼平はこう言い返したのだ。

「じゃあ、リンコのプロってのはなんだ？　キンキラの振り袖を着て演歌を歌うことか？」

それからリンコはギターの値段を聞いて怒り、頭金がわりに涼平が持ち物を売っぱらったことにも怒り、そして――。

もともと人の少ない公園からさらに人気《ひとけ》がなくなってきた。三曲目はオリジナルソング。気恥ずかしい高校時代につくった気恥ずかしい歌だ。タイトルは――言うのも恥ずかしい。どうせ誰も聴いてやしないだろう。

Dm、Am、F、C。なんせ高校生の時につくったからコード進行は単純だが、いちおう三番まである。二番のサビのあたりで、誰かの視線を感じた。向かい側のコンクリートの石段に誰かが座っている。白くぼんやりとした人影。まるで闇の中から浮き出てきたようだった。

『氷の涯の彼方に』を歌い終えると（しまった、タイトルを言っちまった！）その人影がゆらりと動いて近づいてきた。

肩の下まで伸びた長い髪、キリストみたいな山羊《やぎ》髭、インドのサリー風の長袖にジーンズ、素足に革のサンダル。外灯の真下までくると、東洋人であるかどうか定かでないほど彫りの深い顔立ちであることもわかった。

どことなくジョン・レノンに似ている。まん丸の眼鏡をかけているからなおさらだ。イマジンを歌ったから、あの世からジョンの亡霊が彷徨《さまよ》いでてきたのだろうか。男は涼平から二歩ほどの距離を置いて立ち止まり、ヨガの修行者めいた座り方で、地面にしゃがみこんだ。

「いい曲だね」

日本語で話しかけてきたから日本人なのだろう。ちょっとかすれた、案外に高い声。無造作に地べたに尻を落としているが、ジーンズはどう見てもビンテージ物。肩に下げたバッグも革のサンダルも、かなり使い古しているが、値の張るものに見える。

ぴんと来た。もしかしたら音楽関係者かもしれない。俺をスカウトするつもりだろうか。年齢がよくわからない容姿で、三十歳から五十歳の間のどんな年齢にも見える。年がいくつにしろ、昔、オーディションに第一期ポリボックスを誘ってきた三流プロデューサーよりずっと風格があった。

「どうも」

小さくお辞儀をする。男がぼそりと呟いた。

「でも悲しい曲だね」

「……わかるんですか?」

驚いた。メロディも歌詞も明るめで、お前がつくる曲にしては陽気だと誰もが言うが、実は初めて失恋した時につくったものだ。いままでは誰も気づいてくれなかったが、涙をこらえて強がって、むりやり明るく振る舞っている心情を逆説的に表現した曲なのだ。

男が哲学的な表情でゆっくりとうなずく。夜の公園でストリート・ミュージシャンの問いかけに無言で答える時の見本のような、これ以上もこれ以下もない優雅な顎の動きだった。

「悲しい時は泣きなさい」

「……え？」

「嬉しい時は笑いなさい」

「いい言葉ですね」思わずそう言った。音楽関係者かもしれない彼に、心にもないお世辞を言ったわけじゃない。本当にそう思ったのだ。今日一日、さまざまな罵声や愚痴を浴びせられ続けてきたせいかもしれない。シンプルな普通の言葉を温かく感じた。「なんだか素直に聞ける」

男が革のバッグから何かを取り出そうとしている。音楽事務所の名刺かもしれないと、涼平は身構えたのだが、ティッシュを取り出して洟をかんだだけだった。ピアニストのような長い指で鼻紙をまるめるしぐさまで優雅だ。

「うん、素直に聞くことはいいことだ。素直がいちばんいい」

男がティッシュを投げる。フリースローラインからリングぐらいの距離があるにもかかわらず、ふわりとゴミ箱に入った。しかもちゃんと燃えるゴミのほう。魔法を見ているようだった。思わず涼平は言ってしまった。

「もう一曲、聴いてくれませんか」

手早くチューニングし直し、ピックを拾って顔を上げると、もう男の姿はなかった。見渡す限りのどこにも。本当の亡霊みたいに。

4

「佐倉君ちょっと」

翌朝、涼平は本間に呼ばれた。室長デスクの上に、昨日の「虫入りらっきょう」の報告書が載っている。

「これ書いたの君だよね」

やば。やっぱり来たか。本間は案外に冷静な声で言葉を続ける。

「さすがに通常のクレームとは違うから、解決法を上と相談してみた。今回は特別措置をとるつもりだ」

頭の中でこんな言葉が躍った。『出荷停止』『操業中断』よりによって初っぱなからこんなトラブルに巻きこまれるなんて。相手の名前も住所もわからないなどと言ったら、本間はなんと言うだろう。あと何カ月持つかなどと心配するまでもなく、即クビかもしれない。迷ったが事実を告げることにした。素直がいちばん。涼平はシャンパンのコルク栓を開けるより苦労して口を開いた。

「あのぉ、そのことなんですが——」

本間に涼平の話を聞く気はないようだ。ウェイターに飲み物を断るしぐさで手を振ると、デスクの上に茶封筒を置いた。

「これで解決して欲しい。訪問謝罪だ。篠崎君に行ってもらうが、直接応対者として君も同行してくれ」

封がしてあったから陽射しに封筒を透かしてみた。一万円札が何枚か入っている。

「え？」これが解決法？

「君に預かってもらいたい。あの男には渡せないからねぇ。ライオンに生肉を放り投げるようなもんだ」

「いや、でも……」

いつもの悪い癖で、頭に浮かんだフレーズが、すぐ言葉になってしまった。

「そういう問題じゃないだろが」

涼平にとってラッキーだったのは、その時、室長デスクの電話が鳴り出して、本間が涼平の言葉を半分しか聞いていなかったことだ。信じられないことに、お客様相談室の内線電話は、この本間の席のものしかない。あとの三台はすべて顧客のためのフリーダイヤル専用。涼平たちはただ電話をとるだけ。本間の電話が終わるまでには、頭のてっぺんまで昇っていた血がいくぶん下がっていた。せいぜい眉の下あたりだけれど。

「ご覧になったと思いますが、味つけらっきょうに関しては、他にも数件、苦情がありました」

「そうだった？」

「あの製品には、なんらかの調査が必要だと思いますが。責任部署へ報告をして、善処しないと――」

「善処？」本間の皮の薄いこめかみで血管が震えた。「君が善処してどうするの。君はいつから社長になったの。昨日来たばかりで、何を勘違いしてるんだね。君はただ情報を拾い上げて私に報告すればいい。その情報をどうするかは私が決める」

「でも異物混入ですよ。しかも虫」

「あん？」本間が口をあんぐり開けた。「一匹だけだろ。問題ない。君は入ったばかりで知らないだろうけれど食品業界では別に珍しいことじゃないんだよ。虫の一匹や二匹で驚いてちゃ勤まらんよこの仕事は。問題は世間に情報が漏洩《ろうえい》してしまうかどうかなんだ。ニュースのネタがなくなると、マスコミが穴埋めのためにつまらんトラブルに飛びついたりするからね。とにかく先方にこれを約束させるんだ」

　これ、と言いながら口にチャックをするジェスチャーをした。

「虫だけじゃない。蓋が固いという苦情も多いんです。女性だけでなく男性からも。生産工場のほうにいろいろ問題があるんじゃないでしょうか」

「問題ない。私はそう言ったはずだ。そんなこと、昔は自分で解決したもんだ。甘えているんだよ、いまの世の中のシステムに。本来は自己責任の範疇《はんちゅう》だろう。私に言わせれば、欠陥があるのは、そういうことにいちいちクレームをつけてくる人間のほうだね」

半分賛成。でもそれはお客様相談室の室長のセリフじゃない。本間の嫌みたらしい口調で言われると、苦情客の肩を持ちたくなる。

「それより佐倉君、つまらんクレームに袋麵パックを四つも送るのはどうだろうな。却下だ。送りたければ自腹を切りたまえ。それと、報告書にクレーム客の氏名と住所を書き忘れているよ、訪問の場合は、ちゃんと記入したまえ」

「そういう問題――」

またまた出かかった涼平の言葉を、今度はしっかり聞きとがめて、本間が片方の眉を上げた。何を言っても無駄なようだった。それがこの会社のやり方らしい。涼平はもとどおり喉にコルク栓をして、あとの言葉を吞みこみ、そのかわりに頭の中で、あと二カ月、あと二カ月と唱えた。家賃さえ払ってしまえば、この会社がどうなろうと知ったことじゃない。

九時半。羽沢も神保も顔を揃えたが、山内がまだ姿を見せない。昨日、政次翁の銅像に誓ったはずの篠崎もだ。部屋に背中を向けて爪を磨きはじめた本間が、思い出したように椅子を回転させた。

「そうそう、いま山内君から電話があった。病院からだ。吐血して入院したそうだ。現場復帰のメドがたたないから、本人は辞職したいと言っている」

定例の業務連絡といった軽い口調で言う。本間の言葉を聞くなり、神保の巨体がぴくりと震え、エキスパンダーを取り出して、手打ち麵職人のように一心不乱に引き伸ばしはじめた。羽沢の頭がノートパソコンの下へさらに沈み込む。どんな画面を呼び出しているのかは、反射光を眼鏡に光らせた、しまりのない顔を見ただけで想像がつく。「残っているのはゴキブリみたいな連中」高野のセリフをまた思い出した。涼平は巨大なゴキブリホイホイにひっかかってしまったアリンコの気分になった。隣のデスクは始業時間を十分過ぎても空っぽのままで、並んだぬいぐるみが大ゴキブリのお出ましを待っている。

本間が爪磨きに戻りかけてから、再び椅子を回転させた。

「そういうわけだから、今日から業務日誌は、佐倉君に書いてもらおう」

「業務日誌?」

「山内君のデスクにあるだろ」

黒い表紙の厚手のノートだ。『業務日誌』ワープロ書きの表題が貼ってある。涼平が手にとると、本間が気取った声で言った。

「毎日の業務報告とともに、自己啓発のために君自身の反省文を書いてくれ。私だけではなく上の人間も読むものだから、的確かつ入念に、微細に頼むよ。大きな口を叩く前に、まず自分自身を善処することだ」

中を開いて見る。山内のものだろう、几帳面な小さな字で紙面がびっしり埋まっている。日付けは月から金までではなく土日まで。一日あたり四、五ページ。同じ日付けで何度もくり返し書かれていることもあった。なんだこれは?

九月十日　山内和則

私は本日、業務に支障を来しかねない過失及び当社の社員としての本分を損なう行為等を犯してしまいました。ここに深く反省するとともに、自らの過失及び不適切な行動、言動に対して、二度とこのような事態を招かぬよう子細を報告し、また自ら分析をいたします。

反省点その一、出勤途中にて駅構内売店より缶コーヒーを購入時に、小銭の用意がなかったことに気づき、すみやかに店員と金銭の授受をはかろうと努力するも果たせず、これにより定刻の電車に乗り遅れ――

読みはじめたとたん、電話が鳴った。

――おお、佐久間君。

篠崎だった。

「佐倉です。どうしたんです。これフリーダイヤルですよ」

――しっ、声が高い。わかってる。トンマの大将はどうしてる?

「トンマ?」篠崎のひそめた声につられて涼平も囁き声を出した。「トンマの何ですって?」

――窓際で不細工なくせに鏡ばっかり見てるのがいるだろ。今頃はたぶん爪をといでるな。パーティションから首を伸ばして本間室長の席をうかがう。

「確かにといでます」

――兄ちゃんを見こんで頼みがあるんだよ。新人さんだから今日は早く来たんだろ。あのトンマより先に。

「ええ、まあ。今どこです」

――都内某所としか言えない。いいかい、よく聞いとくれ。あと何分かしたら、やつが目をつり上げてわめき出す。俺がいないってね。そうしたら、こう言って欲しいんだ。『朝からずっとトイレです』ってな。

「別に目はつり上がってませんよ」

――つり上がる。そしてわめく。ゾウリムシみたいに行動パターンが単調だから。やっこさんは必ずそうする。でな、やつが疑《うたぐ》る素振りをみせたら、便所へ行って思いっきりノックして欲しいんだ。ゾウリムシにも聞こえるように。俺の名前を呼んでさ。早く出てくれとか、室長がお呼びですよ〜とか、ま、そのへんは適当にアドリブで。悪いけど、頼む。

「嫌です――」そう言い終わらないうちに電話が切れた。

電話を置いてすぐ、篠崎の言葉どおり、本間が目をつり上げてわめきはじめた。

「篠崎君はどうした。まだ来ないのか」

涼平がパーティションの中に首を引っこめようとしたとたん、つり上がった目と、視線が合ってしまった。

「あ、篠崎さん、朝からトイレです」

本間が疑わしげな視線を走らせてきたから、しかたなく席を立つ。

「ちょっと様子を見てきます」

篠崎に命じられたとおりトイレのドアを開け放ったまま、大便用の戸を叩いて、大声で叫ぶ。

「だいじょうぶですかぁ〜。えっ、下痢？　そりゃあたいへんだ」結構、楽しい。

行ったついでにダージリン・ティーを淹《い》れた。今日は自主的に煎茶の出がらしの絞り汁をトッピングしてみた。スターバックスと同じく無料サービス。本間の席に持って行く。

「ひどい下痢だそうです。薄茶色のびちびちの水便が止まらないとか」

ティーカップに口をつけようとしていた本間が顔をしかめた。結構、気持ちいい。

十時を過ぎても篠崎は現れず、本間がますます目をつり上げ、どうなっているんだという表情で涼平を睨んでくる。どうなっているのかは涼平も知りたい。

十時五分。トイレで水の流れる音がした。そして、ようやく篠崎が姿を現す。わざとらしく濡らした両手を振っている。

「いやはや、ひどい便秘でね。まいったよ」

涼平はひたいを抱えた。本間が涼平を睨みつけてから、すかさず鎌を振り上げるように篠崎を手招きする。

「篠崎君、ちょっと」

涼平が唇だけ動かして危険を伝えようとした。(げり。げり、です)

篠崎も唇だけで返事をしてくる。(なぁに?)

涼平が再び唇を動かすと、足の指を敷居にぶつけた時の形相になった。(やば)

「君は職場を何だと思ってる? 小学校じゃないんだよ」

「すまんです、室長。嘘じゃない。本当にひどい便秘だったんだ。ところがさっき、何日かぶりでやっとウンコが出たと思ったら、なんとまぁ、これが下痢便で。そんなこともあるんだね」

本間がさらに口を開こうとすると、室長デスクの前に立った篠崎が濡れた手をぷるぷるさせた。本間がダージリン・ティーを抱えこんで椅子を引く。

「今度から気をつける。ケツの穴に栓をしてでも机にかじりつくよ」

篠崎が再び指先から水を飛ばそうと身構えながら言う。考えてみれば、ここはリストラ要員の準備室なのに、どうしてこの人はクビにならないんだろう。本人に辞表を出させるまでもない、クビにする正当な理由がいくらでもありそうなのに。本間が椅子ごと後ずさりしながら篠崎の顔に指をつきつけた。

「もういい。明日からは九時半ぴったりに君の顔を見られることを望むよ。今日は君にひと仕事してもらうから、そのつもりで」

「なんです、仕事って。海外プラントの買収？　新工場の設立？」

「訪問謝罪だよ。君のお得意の。かなり深刻なトラブルでね、ぜひ君に行ってもらいたい」篠崎がまた指を敷居に打ちつけた顔になったが、本間の次の言葉を聞いたとたん、その顔が不気味にほころんだ。「金銭謝罪になるから。佐倉君にも同行してもらう。いいかい」

「了解」

篠崎の心のこもった返事を初めて聞いた。手を差し出す篠崎に、本間は犬にウエイトを命じるようにぴしゃりと言う。

「金は佐倉君に預けてある。この間のように妙な気は起こさんことだ。自分に替わりがいないなんて思ったら大間違いだよ、篠崎君」

席に戻るなり篠崎が涼平に声をかけてきた。

「ね、いつ行く。場所はどこ？」

「それが、そのぉ……」

素直がいちばんだ。涼平は事実を告げた。篠崎が目を丸くする。丸くした目をきらきら輝かせて、小さく歓喜の叫びをあげた。

「でかした！　ナイスだよ」

「は？」

「山分けしよ。そっちの手柄だ。六四でいいよ」

篠崎が耳もとで囁く。とんでもない男だ。

「馬鹿を言わないでください。そのうち、また電話が来ますよ」

「カタいなぁ、若いのに。カタくていいのはチンポと鉄筋コンクリートだけだよ」

涼平は、昨夜ある決意をし、それを篠崎に話そうと思っていたのだが、下品な自分の冗談に自分一人で笑っている阿呆面を見ているうちに、決意が萎《な》えてしまった。

「そういえば山内はどうしたの？」篠崎がぽっかり空いた席を眺めて尋ねてきた。

「入院したとか。会社を辞めるそうです」

「なんとまあ……」絶句して首を振る。意外にも他の誰も見せなかったまともなリアクションだった。「上の子が来年お受験だっていうのに……新しいマンションを買ったばかりだぞ……本間のやつ、喜んでただろ？　ここを機能させつつ、頭数をふやさないようにするのがあいつの唯一の任務だからな。山内は役に立たないから、最初から首斬りリストに入れてたんだ」

他の人間は何の役に立っているというのだろう？　よっぽど聞いてみたかったが、やめた。篠崎が憤った表情で拳を握りしめていたからだ。

「あいつはようやく一人で訪問謝罪に行けるようになったんだ。それを……わざと無理難題をふっかけたり、毎日、妙な反省レポートを書かせたり。くそっ」拳をもう一方の手のひらに叩きつけた。「また俺の仕事が増えるじゃないか」

どうやら義憤にかられていただけではないらしい。

「あのぉ」気になって涼平は聞いてみた。「反省レポートって、何ですか？」

「反省文を書かせるんだ。来る日も来る日も休みの日にも。何の意味もない。ここを追い出すための嫌がらせの材料だよ。枚数が少ないだの、字が汚いだの、難クセつけて何度も書き直しさせる。あれを渡されたやつが次の首斬り順位のいの一番なんだ。業務日誌なんて名前だけだよ」

涼平はゆっくり首を振った。たぶん死んだ目をしていたと思う。本間に聞こえそうな声で怒り続ける篠崎の肩をそっとつつき、デスクの上に黒い表紙のノートを立てた。

「……これですか？」

急に口をつぐんでしまった篠崎もゆっくり首を振った。否定ではなく哀れみを示す振り方で。首を振りながら新聞の中に逃げこもうとする。すみやかに決断した。涼平はバッグの中を探って、用意していたものを篠崎に突き出す。

「なん？」

篠崎が小さな目を見開いた。涼平が差し出したのは、篠崎が集めているらしいアニメのぬいぐるみシリーズの中でも一番人気のキャラクター。しかもまだ机の上にはない。昨日の夜、中央公園の帰りにUFOキャッチャーでとったものだ。二千四百円使った。

「マメヒヨコのピーちゃんじゃない。なかなかないんだよね。どうしたの、これ？　え？　俺に」

思ったとおり喉から手が出てきそうな顔になる。その顔の前で誘惑するようにピーちゃんの羽根をぴこぴこ動かした。

「ここの仕事を教えて欲しいんです」

ピーちゃんの頭を押して、一礼させた。

「賄賂《わいろ》かい？」

「そう受け取ってもらっても結構です。篠崎さんがいちばんプロだと聞きましたので」

「俺が一番風呂？」

くだらないギャグに砕け散りそうな気持ちを奮い立たせる。とにかく、このままじゃ山内と同じ道をたどることになるのだ。

「教えてください。ここの仕事のこと。どうしたらいいのかわからないんです」

「いいよ、佐久間君には借りができたから」

「佐倉です。わざとやってませんか」

めっそうもないという表情で、ぶるぶると首を横に振る。書類の山をかきわけ、ピーちゃんを他のぬいぐるみと一緒に並べると、満足そうにうんうんと首を縦に振り、それから引き出しの中をかきまわして、今度は首を四十五度にかたむけた。忙しい人だ。

「あれ？　応対マニュアル、どっか行っちまった。そこにない？」

篠崎のデスクに戻したはずの書類の山が、いつのまにか再び涼平のデスクを侵食している。それを押し返しながら涼平は答えた。

「……いえ……。書きかけの報告書ならありますけど。日付けは二年前」

「しっ、声が高い。あ、注意して触れよ。雪崩《なだ》れが起きるぞ」

篠崎のデスクの向こうから、するりと書類が滑ってきた。黄色い表紙に『応対マニュアル』と記されている。几帳面だが読みにくい字で「神保」と名前が書かれていた。振り返ると、神保がいつものようにこっちに首を向けていて、歯をむき出している。笑っているのだとわかるまで少し時間がかかった。

「おっ、チンポ君すまないね」

ワープロ書類をコピーした薄い小冊子だ。『電話応対篇』『訪問謝罪篇』といった項目別に諸注意とケーススタディが載っている。例えば、瑕疵商品（カシと読む。傷モノ、欠陥商品のことだそうだ）に関してはこんな具合。

担当者「はい、お客様相談室でございます」（注＝明るく好印象を与える声で）

お客様「〇〇に若干の瑕疵（かし）があるようなのですが」

（注＝本当に当社製品であるかどうか、当社の責任による瑕疵であるかどうかをまず確認すること）

担当者「申し訳ございません」（注＝明るく好印象を与える声で）

長いから飛ばし読みした。この項目は最後にこう結ばれている。

担当者「失礼いたしました。すぐに新しいものをお送りいたしますので、瑕疵商品を返品いただけますでしょうか」

お客様「すみません。そうしてもらえると助かります」

担当者「とんでもございません。今後ともよろしくお願いします」

お客様「もちろんですとも。いろいろありがとう」

なんだこりゃ。中学の英語の教科書か？　こんなにうまくいくはずないじゃないか。そんなことたった一日経験しただけの涼平でもわかる。篠崎が鼻毛をむしりながら言った。

「ま、読んでおきなよ。ウンコ紙にしか役に立たないことがわかるから。とにかく電話をとってみなくちゃ始まらない。電話が来たら、その時教えるよ」

とはいえ今日も電話が鳴らなかった。競艇新聞越しに篠崎に聞くと、こう言った。「朝からラーメンを食うヤツはいないもの」苦情電話は、気づいたその場で発作的にかけられることが多いのだそうだ。だから昼時がピーク。たいていは主婦と年配者。窓口の締切り時間を午後五時半にしてあるのは、夜のクレームを聞かないようにするためだとか。たいていの苦情は一晩寝ちまえば怒りがおさまるか、諦めてしまう程度のもんだからさ、と篠崎は言う。

「だから逆に言えば、午前中の電話は要注意。かなり深刻なトラブルだったりするからね。悪いけど兄ちゃん、ちょっとだけ静かにしててくれる。電話投票の締切りが近いからさ」

昼少し前、初めての電話が鳴った。

――もしもし味噌ラーメンを買ったものなんですけどね。

とりあえずマニュアル通りに返事をしようとしたが、男は涼平の返事を待たずに喋り続けた。声の印象では五十代だろうか。

――味噌ラーメンに焼き豚が入ってないようなんだけど。

「え……」思わず絶句した。また欠陥商品？　どうすればいいのだっけ。確か、まず当社製品かどうかを確かめる、だ。「それは当社の商品でしょうか？　タマちゃん味噌ラーメンですか」

――タマちゃんって書いてあるよ。袋に番号が書いてあるから電話したんじゃないか。

男の声が少し尖ってしまった。

――袋の中、どこ探したってない。麺と粉としなびたネギしか入ってないぞ――。

袋？　ようやく涼平は言葉の意味を理解した。欠陥商品じゃない。勘違いだ。相手の言葉を途中でさえぎった。

「あのぉ、食べたのは……いや召し上がったのは、カップではなく袋に入ったタイプですよね、鍋で調理をしていただくほうの」

――まだ召し上がってないよ。焼き豚入ってないし。

「袋麺には、焼き豚は入ってません。カップ麺のほうには、乾燥チャーシューが入ってますけど」

——おろ？　んでも、袋の写真にゃ焼き豚が写ってるじゃないか。ほら、あ、くそ、モヤシもだ。モヤシもないぞ。

「あのぉ、パッケージの写真は、あくまでも調理例でして、パッケージにもそう書いてあるはずですが」

驚いた。いまだにこんな勘違いをする人間がいるのか。確かに見本写真に調理例という表示があるのは、そのためなのだが。

——なによ、調理例って。

「つまり、こういう風にすれば、よりおいしく召し上がってもらえます、という一例で」

——ようするに、なにか？　袋の写真でうまそうだって客に思わせて、買わせるためってこと？

「まぁ、そういうことです」

——詐欺じゃないの。そりゃ詐欺だろうが。

「いえ、ですから、調理例なんです。お客様が誤解されているんじゃないですか」

——おい、ちょっと待てよ。俺のせいだってのか？　焼き豚入ってないのが？　モヤシが入ってないのも？　違うだろ。まぎらわしいことしやがって、みんなが困るだろうが。

「あの、でも、通常は皆さんもそのへんをわかって購入されているんですけれど」

——なによ、ツージョーっていうのは、あぁ!?　俺がツージョーじゃないってか。俺が馬鹿だって言いたいのか、おいっ、責任者を出せ！

男が怒鳴りはじめた。どうして俺はいつも相手を怒らせてしまうのだろう。涼平は突っ立ったまま送話口を塞ぎ、篠崎に視線で助けを求める。電話が来たら教えてくれるはずの篠崎は締切り間近のレース予想に苦悩しているだけだった。男は怒鳴り続けている。

――聞いてるのかっ！

本間に隠れて携帯を取り出した篠崎が、うむと唸ってボタンを押しかけた瞬間に目があった。

「ただいま責任者と替わります」

毛虫から逃げる少女のように身をよじる篠崎へ受話器を差し出した。篠崎は眉をへの字にし、汚物を握る手つきで受け取ったが、握ったとたん、しゃきりと背筋を伸ばして立ち上がった。そしていままでとは別人の声を響かせた。

「申しわけございません」

へつらいには聞こえない丁重さで、なおかつ威圧感を与えない程度の重々しい声。高級レストランの総支配人が、年代物のワインを客の服にこぼしてしまった時に出すだろう声だ。向こうに見えはしないのに篠崎は深々と頭を下げた。

「はい、責任をもってお話を伺います……ええ、わたくしがお客様相談室の室長でございます」

篠崎が朗々とした声で言うと、本間の目が斜め三十度ぐらいにつり上がった。

「失礼いたしました。さきほどの者はまだ新人でして……は？　教育不行き届きと。まさに、

まさに、わたくしの不徳と致すところ……ダメな室長でございます。無能な室長でございます。……はい、室長というより九官鳥のようなものでして」

篠崎は気持ちよさそうに非難を甘受する。本間が顔を真っ赤にしていたが、電話を替われとは言わない。はい。ごもっとも。その通り。なるほど。篠崎はしばらくの間、あいづちばかり打っていたが、突然、早口で喋りはじめた。

「おっしゃる通り。岩下様、ご考察、感服いたしました。そうなんでございますよ、包装紙と中身が違うのは、商道徳の上でいかがなものかと私も常々思っておりまして。しかし、うちはまだ良心的と言えるのではないでしょうか。×××の塩ラーメンはご存じで？　あれなぞ、クルマエビと見まごうほどのエビを載せた写真を使っておるのですよ……まさしく、まさしく。もはや犯罪ですな。とはいえ残念ながら、現在の法律では但し書きさえ添えておけば問題がないことになっておりまして……ええ、悲しいかな、それが現実です。この国の規範はどこへ行ってしまったのでございましょうか……お説ごもっとも。農水省の失態と言えましょう」

インスタントラーメンの焼き豚が、とんでもない話になっているようだ。

「は、せめてメンマぐらいにしておけ。ごもっとも。ラーメンにとって焼き豚は命でございます……誤解して買うと失望も大きい、と。岩下様のお気持ちようぅくわかります。貴重なアドバイスありがとうございます。上の人間に伝えて今後の製品づくりの参考にさせていただきますので。まぁ、うちも上があれですから、正直に申しまして写真から焼き豚を抜くのはなかなか難しゅうございますが、岩下様のご意見、必ず伝えますので……はぁ、今回は平に平にご容赦を……」

　何度もそうしているように、電話を握りながらまた深々と頭を下げた。

「そうなんです。上はどこもあれです。ほう、岩下様の会社も……あ、リストラに。奥様がパートに出ていらして一人でお昼を……インスタントラーメンなど買ったことも、つくったこともないのに。ありがとうございます。そんな大変な時に、長々とお時間を割《さ》いて、このようなご意見を頂戴して……」

　いつの間にか篠崎はくだけた口調になり、電話の向こうと楽しげに語らいはじめた。

「ははは、さようさよう。会社の目などふし穴です……くくく、おっしゃる通り、無能な人間ほど……そうですねぇ」

　本間のほうに視線を走らせて、ふくみ笑いをしている。

「ええ、ご心配なく。焼き豚の件、しかと申し伝えます。あ、ご住所お教え願えますか。焼き豚入りのカップ麺をいくつか送らせていただきます。乾燥ものなので、お口に合うかどうか。はい、今後とも、よろしくお願いします。ではでは」

　相手が切るのを待っているらしく、五秒ほどたってから受話器を置くと、「うえぇぃ」えずくように息を吐き出し、こきりと首の骨を鳴らした。すかさず本間が声をあげる。

「篠崎君。君がここの室長だったなんて僕は知らなかったよ。僕はいままで自分がそうだとばかり信じていた」

　洋画の字幕みたいなセリフ。本人はしゃれた言いまわしのつもりなのだろうが、糸引納豆を吐きかけてくるような不快さだ。

「ああ言うしかなかったんで。いきなりお前が責任者か、ときたもんだから。申しわけない、電話を替わればよかったかな。今度からそうするよ」

電話とは大違いの誠意のかけらもない詫びを口にすると、黙りこんでしまった本間に背を向けて、涼平の鼻先へ指をつきつける。

「なぜお前が、相手を怒らせたのかわかるかい」

首を横に振る涼平の前に、ひとさし指を突き出した。

「ひとぉつ――謝罪の言葉がない。まず、謝る。向こうはそれを期待して電話をかけてくるんだから」

そういえば、一度も謝罪の言葉を口にしなかった。自分のせいでもないのに謝るのが嫌だったのかもしれない。

「ふたぁつ――相手の口を塞いだこと。どんな話だろうが最初は辛抱強く聞く。しばらく聞いていれば、向こうの事情や人となりもわかってきて、どう対応すればいいかがわかってくるし、向こうさんだって喋っているうちに頭へ昇ってた血が下がってくる。気持ちよく喋らすために、あいづちはこまめにな。何パターンか使いわけて」

篠崎が薬指を立てる。

「みっつ――お前が熱くなってどうする。声を聞いただけで兄ちゃんが苛ついてるのがわかったよ。確かに電話でむちゃくちゃなことを言う客もいるし、いきなり怒鳴りつけてくるやつもいるけど、こっちはあくまでも冷静でなくちゃ。適当に聞き流して、頭の中で歌でも歌ってればいい。北島三郎とかいいよ。何を聞いてもヘイヘイホー。童謡なんかもいいな。軍艦マーチはだめ。攻撃的になっちゃうから」

涼平はあわててメモをした。「ヘイヘイホー」「童謡」「軍艦マーチはだめ」

「向こうにじゅうぶん喋らせたら、こっちが喋る番だ。まず相手の電話に感謝すること。貴重な意見をありがとうございます。ヘイヘイホーってね。洞察力を褒めたりしてもいい。自分は義憤にかられて電話しているんだって思っている人間も多いから。世間を代表してひとこと言ってやらねばって。個人的な話を始めたら、それも聞いてやる。ラーメンごときで激怒する人間なんてそうはいない。怒りの裏側には、たいてい何か理由があるもんなんだ。ラーメンにだけ怒っているんじゃない。そのへんも聞いてあげなくちゃだめだ。人生相談のつもりで。それとな、責任者に替われって言われても、簡単に替わるな」

篠崎がちらりと時計を見て悲しげな表情をした。電話投票の締切りを過ぎてしまったらしい。

「自分が責任者であるという態度で接する。でも、責任をとるって言ったらいかん。責任をもって伝えます——こう言う。責任持てるのは、あくまでも伝えるってことだけ。ここ、ポイントな、メモしとき。まぁ、ほかにもいろいろあるけど、それはおいおい。とにかく基本はあくまでも低姿勢だよ。頭はいくら下げても減らんでしょ」

「でも、電話口でお辞儀まで？　向こうに見えもしないのに？」

「見えるんだな、それが。ちょっと目を閉じてみ」

言われた通りにする。

「申しわけございません」

「申しわけございません」

篠崎が二度同じセリフをくり返してから尋ねてきた。

「どう、聞き比べてみて？」

目を閉じたまま答える。

「なんだか、最初のほうがよかったな。微妙なんだけど。ふんわり柔らかな感じで、本当に謝られてる気がしましたよ。二回目のはなんだか馬鹿にされてるみたいな気も……」

「そうだろ、違うんだ。一度目はちゃんとお辞儀をしながら言ったんだ。電話をしている時っていうのは全神経が耳にいくから、ふだんは気づかない、ちょっとした気配までわかっちまうもんなんだ。衣擦《きぬず》れの音とか、震動とか、息づかいの違い、そういうのがな」

「じゃあ、二度目は？」

「目、開けてみ」

目を開けると、目の前に椅子にふんぞりかえり競馬新聞を広げた篠崎がいた。開いた紙面に赤鉛筆で大きく『バカタレ』と書いてある。新聞紙の向こうで篠崎があかんべをしていた。

「な」

十二時近くになると懐の茶封筒を重く感じはじめてきた。昨日の虫混入の客からいっこうに連絡が来ないのだ。あの調子なら絶対にまたかけてくると思っていたのに。昼飯のために半分腰を浮かせた本間がまだ行かないのかという顔をしている。早く来てくれ！

十二時十五分、電話が鳴った。聞き覚えのある声。

――おいっ、いつになったら来るんだ。昨日からずっと待ってんだぞ！

他人の怒鳴り声が嬉しかったことなど生まれて初めてだろう。涼平は深々と頭を下げて言った。

「申しわけございません」


会社を出てJR大森駅から京浜東北線で北へ。虫混入苦情客の名前は馬場。住所は千葉県の船橋市だった。珠川食品の製品の多くは関東・甲信越でしか販売していないから、恐ろしく遠い場所であるはずはないのだが、それにしてもラッキーなほうだろう。朝夕のラッシュに比べれば電車はすいているが、空いている座席はなかった。

「ねぇ、篠崎さん。訪問謝罪っていうのは、どういうふうにすればいいんでしょう」

「ああ、電話とはまた少し違うな。視覚効果も狙わなくちゃ。基本的には低姿勢」

言うと思った。

「電話よりもさらにだ。文字通り低姿勢。いくら相手の背が低くても、目線は基本的に相手より下へ下へ。相手の目はちゃんと見る。ただし見下ろしちゃいかん――お前、向いてないな」

頭半分上から涼平に後退しはじめたひたいを見下ろされてる篠崎は、不愉快そうな顔をする。

涼平は首を縮めてみせたが、電車の窓に映ったその姿は、肩をいからせて誰かを威嚇《いかく》しているようにしか見えなかった。

「向こうさんの家に着いたら、まず第一声は『申しわけございません』だ。ほんで、お辞儀。こっちの落ち度に合わせて角度を変える。うちに責任のないお角違いのクレームでも、とりあえず四十五度。五分五分なら九十度。全面的に非がありそうな場合は九十度以上、限界まで腰を折る。そう、膝にひたいをぶつけるつもりでね。うちが全面的に悪くて、なおかつ賠償だの告訴だの世間へ公表するだの、やばい状況になってる場合は、さらにそれ以上」

「それ以上って、どうするんですか」

「土下座だよ」

時代劇のセリフに聞こえた。土下座なんてやったことも見たこともない。ひたいを地面にこすりつけている自分を想像して涼平はぶるりと体を震わせた。絶っ対に、やだ。

「まさか今回の場合も？」

「ま、とりあえずは九十度以上百二十度未満あたりでいってみようか。いいかい、歯は見せるなよ。申しわけないって書いてあるような顔をしなくちゃだめだ。いわゆる悲痛な顔。歯痛の時の顔をするといいんだ。ちょっと練習しておこうか。ほい、歯痛の顔」

「俺、虫歯になったことなくて……歯だけはめちゃめちゃ丈夫なんです」

歯は朝晩きっちり三分間磨いている。掃除や洗濯や持ち物の手入れは苦手だが、靴と歯は別。ものを磨くのは昔から好きだ。気分もぴかぴかと新品になった気がする。

「信じられんやつだな。なら、こうしよう。いままでの人生で、つらい出来事とか、悲しい出来事とかがいろいろあるだろ。その時のことを思い出してみ、なんでもいいからさ」

　思い出すも何も、たぶんいまがその時だ。なんだか遠い目をして車窓を流れる風景を見つめながら篠崎が言葉を続けた。

「いろいろあるだろが。例えば、競艇《ふね》にボーナスを全部つぎこんですっちまったとか。打ち合わせをすっぽかして券買いに行ったのがバレて、大切な取引先をなくしちまうとか。それが会社にも知れて左遷されたとか」見本を示しているのだろうか、ふてぶてしいと顔に書いてある篠崎の表情に、いつの間にか悲痛の二文字が浮かんでいた。「ある晩家に帰ると灯が消えて真っ暗で、テーブルにかみさんの書き置きが載ってたとか、子どもの声を聞こうと思って電話して、電話の向こうではしゃぎ声が聞こえているのに居留守を使われるとか」

「……篠崎さん、奥さんに逃げられたんですか」

「たとえ話だよ。そうだ、つきあってた女に振られた時なんかどうだ。一度や二度はあるだろ？」

「ないですよ、少なくとも、つきあってた女とは。振ったことはあっても振られたことはない」

　そうとも、リンコにだって振られたわけじゃない。いつもの喧嘩が長引いているだけだ。涼平が怒った声を出すと、篠崎も怒ったような声を出した。

「嫌《や》なやつだな、お前」

「よく言われます」

「あ、んじゃ、誰かの死に目なんてのは？　親でも爺さん婆さんでもいいや」

「両親も田舎のじいちゃんばあちゃんも健在で」

「誰でもいいよ」

「じゃあ……」

しばらく目を閉じて、記憶を探った。そのうちに鼻がつんとして、目頭が熱くなってきた。湊をすすった拍子に、不覚にも涙がひと粒こぼれ出た。

「おいおい、泣く奴があるかい」

「すいません、つい……ショウタロウを」

「なんか俺、悪いこと思い出させちまったかな」

篠崎が柄にもなくうろたえて、くしゃくしゃのハンカチを差し出してくる。

「すまん、誰だ？　友達か？」

「いえ、昔飼ってたハムスターで……」

「ほんと、嫌なやつだな」

秋葉原で総武線に乗り換える。電車が鉄橋を渡る単調な音を聞いているうちに、涼平の頭に眠気の霞が立ちこめてきた。ぼんやりした頭の中で考えた。やっぱり俺には向いてない。土下座なんてまっぴらだ。自分の過失ならいくらでも頭を下げてやるが、なんの理由もなく他人から責められ、ひたすら頭を下げる。そんなものを仕事と呼ぶのだろうか。眠りの沼にずるりと落ちかけた時、篠崎の声に引き戻された。

「な、聞いてる?」

そうだった。篠崎の訪問謝罪の心得がまだ続いていたんだっけ。

「ええ、もちろん」

「でな、訪問の場合は、相手の顔や暮らしが見える分だけ、話のきっかけが摑みやすい。目を凝らして相手の暮らしぶりを見るんだ。んで、向こうの心をくすぐる話題に持ちこんだり、さりげなく褒めたりおだてたりする材料を探す。あくまでもさりげなくだよ。ま、最初は難しいから、中に入ったら後は俺がやるよ。とりあえず黙って同じことをしてくれればいいから。通されたらちゃんと正座な。椅子だったら足を組むな。暑くてもぜったい上着は脱いじゃだめよ」

サラリーマン五年目だ。そのくらいの常識はある。馬鹿にするな、と言うかわりに大きくあくびをした。

「この間、訪問に羽沢を連れていってたんだよ、そうしたらあの僕ちん、偉そうにソファにふんぞり返って、出された麦茶を一息で飲んで、いきなりどうしたと思う」篠崎がクイズショーの司会者みたいな顔で涼平の顔をのぞきこんでくる。「向こうさんがつけてた茶の間のテレビのチャンネルを変えよった。アニメ番組。あれだけ常識のないやつも珍しい」

篠崎の口から常識などという言葉が聞けるとは思わなかった。

「煙草も吸うな――あ、吸わないんだっけ。じゃ俺だけ気をつけるよ。俺、二時間吸わないと唇がぶるぶるしちゃうんだ。そうだ、出されても茶には手をつけるなよ。自分たちで出しておきながら茶を飲むと怒る客もいるからな。偉そうに茶なんぞ飲んでる立場か、なんてね。まぁ、どうしても飲まなきゃならない時もあるけどさ」

「どういう時です？」

「何年か前のことだよ。その時も虫の混入の苦情だった。ま、うちの場合、さほど珍しいことじゃないからね。こっちが出向くと向こうさんはすっかり機嫌を直した様子だった。ニコニコ顔で迎えてくれてな。フタつきの湯呑みで茶を出して、しきりにすすめてくる。まぁ、しかたない、カタチだけでもと思ってフタを開けると――」

そこで口をつぐみ、感情の消えた目になってゆっくり首を振った。涼平は先を促す。

「フタを開けると？」

「大きなゴキブリが浮いとった」

次の駅で降りよう。涼平は本気でそう思った。やっぱりこんな仕事やってられない。たかが二カ月分の給料のためにぐずぐずしていると、もっと大切なものをなくしてしまいそうな気がした。

「次の駅で降りるぞ」

いつもの悪い癖で頭の中のセリフが勝手に飛び出したのかと思った。だが、そう言ったのは涼平ではなく篠崎だった。

「え？」思わず問い返した。電車は亀戸を過ぎたばかり。目的地の西船橋はまだ先だ。

「先方には時間を約束してないだろ」

「ええ、でもなぜ？」

「競艇場、行こ。せっかく江戸川まで来たんだ。素通りする手はないよ。な、一レースだけ。軍資金もあるし」

篠崎が涼平の胸ポケットに妙な流し目をして、むふふと笑う。

「だ、だめですよ。何考えてるんですか。それじゃ横領じゃないですか」

「安全確実な資金運用とお考えください」

そうだった、ゴキブリ入りの茶どころじゃない。俺は大ゴキブリと一緒に電車に乗っているんだったっけ。

「やるなら自分の金でやりなさいよ！」思わずふところを押さえて声を荒らげてしまった。

「借りるだけだってば。自分の金があったら、こんなこと言わないよぉ」篠崎が尻から財布を抜き出して中を涼平に見せる。千円札が数枚しか入っていなかった。「な」

「な、じゃないでしょう」

「だいじょうぶ、第八レースだけ。三連単は1—5—4しかありえないんだよ。落ちてる金を拾いに行くようなもんだ。絶対にだいじょうぶだから」

「ぜったいに駄目」こうなったら、どうしたって行かなくちゃ、西船橋まで。

「意外にカタいな、佐久間君は」

「佐倉です」

「カタくするのは、チンチンだけにしなよ」

西船橋駅に着いたのは、三時すぎ。謝罪の金は三万に減っていた。篠崎は封筒をなめて貼りつけ直そうとしながら、まだぼやき続けていた。

「まいったな。早く札束に換えてくれって言ってるような舟券だったのに。まさか、あのコーナーでなぁ」

競艇場のスタンドでの威勢の良さが嘘のようにがっくり首を折って、西船橋の繁華街をとぼとぼと歩く。道端の缶を蹴り上げる。パン屋の前で空腹を訴える。まるでいじけた小学生みたいだったから、思わず子供をあやす口調で言ってしまった。

「ほら、もういいじゃないですか。パン買ってあげるから。使っちまった一万、とりあえず僕が立て替えておきますよ」

「だいじょうぶ、三万で手を打たせるから」そういう問題ではないと思うのだが、アンパンをかじりながら篠崎は自信たっぷりに胸を叩いた。「大舟に乗ったつもりでいてよ」

さっきのボートのように最後のコーナーで転覆しなければいいのだけれど。

馬場の住まいは駅から徒歩で十分ほど。駅前のロータリーを抜けると、篠崎が涼平を振り返って言った。

「走るぞ」

いまさら急いだって同じだ。涼平がそう言おうとする前に、もう篠崎は走り出してしまった。あわてて後を追う。ずんぐりした体と年齢のわりには足が速い。数分で息が切れ、額から汗がり続けようとする篠崎の背中に声をかけた。

噴き出してきた。いつの間にか馬場の住まいがあるあたりを通り越してしまった。それでも走り続けようとする篠崎の背中に声をかけた。

「篠崎さん、もう、通り、過ぎちゃい、ましたけれど」

「ああ、いい、んだ、よ」

よくはない。肩を掴んだ。ようやく足を止めた篠崎に荒い息を吐き出した。

「なに、考えてるんですか！」

ああ、しんど。煙草吸いすぎだな。シャツに汗じみをつくった篠崎は質問には答えず、しばらく犬みたいに喘《あえ》ぎ、それから妙なことを尋ねてきた。

「汗、かいたか？」

「そりゃ、かきますよ、今日は暑いですから」しかも涼平の場合、刺青を隠すために今日も厚手のコットンシャツだ。

「なら、もういいか」

「は？」

「怒ってる相手とは汗だくで会うといいんだ。悲愴な感じが出るだろ。向こうもきついことが言いづらくなる。冬場ならしばらく冷たい風にあたって鼻と頰を赤くする。雨の日には傘をささない。覚えておいて損はないよ」

「はぁ」得もしない気がする。

馬場の住まいは古びた木造アパートの二階だった。ぎしぎしと軋む床を鳴らして、共同トイレの脇のドアに立つ。篠崎が噴き出した汗をぬぐいもせず、ひたいにほつれ髪を張りつかせた顔で涼平を振り返る。「行くぞ」と目配せを寄こして、ドアをノックした。

不機嫌を絵に描いたような顔が出てきた。四十前後だろうか。えらの張った四角い顔が剣呑《けんのん》な細い目で睨んでくる。

「珠川食品でございます」

ハンカチを取り出してせわしなく汗を拭きはじめた篠崎が、いきなり頭を下げた。涼平もあわててそれにならう。九十度以上百二十度未満。

「このたびはま、こ、と、に」そこまで言って、またお辞儀。今度は百二十度以上。「申しわけございませんでしたぁ～っ」涼平も隣で百二十度。こんなきちんとした挨拶をしたのはたぶん小学校の入学式以来だろう。先生こんにちは。みなさんこんにちは。

下げた頭に舌打ちが降ってきた。馬場が無精髭の伸びた顎で部屋の中をさす。

「挨拶はいいから、早く中に入れよ」

酒臭い。今日も昼から飲んでいるらしい。

狭いダイニングもその奥の六畳間も、上げた足を下ろす場所に苦労するほど散らかり放題だった。六畳のほとんどのスペースは、二つ折りにしただけの万年床とテーブルがわりの電気ゴタツが占領している。残りの場所にも脱ぎ捨てたままの服、古新聞や雑誌の山、空き缶や空き瓶、持ち帰り弁当のカラ、その他もろもろが散乱し、二人の座る場所などない。

篠崎は敷居の手前の板の間に正座をし、失礼しますと声を出してから、臭そうな靴下や汁の残ったカップ麺容器をものともせず、正座のまま舟をこぐように前へ進んだ。涼平も後ろにぴたりと従い、部屋の中で篠崎の真横に並ぶ。さっき競艇場で教えてもらった、外マークの要領だ。

部屋は蒸し暑く、生ゴミの臭いが充満していて、ひどく息苦しい。長居はしたくない部屋だった。

「ご挨拶、たいへん遅くなりました」

篠崎は中背だが、涼平より座高が高い。長い胴を短く見せるようにひたすら身を縮めて名刺を差し出し、手を替え、品を替えて、詫びの言葉を繰り返した。「こんなむさ苦しいなりで恐縮です」と言いながら、自分の皺《しわ》だらけの服や乱れた髪が、不眠不休で対策会議をしていたためだと言わんばかりに、スーツの襟をひっぱる。「本日はお忙しいところ、お時間をいただいて――」

「別に忙しくねぇよ」

馬場は鼻を鳴らして2ℓボトルの焼酎をコップにつぎ、ジャーで湯を足してから、まずそうに飲みくだす。お茶を飲むべきかどうかの心配もいらなかった。茶など出す気はまったくないようだ。篠崎が乱雑な部屋にぐるりと首をめぐらせて言った。

「しかし、いいお住まいですなぁ」

思わず篠崎の顔を見返してしまった。ヨイショはさりげなくと言っていたくせに。この部屋では皮肉にしか聞こえない。涼平の予想通り、馬場の眉間の縦じわがますます深くなった。

「見え透いたベンチャラを言うんじゃねぇ。おだてたってだめだ」
威嚇《いかく》としか思えない音をさせてコップを置き、酒臭い息を毒霧のように篠崎の顔へ吐きつけ
た。
「いえいえ、本当に羨ましい。こちらのお宅なら船橋オートも船橋競馬もサンダル履きで行け
ますでしょ。江戸川も近いし、そうそう松戸の競輪場もありますな」
そうか、目を凝らして相手の暮らしを見るんだったっけ。確かにギャンブル好きなのは部屋
を見れば明らかだ。あちこちで山をつくっている古新聞はたいていが予想専門紙、もしくはギ
ャンブル欄を開いたスポーツ紙。攻略本の類《たぐい》もころがっている。馬場の鼻の穴が少し広がった。
「そうなのよ。もっと広い部屋に住もうと思えば住めるんだけどよ、なかなかここは動けねぇ
んだよ」
「お馬さんのほうでございますか？」
「いや、何でもやるよ。何でも強いもの、俺。最近は競艇だな。一番《いっちゃん》おもしろいね」
「競艇！」篠崎の顔が輝く。営業用というより心の底からの笑顔に見えた。「おっしゃる通り。
競艇はギャンブルの王様と申せましょう」
二人はしばし競艇談義に花を咲かせる。馬場の喧嘩腰の重い口が、しだいに滑らかになった。
仕事は運転代行業。昼は暇で、営業日も自分で選べるからギャンブルはやり放題だそうだ。江
戸川、平和島、多摩川、戸田はもちろん、ＳＧやＧＩというレースを追いかけて琵琶湖や住之
江の競艇場にまで遠征していると自慢しはじめる。篠崎は馬場の話にいちいち深く感銘を受け

たというふうに合の手を入れた。

「プロのドライバーですな。いや、お見それいたしました」「昼間がお暇とは羨ましいかぎり」「我々しがないサラリーマンと違って、ロマンのあるお仕事ですな」自分は酒が強いから客より酔っててもきっちり送り届けるなんて、しょうもない自慢話まで「さすが、プロの鑑《かがみ》」などと褒めちぎるから、馬場の鼻の穴はどんどんふくらみ、いまや五円玉が入りそうなほどになっている。

篠崎がじりりと膝を乗り出して言った。

「ということは今週の江戸川には当然行かれてますでしょうな」

「いや、今回は行ってねぇ」

「おやまた、近いのに」

「ま、明日あたり行ってみてもいいけどな……」馬場の鼻の穴がしゅるしゅるとしぼんだ。

「おい、そんな話をしに来たんじゃねぇだろ」

煙草をカップ麺の容器に放り捨てる。残り汁で火の消える音がした。容器は珠川食品のものではない。馬場の眉間に再びしわが寄る。五百円玉が三つぐらい挟めそうだ。

「あ、これは失礼をば」

篠崎が重要書類を扱う手つきでアタッシェケースを開け、中から例の封筒を取り出す。馬場に渡すのかと思ったら、そのまま正座した自分の膝の上に置いた。馬場は目の中から腕が飛び出していまにも摑みとろうかという視線を封筒に送っている。

「こちらといたしましては、今回の不手際に対し、できるかぎりの誠意ある対応をさせていただきたいと考えております」

篠崎はそこで言葉を切り、これみよがしに封筒のしわを伸ばす。馬場の喉がごくりと鳴った。

「その前に、二、三、ご質問させていただいてよろしいでしょうか。馬場様の貴重なご意見をお伺いし、このようなことが二度とございませんよう、今後の業務の参考にさせていただきたいと思いまして」

「いいよ、もう。こっちもいつまでもごちゃごちゃ言う気はねえからよ。誠意とやらさえ見せてくれればさ」

「ぜひ、ひとつ」封筒を少し持ち上げる。馬場が手を伸ばしかけると、それを再び膝に戻して両手をのせた。「まずお買い上げいただいた場所ですが」

馬場が小さく舌打ちをしてから答えた。「近所の店だよ」

「駅からこちらへ伺う途中のスーパーマーケットですか？」

「そうだよ」

「ああ、やはり。佐久間君、すまないがメモしてくれないか。西船橋駅のスーパー×××にて当社の味つけらっきょうをご購入いただいた、と」

言われた通りメモをとる。

「で、当該商品に、異物混入。虫でございましたね」

「そうよ、ひでえ目にあった。おめえらのとこのらっきょうは、塩加減が酒の肴にちょうどいいから贔屓《ひいき》にしてやってたのによ。もう二度と食いたくねぇ。なんか昨日から腹具合が変なのも、そのせいだぜ、きっと」

「なんと申してよいのやら、お詫びの言葉もございません」

「そうだ、虫見ろよ、ちゃんととってあるから」

「ははぁ、拝見させていただきます」

馬場が台所に立ち、らっきょうの瓶と丸めたティッシュを持って戻ってきた。篠崎が銘のある陶芸品を拝観するようなうやうやしい手つきでティッシュを押しいただく。どこに用意していたのか、ルーペで眺めはじめた。

「なるほど、確かに虫ですな」

いや、ルーペじゃない。競艇場で使っていた携帯用のオペラグラスだ。

「なるほどなんて感心してる場合か。どっから見てもハエだろが」

「あの、もしやとは思いますが、馬場様がらっきょうの瓶を開けた際に、この近くを飛んでいた虫が飛びこんだ、そのような可能性はございませんか?」

馬場の顔色が変わった。手のひらをテーブルに叩きつける。

「ふざけんじゃねぇよ。開けた瞬間だ。蓋を開けて最初にひと口食ったとたんだよ」

「最初のひとくち。なんとまぁ、二百五十グラム容器ですのに。リーチ一発、いやテンホー、役満ですな」

「瓶を持って帰って調べてみろよ、まだうじゃうじゃいるかも知れねえぞ」

そこで篠崎が小ずるい顔をして言った。

「ところで馬場様、つかぬ事を伺いますが、今回の件をどなたかにお話されたりしてはおられませぬか」

馬場の顔にも小ずるそうな表情が浮かんだ。

「話してねえよ、いまのところはだけどな。最初は新聞社にでも電話してやろうかと思ったけどさ。まぁ、それも大人げないし、お宅も困るだろうと思ってね」

二人は顔を見合わせて、悪代官と悪徳商人のようににんまり笑い合う。後は山吹《やまぶ》き色の菓子を差し出すだけという場面だ。涼平は虫入りのらっきょうを食った気分になった。こういうのは嫌いだ。なのに悪徳商人の丁稚みたいに一緒に頭を下げている自分が情けなかった。左肩のティンバーウルフもきっと泣いているだろう。

篠崎がぽつりと言う。

「そうか、誰にも話してないんだ。そりゃあよかった」

「安心するのはまだ早いぞ。おたくらの誠意の量によりけりだ」

「いえいえ、よかったのはあなたですよ、馬場さん」

突然、篠崎が妙なことを言い出した。馬場が口を半開きにして目をしばたたかせる。涼平もだ。

「おい、どういう意味だ」

馬場が声を凄ませて眼《ガン》を飛ばしたが、篠崎はビリケンみたいな謎めいた薄笑いを浮かべるだけだ。涼平も知りたかった。どういう意味だ？

「どうも話が妙なもので……」

「なんだよ、俺が嘘をついてるとでも言いたいのか」

「いやね、この界隈ではウチの商品を卸してくれている大型店はないはずなのに、妙だなと。自慢になんないけど、置いてくれるところがなくてね。ねぇ、馬場さん。このらっきょう、わざわざ遠くから買ってきたんじゃないんですか？」

いつの間にか篠崎の口調がぞんざいになり、馬場様が馬場さんに格下げされた。馬場さんの目が落ち着きを失った。

「ど、どこで買ったかなんて、いちいち覚えてねぇよ。違う店だったらどうだってんだよ。おい、そっちがそうくるなら、出るとこ出たっていいんだぞ。困るのはおたくだろ」

篠崎が馬場に指を突きつけ、トンボ採りみたいにぐるぐるとまわした。

「困るのは、あんただよ」

馬場が細い目を見開いた。涼平もだ。

「あんたは知らないだろうけど、この製品はね、日本では製造していない。中国でつくっているんだ。瓶詰も向こうでやってる」

「だからどうした」

馬場の喉ぼとけが上下した。篠崎は証拠物件を扱う刑事めいたしぐさで、手の中のティッシュをゆっくり開いた。

「中国で瓶詰したのに、なぜこの虫が入っているんだろう。これはヤマトショウジバエ。日本にしか棲息していない種だ」

馬場の口が大きく開く。目が宙を泳ぎはじめた。

「なぜだ。なぜここに入ってるんだ？　え、馬場さん」

篠崎の顔に本来のふてぶてしさが戻った。いや、それ以上だ。普段はぬいぐるみのボタンの目のように緊張感のない瞳が、凄みのある光を放っている。馬場は何も答えない。口をへの字に結んだままだ。唇の端が震えていた。

「こりゃあ立派な恐喝だな。おおかたウチがいいカモだって誰かに聞いたんだろ。で、わざわざ遠くの店で仕入れてきた。恐喝というより詐欺だな。詐欺は罪重いよぉぉ。禁固一年以上、罰金三十万以上ってとこだな。執行猶予はなしよ」

篠崎が正座をあぐらに変える。馬場の赤ら顔が、一瞬にして白くなった気がした。

「ちょっと待ってくれ」

「待たないよん。出るとこ出てもいいって言ったじゃない、馬場さん」

「あ……いや」

「出ようよ、馬場さん。どこに出る？　千葉県警？　それとも警視庁？」

「か、かんべんしてくれ」

涼平は生まれて初めて土下座を目《ま》の当たりにした。ただし土下座をしたのは、篠崎でも自分でもなかった。馬場が篠崎のすぐ目の前の畳へ頭をこすりつけたのだ。

西船橋の駅が見える頃になっても、涼平の興奮は収まらなかった。

「俺、見直しましたよ、篠崎さんのこと」

もう普段のボタンの目に戻った篠崎が首をかしげる。

「見直した？　いままでどう思ってたの？」

「あ、いえ……あんな小さな虫の違いを発見するなんて。ヤマトショウジバエでしたっけ」

「そうだっけ」

「え？」

面白い名前だね、などと呟いている篠崎の顔を、ぽかんと見つめ返した。

「違いなんてわかるわけないよ。俺、こう見えても都会育ちだから。スズムシとコオロギの見分けもつかないんだ」

「……じゃあ、さっきのヤマトショウジバエって言うのは」

そういえばさっきのレースの競艇選手の中に、大和昭二という名前があった気がする。

「うん、俺がつくったの。あいつが嘘をついているのがすぐにわかったから。船橋市内の大型店に卸してないっていうのは本当。それにウチのらっきょうが好きだって言ってたわりには、あれだけいろいろ瓶を放り出してあるのに、らっきょうの瓶、なかっただろ。うちのらっきょうは酒の肴なんかにゃならないよ。味付けが甘過ぎるって評判悪いのに。あとは競艇」

「競艇？」

「ああ、地方までレースを追っかけてるヤツが、地元の久々のGIを見逃すわけないもの。考えられることは、ひとつ。金がなくなったんだ。酒の空き瓶を見てもわかる。普段はあの時の焼酎より、もう少しいいもんを飲んでたはずだ。たぶんサラ金もいっぱいいっぱいで、どこからもつまめないいんだろ。誰かに吹きこまれたんだろな、ウチをゆすれば金になるぞって」

「……ああいう人って多いんですか?」

「少なかないね。特にウチは多いんだ。すぐ金を使って事をすまそうとするからな。それがろくでもない連中の間で評判になってるらしい。悪循環だな。ま、慣れてくれれば、そういうのって電話を受けた時に違いがわかるんだけど」

「違いって?」

「ま、おいおいね。そうだ、さっきの金、結局使わなかったよな」

「ええ」

篠崎がにんまり笑った。

「山分けしよ」

「駄目だってば!」

「なんでさ、あのまま放っておけば、あいつかあいつのタチの悪い仲間がまた同じことを繰り返すとこだったんだよ。俺たちは会社の金が不法に流出する危機を救ったんだ。その業績に対しての報酬だと思えばいいじゃない。さ、六四でいいかな」

「そういう問題じゃないでしょ!」

朝から我慢していた言葉が口をついて出てしまったが、篠崎は気にする様子もない。貼り直した封筒をまた開けてしまった。

「頼むよ。帰りの電車賃もないんだよ。な」

「な、じゃないってば」

「だいたいさ、四万なんておかしいと思わないか。縁起悪いよ。ふつう金を包むなら五万とか三万にするだろ。封をするのも変だよ。本間から渡される金はいつもそうなんだ、四万か二万。大きなトラブルだと八万。本間が経理から金を受け取るところは誰も見てないだろ。あいつは何の労働もせずに一万ぼったくったんだ。とんでもないやつだ」

自分のことは棚に上げて篠崎が怒りをあらわにする。まさかあの本間が、と最初は思ったが、考えてみれば、そういう事を顔色ひとつ変えずにやりそうなタイプにも思える。

「ほい、六四」

止める間もなく煙草屋で両替をすませた篠崎が、一万六千円を突き出してくる。涼平の頭の中で天使と悪魔がハルマゲドンを始めた。すぐに拒否できなかったのは、生活費を切り詰めるために、このところコンビニ弁当とカップ麺ばかり食っているからだ。たまにはトンカツ軒のカツ丼が食いたかった。拒否するどころか、あっさりと涼平の良心はカツ丼に敗れてしまった。

手の中の一万六千円を眺めて涼平は思った。これで俺もゴキブリの仲間入りだ。

5

くそいまいましいダージリン・ティーを室長デスクへ持っていこうとすると、本間が黒表紙のノートを差し上げ、でんでん太鼓みたいに揺すりはじめた。

「佐倉君、これはなんだい」

「は、業務日誌ですが？」

「中身のことを言っているんだよ。君は何を書いた？」

高圧的な言い方に涼平もつい硬い言葉を返してしまった。

「業務日誌です」

昨日一日のクレーム電話の内容を細かく書いた。自分が応対したものはすべて。船橋に出かけている間は羽沢がとったそうだが、戻ってみたら大騒ぎだった。タメ口で横柄なセリフを吐き、怒らせなくてもいい相手まで怒らせて、都合が悪くなると勝手に電話を切る——これの繰り返しだったらしい。凄い剣幕でかけ直してきた電話の応対に追われた一部始終も詳細に記した。内容が事実と違うのは船橋の「虫らっきょう」の一件だけ。それがバレてしまったのかと思ったら、そうじゃなかった。

「僕は言ったはずだよね。これはただの業務日誌じゃない。オン・ザ・ジョブ・トレーニングの一環であり、入社してまだ半年の君の研修でもあるんだと。自らの犯したミスとその原因を分析し、再び過ちを犯さないための留意点をまとめ、自己啓発の一助としたまえって」箇条書き風のセリフをすらすらと口にする。たぶん言い慣れた言葉なんだろう。本間が黒い表紙を手の甲で叩く。「それなのに、だ。君のレポートにはまるで反省がないじゃないか」

「……特に反省することもありませんでしたので」

「反省することがない？　そんなことはありえない。それは己のミスや欠点への自覚が足りないに過ぎん。自らに謙虚になりたまえ。どんな些細なことでも反省するんだ。この日誌は上の人間も見る。君がこの会社に適切な人材かどうかの評価の対象になるんだ。もっと真摯《しんし》に書きたまえ。私がオーケーを出すまで、何度でも書き直させるから。そうそう、字も汚いね、君」

喧嘩を売っているのだろうか。涼平がぶち切れて、会社を辞めると言い出すのを待っているのかもしれない。そうはいくか。むりやり笑顔をつくって本間の手から業務日誌をむしり取った。

「わかりました。書き直します」

苦情電話のない午前中に書いてしまおうと思ってペンをとったのだが、五分もしないうちに、朝早くからは鳴らないはずの電話が鳴りはじめた。まだ午前九時四十五分。篠崎はもちろん来ていない。反射的に受話器に伸ばした涼平の手は宙で止まった。頭の中に昨日の篠崎の言葉が蘇ってきたのだ――朝から鳴る電話は要注意。

二コール、三コール。涼平はごくりと生唾を呑みこんだ。羽沢がパソコンから顔をあげて呟く。

「……やばいな」珍しく表情を強張らせて受話器を眺め、それから涼平の顔を見て力なく笑う。

「佐倉さん、これ、やばいよ」

涼平の気持ちを萎えさせる以外に何の役にも立たない忠告を寄こしてから、ネットの世界へ帰ってしまった。

五コール、六コール。軽やかなベル音が、危険な獣の咆哮《ほうこう》に聞こえた。本間がこっちを睨んでいる。電話ごときに怖がっていられるか。涼平は大きく息を吐き、ティンバーウルフを軽く撫ぜた。よし、いくぞ。

受話器を手にとろうとした瞬間、後ろから腕が伸びてきた。チキータバナナの房ぐらいありそうな巨大な手。神保だ。

受話器を持ち上げた神保は四トントラックのバンパーみたいに頼もしい顎をかすかに動かして、涼平にうなずいてみせる。心配するな、先輩の俺にまかせろという表情だった。涼平は礼を言うかわりに頭を下げたが、頭を上げた時に気づいた。この人、失語症じゃなかったっけ。

神保は耳に受話器をあてがったまま仁王立ちをしている。送話口から噴出する怪鳥の叫びに似た女の声が涼平の耳にも聞こえた。普通にしていても怖い神保の顔が歪み、便意を我慢している表情になった。こめかみに汗が伝っている。その間も怪鳥は叫び続けていた。神保は「うっ」とひと声唸ると、電話を切ってしまった。おい、ちょっと。

「ああ、神保さん、だめだよ」羽沢が涼平の言葉を代弁する。新入社員のくせに十歳年上の神保をたしなめる口調で言う。「まだ無理だよ、神保さんには」

かえって事態が悪化したのは確実だった。すぐにまた電話が鳴り出した。自分への飛び火を避ける気なのか、本間がそそくさと席を立つ。

「私は出るよ。そろそろ会議に行かなくては」

毎週金曜に総務課の定例会議があるとは聞いていたが、時間はまだ先のはずだ。

羽沢が猛烈な勢いでキーボードを叩きはじめた。何をしているのか知らないが、他に頼る人間はもういない。電話のベルは心なしか、さっきよりけたたましく、さらに殺気立っている気がした。

「羽沢君……」思わず情けない声を出してしまった。溺れる者はなんとかもつかむ。何をつかむのだっけ。

「待ってて、佐倉さん。もうちょいだから」

よしっと。羽沢が小さく叫んでパソコンの画面をこちら向きにする。涼平は目をむいた。画面いっぱいにやけにスカートの短いセーラー服を着た少女のアニメ。幼い顔に似合わない大きな胸を揺すって、少女がチアガールのように手を上げ下げする動画だった。ふきだしにこう書いてあった。「リョウヘイさん　がんばって♡」そうだった、溺れる者は藁《わら》をもつかむ、だ。藁はやはりただの藁。

「ご声援ありがとう」涼平がため息をついて受話器に手をかけようとしたその時、

「おはよう、佐久間君」

背中で篠崎の声がした。

「なんだ、爪とぎ大将、いないじゃないか。せっかく早く来たのに」

魚柄の趣味の悪いネクタイが救助隊の旗に見えた。涼平は鳴り続けている電話に目配せをする。篠崎は時計を眺めてから電話に手を伸ばした。だが相手の声を一瞬だけ聞くと、すぐに受話器を涼平に突き出してくる。

「練習」

おそるおそる受話器を耳にあてる。

――あんたっ、ちゃんと聞いてんの！

耳もとで怪鳥がけたたましく鳴いた。


さっきからどのくらいの時間が経っているだろう。涼平はまだ中年女からの苦情電話にかかりきりだった。篠崎はのんびり煙草を吸い、けむりを輪にしている。恨みがましい視線を送っても知らん顔だ。

――何回言わせるつもり？　だから、カップ麵の液体スープの袋を開けたとたんに飛び散っちゃって服がだいなしになっちゃったって言ってるでしょ。シャネルよ。どうしてくれるの。七十万もしたのに。これからパーティーがあるのに。ああ、もう始まっちゃう。

「ですから」何回言わせるのかは、こっちのセリフだ。脳味噌に浮かんだ言葉が口から飛び出そうになるのを喉もとでけんめいに抑え続けた。「あの調味袋には特に問題はないはずで」

――口ごたえする気？

「いえ、別に。では、そちらにお伺いしますから、お名前とご住所を――」

なけなしの忍耐を使ってそう言ったが駄目だった。

――いいわよ、来なくて。電話を切る気？

「とりあえずお名前をお聞かせ願えませんか」

――いいから、ちゃんと話を聞きなさいってば！　八十万のシャネルのワンピースよっ！　七十万じゃなかったっけ。女の話がまた最初に戻ってしまった。タマちゃんカップ麵のスープ袋は、特許料を払って安全開封タイプを採用している。普通に開けさえすれば問題はない。因縁をつけているとしか思えなかった。涼平は篠崎の教えに従って、童謡のメロディを頭の中でリフレインさせ続けた。

ある晴れた昼下がり〜　市場へ続く道
――ほかのところのはこんなことないのに。これが初めてじゃないのよ、あんたんとこだけは、いつもいつも……

ドナドナドナド〜ナ　子牛をのせて〜

――あたし知ってるのよ、うちの旦那、法律関係の仕事をしてるから、ＰＬ法っていうのがあるんでしょ。知ってるんだから。馬鹿にしないでよ。

ドナドナドナド〜ナ　なんだっけ、そのあとは。

──それとなに、塩分ひかえめなんて書いてあるくせに塩が三・五グラムも入ってるじゃない。どこがあっさりなのよ、三・五グラムもお塩を入れて。うちの姑《しゅうとめ》が、あたしのせいにするのよ、しょっぱいものばかり出すって。なんであたしが怒られるの。あんたのとこでしょ、塩いっぱい入れてるの。いい加減なのよ、何もかも。商品も社員も。あんたみたいな社員を置いてるぐらいなんだから──

こめかみで血管の切断音が聞こえた気がした。もう限界だった。こらえていた言葉が口から飛び出る。

「おい、いいかげ────」

その瞬間、臀部に──正確に言えば尻の穴に衝撃が走り、体の力が抜けた。唇をめくり上げ、眉間にしわをつくった〝ファック・ユー〟の表情のまま振り返ると、篠崎がひとさし指二本をドリルのように突き出していた。まるっきりガキの悪戯だが、篠崎は笑ってはいなかった。怒ってもいない。無表情のまま、あっけにとられている涼平の手から受話器を奪い取る。

「もしもし、お電話替わりました。責任者でございますが」

昨日のようにいきなりお辞儀をするのかと思ったが、そうではなかった。

「やむを得ない急用ではずしておりまして。うちの者が失礼しました……」

口調は丁寧だったが、例の不気味な猫なで声じゃない。お気楽な調子の地声だ。篠崎が回線のスピーカーをオンにした。涼平に聞いていろと言っているらしい。こちらの気配は電話の向こうに伝わってしまう、と自分で言ってたくせに、こんなことをしてだいじょうぶなのだろうか。

――大切なパーティーだったのよ。いろんな有名な方々も集まる。行けなくなったじゃない。

「はぁはぁ、それはとんだ災難で。どちらのパーティーにお出かけになる予定だったのでしょう。場所は？」

――どこだっていいじゃないの。そんなこと関係ないでしょ。あんたたちには。

「いえ、朝の十時過ぎに始まるパーティーってのが、どんなものか知りたくて」

――ちょっと、なにそれ、どういう意味。あたしをユスリかなにかだって言うつもり？　弁償しろなんて、言ってないじゃない。謝れって言ってんのっ！

「シャネルが着られなくたって、あなたにはソニア・リキエルがあるじゃないですか。この間、電話でそう言ってたの、あなたじゃありません？　あ、そうか、あれにはタマちゃん茎ワカメの汁がかかっちゃったんだっけ」

――知らないわよ、そんなの！　あんた、あたしを馬鹿にするつもり？　ほんとに訴えるわよ。

女の声はスピーカーを突き破りそうだったが、篠崎は平気な顔だ。

「ええっと、お買い上げいただいたのは、最寄りのスーパーということで……となると、いえね、タマちゃんの『のどごしつるつる麵自慢和風ラーメン』は、現在ではもう都内でも数カ所にしか卸していない商品でして……」

何もない机の上を地図を読むような目つきで眺めてから、篠崎は言葉を続けた。

「お住まいは江東区の深川あたりですか」

——……ち、違うわよ。

「もしかしてお客様は、先週、匿名のお便りを当方にお送りいただいた方じゃありませんか。あれも確か消印が深川だったな。その節はありがとうございました。貴重なご意見を便箋八枚も。同封していただいたカミソリも、なかなかいい切れ味で。大切に使わせてもらってます。うちの猫の毛玉取りにちょうどいい」

——なによ、あんた、お客様相談室でしょ、ちゃんと相談に乗りなさいよ。

「あのあたりはよく行くんですよ。富岡八幡宮の近くですか？ 一度お会いしたいな。そちらにお邪魔して……実はこの電話、相手先通知サービス付きでして。電話番号でお住まいを調べさせてもらいますから」

いつからそんな機能がついたのかと、思わず受話器を眺めてしまった。

「えーと、03の……」

篠崎が何もない机を眺めてそう言った瞬間、叩きつける音とともに電話が切れた。涼平には何が起きたのかまったくわからなかった。篠崎が新しい煙草をくわえて、涼平に肩をすくめてみせた。

「あのオバチャンはうちの常連さんなんだ。電話を寄こすのは、いっつも金曜の朝一。通称、金オバ」

「常連さん……ですか？」

「うん、絶対に名前は名乗らない。いわゆる企業ストーカーっちゅうやつだな。電話だけじゃない、この間は妙な手紙も送ってきた。匿名だけどクレームの内容はワンパターンだから文面を読んだだけで同じ人間だってのがわかったよ。自分は医者の妻で、うちの冷凍食品を説明書通りにレンジでチンしたら九谷焼のどんぶりが割れたとかって、くどくど書いてあった。消印が深川だったからカマをかけてみたのさ。だいたいの住所さえわかれば、もうこっちのもんだ」

「こっちのもん？」

「匿名でクレームをつけてくる人間は、自分のことを知られたくないんだな。ストーカーは自分がストーキングされるのを嫌がるもんなんだ。汚れたシャネルや割れた九谷焼を見せろって言われるのが怖いだろうし。そんなものハナからあるわけない。家庭で面白くないことがあった時の八つ当たり、もしくは暇つぶしなんだろうな。これで当分はかけてこないだろう」

篠崎は吐き出した煙草のけむりに眉をしかめて、ため息をつく。

「考えて見ればかわいそうなオバチャンなのかもしれない。甲斐性なしの父ちゃんが医者や弁護士だったらどんなにいいかって夢見てるんだろ……。小うるさい姑をほったらかして、着たこともないシャネルを着て、パーティーへ行く自分を想像してるんだろうな。こっちはたまったもんじゃないけど」

その後、お客様相談室の電話はこの二日間同様沈黙した。午前中は静かなもんだ。相談室フリーダイヤルどころか、内線も鳴らない。室長席にしかない内線電話は、一応スタッフ全員の共用なのだが、本間はそれを使うことを嫌う。「君たちには私用以外に使い道がないだろう」などとほざくのだ。悔しいが当たっている。ここは他の部署とは何の接点もない。会社の中の孤島のようなものだ。書かされている報告書が、果たしてどこでどんな扱いを受けているのかまったくの謎だ。

篠崎は競輪新聞。羽沢はパソコンの向こう側の世界に入ったきり。神保は窮屈そうに巨体を縮めて本を開き、メモを取りながら読んでいる。たぶんいつもデスクの奥にきちんと背表紙を揃えて並べてある自己啓発書のひとつだろう。『対人関係みるみる改善法』『ポジティブ・シンキングのすすめ』『心の風邪の治し方』『企業人サバイバル思考』などなど。

涼平は業務日誌——通称反省レポートを書きはじめたが、アホらしくなってすぐに放り出した。午後からの電話攻勢に備えて、珠川食品の商品カタログを開き、商品知識をつめこむことにする。研修の時にも覚えさせられたはずなのだが、いまだに把握できていないのだ。漬物からカップ麵まで、なんでこんな規模の会社にこれほどと思うほどの商品群だ。しかもたいていがどこかの二番煎じ、三番煎じ。有名店の店構えだけを真似している流行《はや》らない店のようで情けない。

昨日の夜、いつもの焼き鳥屋で会った高野が言っていた。

「味つけらっきょうは最低らしいな。梅しそ漬けも。松茸ご飯の素ってのも。全部、中国の現地生産と契約農場がらみ。向こうの事情も知らないで、なんのノウハウもなく、他の会社のマネばかりするからそうなるんだ。溝口専務の海外進出策がことごとく失敗してるんだよ。それでも製品をつくり続けている。人の首は切りまくったくせに、自分の責任は認めたくないんだな。まわりも怖くて止められない。やっぱ、サラリーマンは上に立てば勝ちだな。白いものを黒って言ったって、みんな『おっしゃる通り、黒でございます』ってなもんよ」

「俺、もうギブアップ寸前です」

凉平がそう訴えると、娘を風呂に入れるために早々とおあいそにした高野はこう言った。

「早まるなよ。何カ月後には、溝口専務だってどうなってるかわかんねえぞ。副社長に寝返るヤツも出てきてるらしいからな」

副社長主導で開発された例の新製品TF01LLも、もうすぐ珠川食品の多すぎる商品群のひとつに加わる。正式に『ポルコ』という商品名に決定し、来月から新発売されるそうだ。これの成否で社内の情勢が変わってくるかもしれない、高野はそう言うが、だからどうなるものでもない気がする。凉平には副社長は副社長で、ただのええかっこしいのボンボンにしか見えなかった。

サンプル棚から何品かを取ってこようとして席を立った時、見るともなしに神保が書き写しているノートを見てしまった。体に似合わない小さな字で、同じ文章を繰り返し書きつらねている。

「苦悩を友とせよ」「苦悩を友とせよ」「苦悩を友とせよ」「苦悩を友とせよ」

だいじょうぶなんだろうか、この人は。竹刀の素振りより、しかるべきカウンセリングが必要な気がするのだが。

羽沢がパソコンから顔を上げて、篠崎に声をかけた。

「ねぇ、ちょっと見てよ」

「見てよじゃないだろ。年長者にはちゃんとした言葉を使いなさいって言ったでしょ。お前みたいな老けた顔に言われると、自分が年上だってこと、忘れちゃうじゃないか」

「えーと、見て欲しいでござる」

羽沢は本当に敬語の使い方を知らない。何をどう言い抜けて入社の面接を乗り切ったのか不思議だ。父親が流通関係の会社に勤めていると聞いたから、たぶんモノを言ったのは、親父さんのコネなんだろう。

「コンピュータは嫌だよ、わからないもん」

「妙な書き込みが増えているんであります」

涼平も篠崎と一緒に羽沢のデスクにまわり、羽沢が自前で持ちこんでいるパソコンをのぞいた。モニター画面に文字の羅列。

『こうして私はクビになった。Tちゃんラーメンの某食品会社の非道』

『倒産寸前、珠川上層部の暗闘――』

『タマちゃんラーメンのT一族の親バカ人事　副社長昇格の不可解』

『珠○食品のカップ麺のチャーシューって、馬肉だって知ってた♡』

『珠川食品の取締役○川○彰のリーダーシップはゼロ。おぼっちゃま三代目に未来はない！』

こんな書き込みが延々と続いていた。ほとんどは差し止めを避けるつもりか実名ではないが、珠川食品を誹謗、中傷していることが誰にでもわかる書き方だった。

「これ、何？　うちの悪口ばっかりじゃない」

篠崎が鏡に自分の姿を映したおサルみたいに目をぱちくりさせてモニターを見つめている。

「掲示板。2ちゃんねる。サラリーマンは必見ですよ」

「何トンネル？」お得意の親爺ギャグを飛ばしたわけではなく、本当に知らないようだった。

「業界の裏話や会社の噂話、上司の悪口、なんでも見れるんだ。誰かに書き込みされれば、普通のサラリーマンだって、自分の知らないところで注目の的だよ。まぁ、たいていろくな注目のされ方じゃないんだけど。室長や篠崎さんのプライバシーが暴露されてたってちっともおかしくないんだ。佐倉さんはトーゼン知ってるよね？」

涼平も鏡の前のおサルみたいに目をぱちぱちさせた。

「嫌だな、もう。佐倉さんまで。遅れすぎだよ、この会社」

確かに珠川食品のパソコン普及率は低い。お客様相談室にも一台あることはあるのだが、ろくに使いもしない本間のデスクの脇に置かれているため、誰も利用していない。そもそも社内メールなどまわって来ないから、使う必要がないのだ。

涼平自身は去年の暮れ、ネット専用の安いパソコンを手に入れて、一時期ははまっていた。一晩中、マウスを動かして、ずいぶんリンコのひんしゅくを買ったもんだ。携帯だって嫌いなリンコは、もちろんパソコンなんか見向きもしない。「リンコもやってみなよ」って一度マウスを握らせたら、三分で飽きて肩こりマッサージローラーのかわりにしていた。涼平がパソコンの画面を立ち上げ、マウスを動かしはじめると、後ろでわざとらしく歌を歌ったり、足で背中をつついたりする。それで喧嘩になったりもした。あれは今年の初めだったっけ。キーボードをぽこぽこ叩いていた涼平の頭をぽこぽこ叩くから、文句を言ったら、

「やめなよもう、魂、吸いとられるぞ」

百年前の老婆のようなことを言い出した。

「なんでさ、テレビ見てるのと同じじゃないか」

「テレビは二人でも見られるじゃない。でもパソコンはひとりぼっちだよ」

「逆だよ。遅れてるな、お前。パソコンはメールも来るし、チャットにも参加できる。双方向通信なんだよ」

「ひとりぼっちなのは、私だよ。二人でいるのに他の人間と話をしてる。しかも声に出さないで。すっごく感じ悪い」

ここまではどうってことなかった。本気の喧嘩になったのはその後だ。リンコにパソコンの面白さを教えようとして、検索入力欄に『宮野リンコ』と打ちこみ、出てきた画面を見せた時。

「ほら、リンコのことも調べられるんだよ。すげえ、ファンクラブなんてのもあるぞ」

「そんなの、見たくないよ！」

リンコはプラグを引っこ抜いてしまった。そのパソコンもいまはもうない。リンコがいなくなってしまったら、一緒に見ようと思っていた音楽サイトを見ることもなかったし、なんとなく疎ましくなって、家賃の足しにするつもりでパソコンを欲しがっていた友人に一万円で譲っ

てしまった。

羽沢にマウスを持たされた篠崎が、火を恐れる原人みたいにおそるおそる元の位置に戻している。

「んで、これがどうしたの?」

「最近、急に増えてるんだ。ここだけじゃない。株式サイトでも『手形決済不能か』とか、『民事再生法申請間近』なんて書かれてるよ。しかも見て——」

羽沢が太い指に似合わない素早い動きでマウスを動かす。今度は「珠川食品」をキーワードにして検索した画面だ。

「ほら、笑っちゃうよ」

笑えないかもしれない。ヒット数順に並んだ検索リストの一番上は、去年つくったばかりだという珠川食品の公式ホームページだが、そのすぐ下、ヒット数第二位のタイトルはこうだった。『珠川食品の粗悪製造・悪徳商法のすべて』誰かがネットで珠川食品のことを調べようとすれば、必ずこの文字も目にすることになる。

「凄いよね。少し前まではなかったのに。書いてあることの中身はたいしたことがないんだよ。誰かが無理やりヒット数を増やしている気もする。なんだかね、全部とはいわないけど、発信者がほとんど同じ人間じゃないかって気がするんだ。さっきの〝2ちゃんねる〟だって、いろんな人間が会話している風になってるけど、チャットの場合、自作自演っていうのもできるからね。しかも、なんだか副社長にばかり風当たりが強いんだよ。まるで誰かが意図的に追い落とそうとしているみたいだ」

「これ、誰が出したかわからんの？」

篠崎の問いに羽沢は「わかんないよ、常識ないな」と答えて頭をどつかれていた。

「わかんないです。常識ないのですね。この程度の内容なら、差し止めなんてできないし。性別がわかる書き方はしてないけど、この副社長の悪口なんて、なんとなく女のような気がするです」

「さっきの金オバかな？」涼平が言ってみた。

「違うよ、馬っ鹿だな」

涼平も羽沢の頭をどついた。

「違うです。もっと若い人間ですのね。絵文字や顔文字なんか使ってるし。でも若いって言っても、ちょっと使いこなし方が古いから、十代ってことはないな。もう少し上。女かもしれないってのも、可能性が高いっていうだけ。ネカマかもしれないし」

「ネカマって何？」篠崎が聞いている。

「常識ないな、あ痛たた。ネットオカマのことであります。女のふりしてあちこちに侵入するマニアのこと。ねえ、どうしよう。放っておいていいのかな」

「どうしようって言われてもなぁ」篠崎は断言した。「とりあえず、ひとつ言える。本間にはよけいなことを言うな。話をややこしくして、俺たちの仕事を増やすだけだからな」

「んじゃ、秘書課のメールにデータをぶちこんでおこう。副社長か周りの誰かがとっくに気づいていると思うけど」

ロリコンとアニメのサイトばかりのぞいているのかと思ったら――実際にほとんどそうなのだが――ネット上の珠川食品に対するクレームや誹謗中傷の監視をするのが羽沢の仕事なんだそうだ。

「ほら、うちはネットを使用制限してるから、誰かが見てないと。それにネットの情報は膨大だからね。僕みたいに慣れてないとなかなか検索しきれないいんだな。佐倉さんの前の会社じゃ必要ない仕事だよね。ああいう会社ってうちと違ってネットやり放題じゃないの」

「いや、いまは厳しくなってるよ。俺が新入社員の頃は、残業の時なんかみんなでいっしょに海外エロサイトをのぞいたりしてたけど」

「あ、なんだ。佐倉さんもそれで前の会社を?」

「え?」

「僕と一緒じゃん」

羽沢がここに送られてきた理由がわかった。社内のパソコンから、あちこちの有料サイトにアクセスしまくったのがバレたんだそうだ。

「社内LANは遅れてるくせに、そういうとこだけ細かいんだもの。通信記録を調べられちゃって。請求書もどばどば届いちゃってさ。でも、僕はここに来てよかったよ。調査って言えばアクセスし放題だから。有料には手を出せなくなっちゃったけど」羽沢が同好の士を見る目で涼平に微笑みかけてくる。「そうかそうか、仲間だったんだ」

ないよ。

「縮小美少女飼育サイトって見たことある？」

「違うよ」

午後五時までに涼平が受けた電話は、十一本。だんだん鳴り方で見分けがつくようになってきた。本当なのだ。単なる問い合わせの場合は、比較的おだやかな音色だが、怒りの電話は着信音が怒鳴り声に聞こえる。夕方になってようやく電話が鳴りやんでから、二日分の反省レポートを書きはじめた。白紙のまま本間の顔にノートを叩きつけるシーンを何度も思い浮かべたけれど、そのたびに我慢我慢と唱える。

みんなはもう帰ってしまって、羽沢だけが残っている。モニターに向けたにやにや顔を見るかぎり、仕事ではなく個人的な趣味の世界に没頭しているのだろう。ふと思いついて声をかけた。

「ねぇ、羽沢君」

「あ？」

「ちょっと調べたいんだけど、パソコン貸してくれる？」

「何？」

「いやいや、ちょっと」

検索キーワードに名前を入れてクリックする。操作しはじめてすぐに、ため息をつく。横からのぞきこんできた羽沢が太い眼鏡のつるを指で押し上げた。

「宮野リンコ……ミュージシャン？　佐倉さん、ファンなの？」

「うんまぁ」

「なんだ、昔の人か。あんまり件数ないよ。マイナーだな」

羽沢のハロウィーンかぼちゃみたいにでかい頭をはたいてやろうかと思った。でも確かにその通りだった。有名ミュージシャンなら検索項目が数万件は並ぶが、リンコの場合、二桁少ない。ほとんどがCDの膨大な在庫リストの中のひとつとして名前が出てくるか、音楽マニアのホームページの膨大な書き込みに、ちょっとした感想が書かれている程度のものだ。

「最新情報みたいなのはないかな。近況報告とか」

涼平ののろ臭い操作に呆れた羽沢がマウスを奪い返して画面を次々に替えていく。

「ファンのサイトみたいなのを開いてみようか。リンコ倶楽部通信っていうのがあるよ……あ、これはもう閉鎖しちゃってるな」

「そうか」

「アクセス件数が少ないやつがまだあるけど、見る？」

「いや、もういいよ」

涼平が小さく肩を落としたのに気づいたのか、羽沢がやつにしては優しげな声をかけてきた。

「エプロン小猫サイト、見る？」

「……いや、いい」

適当に書き直した反省文に、涼平はこんな一行をつけくわえた。
——小さなミスに注意。後で取り返しがつかなくなる。

6

月曜日。午前八時四十分。涼平は旧館の階段を駆け上がった。毎日、お客様相談室には誰よりも先に着くようにしている。まだ新米だからということもあるが、朝の一人の時間が好きだからだ。いまいましい反省レポートも朝なら案外に冷静に書くことができる。昼からは地獄と化すが、電話も鳴らず本間もいない朝のオフィスはいちばん気分の落ち着く場所だ。リンコのいないマンションよりずっと。叩き起こす相手も交替でつくっていた朝飯もない自分の家の朝は、寝ちまえばすむ夜以上に居心地が悪い。

だが、その日は一番乗りじゃなかった。駅の売店で買ったスポーツ新聞と缶コーヒーを握りしめて部屋へ入り、プルトップに手をかけた時、真向かいの席で人影が動いた。辞めると言っていたはずの山内が復帰したのだろうかと首をかしげたとたん、パーティションの上から顔がのぞき、長い髪が揺れた。

「おはようございます」女だ。どこかで見たことがあるような気がする。「宍戸《しし ど》と申します。今日からここへ配属になりました」

「あ、どうも」

口にふくんだコーヒーが逆流しそうになった。美人だ。渋谷のスカウトマンなら二重丸をつけるだろう。セミロングのストレートヘア。ほっそりした体に不釣り合いと思えるほど胸が大きい。見覚えがあると思ったら、社長夫人の玉川節子に配置換えをさせられた、掃きだめに鶴と評判だった社長秘書だった。

凉平が顔をあげたとたん、視線を避けるように目を伏せ、パーティションの中へ隠れてしまった。秘書をしていたわりには内気な性格なのかもしれない。凉平よりいくつか年下だろう。何か話しかけてやらねば。給湯室で本間が自分専用に置いているダージリン・ティーを失敬して持っていってやることにした。

「ありがとうございます」

まだ私服だった。ファッション・ブランドには疎《うと》い凉平にも、普通のOLの出勤着としてはかなり贅沢だということがわかるスーツ姿だ。

「えーと、更衣室は……」言いかけて気づいた。「……ないや。部屋を出て右手の部屋が空いてるから。あそこを使えばいいよ」

宍戸はスカート丈に関してはけっして内気ではなく、軽く会釈をすると社内有数と謳われた美脚が膝のかなり上までせり上がった。思わず視線を釘付けにしてしまった凉平は、言いわけをするように自己紹介をした。

「あ、俺、佐倉です。千葉県佐倉市の佐倉。出身は静岡ですけど」

つい、よけいなことまで喋ってしまった。宍戸は臣民に謁見する王女みたいに優雅にうなずいて、そして、突然、涼平の足元を指さした。

「佐倉さんの靴、イタリア製ですよね、モレスキー?」

「え?」その通りだ。「うん、でもなんで?」

「値段は二万八千円ぐらい」

「ああ、たぶんそんなもん」

涼平がうなずくと満足そうにうっすらと笑う。きれいな子だが、ちょっと怖い。

九時過ぎに現れた神保が宍戸の姿を見て、柿の種みたいな目を見開く。見開いたまま後ずさりするように竹刀を持って部屋を出ていった。ちなみに神保は三十二歳で独身。入れ替わりに現れた羽沢は眼鏡を押し上げて一瞥《いちべつ》しただけ。宍戸が挨拶をしても、生返事をするだけだ。羽沢のストライクゾーンより十歳以上、年が上だからだろう。

本間は宍戸が今日から配属されることがわかっていたようだ。いつも以上に念入りに櫛を通した髪と、金曜の総務の課内会議の時にしかつけないお気に入りのペイズリーのネクタイ姿で、始業五分前に現れた。

たいした数じゃない連絡メモを忙しげに整理してから、いま気づいたと言わんばかりの顔を宍戸に向けた。宍戸が自分を見ていなかったことを知ると、咳ばらいをし、もう一度同じ手順を繰り返してから言った。

「ああ、そうだった。みんなに紹介しておこう」業務のついでという口ぶりで、宍戸にもったいぶってうなずきかける。「宍戸由里《ゆり》君だ。今日からうちに来てくれることになった」

宍戸は入社五年目、年は涼平よりふたつ下だそうだ。

「席はそうだな、そこにしようか。内線もとりやすいし。羽沢くんに移動してもらおう」

本間が自分に一番近いデスクを指さした。

「君がどのような説明を受けてここへ来たか知らないが、ここの仕事はおそらく想像以上に厳しい。しかし、そのぶん重要でやりがいのある仕事だ。我が社の広報部であり、宣伝部でもあるんだから」

書類を眺めるふりをして宍戸の脚と胸に横目を走らせながら、本間が偉そうにほざいている。厳しいのは確かだが、正しいのはそこだけだ。本間は自分のデスクの脇に宍戸を座らせ、膝と膝を突き合わせるように、涼平の時にはまるでなかった仕事へのレクチャーを始めた。恥ずかしいぐらいに下心まるだし。

午前九時四十五分。本間以上のセクハラ親父がやってきた。いつものようにどたばたと派手な靴音を響かせて部屋に入ってきたかと思うと、宍戸を見るなりだらしなく目尻を下げ、無遠慮な視線と下卑た笑顔を浴びせかけた。

「おおっ、朝からへビーなフェロモンだよ。お嬢ちゃん、どこの課？　迷ってここに来たのかい。おじさんが送ってあげようか。送り狼でよかったら」

「篠崎君！」

十時前の出勤なんて、篠崎にしたら褒めてやってもいいぐらいだ。実際に称賛の言葉をもらえると思って微笑んでいた篠崎の顔へ本間の叱咤が飛ぶ。いつも以上に念入りで偉そうな説教だ。若くて美人の新入りに自分のささやかな地位を見せつけるつもりらしい。だが、残念ながら篠崎には朝のＢＧＭと同じ効果しかなく、本間の言葉にうなずくふりをしながら、涼平に囁きかけてきた。

「あの姉ちゃん、誰？」

涼平の説明を聞くと目を丸くした。

「ええっ、あの巨乳さんが、ここに！？」

本人はこっそり呟いているつもりだろうが、まる聞こえだ。宍戸が篠崎の視線から胸を守るように腕組みをした。二人の間にとんだ邪魔が入ったと言いたげな気どったしぐさで本間が宍戸に肩をすくめてみせる。

「くわしいことは、あとでじっくり説明してあげよう。食事でもしながら。すまないが、宍戸君、お茶を淹れてくれないか。給湯室に僕のダージリンがある。砂糖は一つでいい」

篠崎が雑巾汁のことを教える間もなく宍戸が給湯室に消え、ほどなくトレイに全員の分の容器を載せて戻ってきた。一缶千八百円のダージリンが、篠崎の寿司屋湯呑みにもなみなみとつがれている。「ああ嬉しいねぇ、毎日頼むよ」などと言いながら篠崎がずるずると紅茶をすするのを見て、本間の顔がひきつった。

「ありがとう」涼平が礼を言い、カップを受け取ると、初めて宍戸がにこりと笑った。ほっぺたが落ちそうな笑顔だった。思わず涼平も微笑みを返し、後ろ姿を目で追ってしまった。側頭部に衝撃。リンゴの生霊にぶったたかれたのかと思ったら、目の前に涼平と同じように首を伸ばして宍戸の尻を目で追っていた篠崎の頭があった。

そういえば、リンコにも、よくこうやって飲み物を淹れてもらっていた。二人とも紅茶は飲まなかったけれど。料理は涼平にばかりさせようとしていたくせに、食後のコーヒーや日本茶を淹れるのはたいていリンコのほうだ。味覚というのはセンスの問題で、リンコに言わせれば、涼平には飲み物を淹れるセンスが決定的に欠けているそうだ。宍戸の淹れてくれた紅茶をひと口すすって、その言葉を思い出した。

葉を入れてお湯を注ぐだけ。誰もができる簡単なことであるはずなのに、宍戸の紅茶の味は、何かの魔法を使ったようだった。涼平は口に含んだ紅茶を、少しずつのどに流しこむ。あまり味わわないようにして。呪いの魔法だ。本間が自慢する高価なダージリンを、どう調合すれば、こんな化学反応を起こすことができるのだろうと首をかしげるほど、まずい。添えてくれた角砂糖をもうひとつ足したら、さらにまずくなった。

自分だけだろうかと周囲をうかがうと、上機嫌で紅茶をすすっていた篠崎も沖縄のシーサーみたいな顔をして舌を突き出している。

「げろげろ」パーティションの向こうで羽沢がうめき声をあげた。やつがよけいなことを言う前に、涼平は宍戸に声をかけた。

「おいしいよ、紅茶。でも、明日からはもういいよ。ここでは自分の茶は自分で淹れることになっているから」

首をかしげている宍戸に篠崎も言う。

「そう、お嬢ちゃんには、他にやってもらうことがあるし。俺たちはいいから、室長にだけ淹れてさしあげなさい」

本間は宍戸にひきつった微笑みを返しながら、絶望的なまなざしでロイヤル・コペンハーゲンのマイ・カップを眺め下ろしていた。

十一時過ぎに今日最初の電話が鳴った。宍戸が手を伸ばそうとしたが、本間が声をあげる。

「佐倉君、君がとりたまえ。宍戸君はまだ不慣れなんだから」

おいおい。涼平が来た時とはえらい違いだ。本間はすけべ根性まる出しの微笑を宍戸に送り、涼平には冷たく言い放った。

「手本を見せてあげなさい。君は案外、電話対応にむいているようだから」

机の下でファック・ユーの指サインをつくってから受話器をとる。涼平が声をあげたとたん、荒い鼻息が聞こえた。妙な間があり、あたふたと通話が切れた。涼平は肩をすくめて見せた。

「間違い電話だったようです」

だが三分後に、もう一度かかってきた。受話器を耳に押し当てた瞬間、耳ざわりな鼻息が聞こえた。言葉は発しようとしない。さっきと同じやつだ。今度はこちらからは名のらず、向こうの様子をうかがうことにする。切迫した鼻息と湿った呼吸音が聞こえてきた。すーはー、すーはー。涼平は片手で頭をかかえる。朝っぱらから何をやっているんだこいつは。

「こちら、お客様相談――」

涼平の言葉を最後まで聞かずに電話が切れた。

「無言電話、いやイタズラ電話ですよ。ったく気色悪ぃ」

週刊誌のふくろ綴じヌードグラビアを、慎重な手つきで開けていた篠崎が呟いた。

「ときどき来るんだよ。フリーダイヤルには若い女が出ると思いこんでいるんだな。放っとくとまた来るよ」

篠崎の予言どおり、五分後に電話が鳴った。怒鳴りつけてやろうと思って受話器を取ろうとすると、篠崎が先に手を伸ばしてきた。「俺にやらせてみ」

篠崎が受話器を上げ、大きく息を吸いこんだ。何をする気だろう。大声で罵倒するのなら自分がやりたかったのに。篠崎はつま先を内側にそらせて足を組み、くるりと椅子を回転させる。受話器を持つ腕のひじに片手を添え、小指をぴんと立てた。

「はぁあ〜い、お客様相談室ですぅ〜」

とんでもない裏声に、涼平は椅子からころげそうになった。本間が自分で淹れ直した二杯目の紅茶を噴き出し、メモ書きをしていた神保が机につんのめる。すみやかに切られたらしい。コードを指にからめて小首をかしげた篠崎が悲しげな声を出した。

「だめだったか、俺のセクシーボイス」

「あたりまえです。あれじゃあ腹話術人形だ」

「この間は一分以上騙せたのになぁ……まぁ、いまのに懲《こ》りてくれりゃあいいんだけど」

まるで懲りてなかった。「宍戸君、昼飯を一緒に食わないか？　仕事のことについて相談したいし」本間がロレックスであることを見せびらかしながら時計を眺め、さりげなく宍戸に声をかけていた時だ。また電話が鳴った。きっとやつは充血した頭の中で、お客様相談室というのが、ヘッドホンをつけた若い女子社員がずらりと並び、ミニスカートから伸びた足を競い合ってるような場所だと妄想しているのだろう。

篠崎が再びバレリーナよろしくつま先を尖らせるより早く、涼平は手を伸ばしたが、すでに通話ランプが灯《とも》っていた。宍戸が自分の目の前の受話器をとったのだ。髪をかき上げ、硬い表情でおそるおそる受話器を耳にあてている。だが、唇から飛び出したその声は、硬い表情とはまったく別物だった。

「もしもし、お客様相談室でございます」

気づくか気づかない程度に舌足らずの弾んだ声。篠崎が小さく呟いた。「声だけでいっちまうよ」涼平は無視したが、心の中で賛同した。リンコの酒と煙草で潰した低音とは大違いだ。

「ご用件は何でしょう……は？　わたくしの名前ですか？　宍戸と申します……下の名前？　ユリです」

相手が喋りはじめたらしい。宍戸はろくでもないことに決まってる相手の質問に律儀に答えている。

「え？……シルクの黒です……ええ、普段から。シルクが好きなものですから……」

相談室の男たちが小さくどよめく。神保まで。

「……はい、そういうタイプも少々持っておりますが………白とベージュです………いえ、そういう目的ではなく、スカートによってはTバックのほうが下着のラインが見えなくなりますもので……とんでもございません、私そのような女では……」

なんだかとんでもない話になっているようだ。篠崎がすかさずスピーカーボタンを押した。本間はまったく反対しない。

――んなこと言って、好きなんだろ。あんたの声、すっごく色っぽいよ……ああ、たまんないな……。

ティッシュを引っ張り出す音がした。男たちは顔をしかめたが、宍戸は顔色ひとつ変えない。

――あ、切るなよ、切ったらまたかけるからな、ずっとかけ続けるからな。ねぇ、あんた、どんなルックス？　芸能人で言えば誰に似てる？　スリーサイズを教えてよ。あんたの恥ずかしい姿を想像するからさ。

「ではスリーサイズを申し上げます。上からまいります。バスト九十二――」

電話の向こうの男が感動のため息を漏らすのが聞こえた。隣からも聞こえた。篠崎だった。お客様相談室の男たち全員が――ロリコンの羽沢まで――息をのんで宍戸の次の言葉を待った。

「ウエスト九十二、ヒップ百とんで三。正直申し上げてウエストはもう少しあるやもしれません。去年、四人目の子供が産まれてからいっこうに戻らなくて」

うげ。電話の向こうの男がいままでと違う種類のうめき声をあげた。宍戸はすました顔で話し続ける。

「芸能人といわれましても……怪獣で言えばピグモンかしら……お若い方だとご存じないかも

しれませんわねぇ、ピグモン。あらあら、やだわ年がばれちゃう。これでもこの相談室ではいちばん若いんですのよ、ほほ」

男が黙りこんでしまった。もう息づかいも聞こえない。電話を切ろうとしているのだろう。それを制止するように、宍戸が「ふうぅん」と鼻にかかった吐息をもらす。たとえ本当のピグモンに吐かれた吐息だったとしても、背筋が甘く震えるだろう。

「ねぇ、お客さま。恥ずかしい姿なら見られますわ、いくらでも。いまおかけになってる部屋に鏡はございます?」

男が言葉にならない言葉を発した。そのとたん、宍戸の声が三十ホーンは大きくなり、一オクターブぐらい低くなった。

「そこに自分の姿を映してごらん! 恥ずかしいのは、お前だよ。クズ、カス、変態野郎! 自分の母ちゃんを想像してやりな!」

怒ったメス猫を思わせる声。最後のひと言には涼平まで震えあがった。たぶんどんな男でも、こう言われたらたちまち萎えるだろう。電話を切った宍戸は、もうさきほどまでの伏目がちの憂い顔に戻っていて、消え入りそうな声で言う。

「すみません、お恥ずかしい言葉をお聞かせして……私、自宅にこういう電話がかかってくることが多くて、慣れてるんです、撃退法」

誰に笑いかけるともなく、ふふ、と宍戸が笑う。やっぱりちょっと、このコは、怖い。

本間がこそこそと立ち上がった。昼飯には一人で行くことにしたらしい。

お客様相談室も他の部署と同じく正午から一時までが昼休みだが、涼平は電話の前を離れることができない。なにしろこの時間帯は、苦情電話のピークだ。

かけてくるのは、主婦が多い。すべてがクレームというわけではなく、「賞味期限を三日過ぎてしまったが大丈夫だろうか」「たくわん漬けは水洗いしてから食べたほうがいいのか」といった問い合わせもあれば、「キムチ鍋のつくり方を教えてくれ」だの「うちの犬に食べさせても平気か」だのというわけのわからない質問まである。

ひとりぼっちのオフィスで、デスクの上に商品カタログとじゅうぶんとはいえない資料を積み上げて、電話の前で身構えるのが涼平のここ数日の昼の過ごし方だった。一本の電話に応対している最中に別の電話が鳴ることも多い。出ることができないから無視していると三つの回線すべてが同時に鳴り出したりすることもある。今日の涼平の最初の電話の相手は、いきなりこう言い出した。「調理法がどこにも記載されていない」

「申しわけございません。調理法はちゃんと表示してあるはずなのですが………はい、確かに………印刷ミスの可能性もございます……お手数ですが、ご購入いただいた商品をお教えいただけますでしょうか。……タマちゃんワンタンLカップですね。至急お調べいたします」

最初から先方の勘違いであることは、ほぼ確信していたが、そんなことはおくびにも出さない。まず謝り、話を聞く。あくまでも相手を立てる。慇懃無礼《いんぎんぶれい》でも事務的でもなく、ほどよく愛想と元気のある声。適度なあいづち。かんじんな部分は復唱。向こうの言葉をオウム返しにすれば、相手を理解し親身に応対している印象を与えられる。調べなくてもわかることでも、いちおう間を置く。すべて篠崎に教わったことだ。

「お待たせいたしました。タマちゃんワンタンLカップの調理法は、包装ビニールに記載されておりまして、もしかしたら捨てられてしまわれたのでは？……ああ、やはり……いえいえ、とんでもございません。念のために申し上げます。まず、スープ袋と調味袋を取り出します。いえ、ワンタンはそのままで……続きまして調味袋の中身を……いや、粉のほうです……繰り返します。まずスープ袋と……」

受話器を握ったまま深々とおじぎをしてから、大きく息を吐いて受話器を置く。

「たいへんですね」

耳もとで声がした。思わずのけぞってしまった。いつの間にか篠崎の椅子に宍戸が座っていた。

「……仕事を早く覚えたくて。見学をと」

「あ、そう」

揃えたひざの上にくまのプーさんの表紙のメモ帳が載っている。至近距離から顔をのぞきこまれて、涼平は思わず視線をそらせてしまった。

「仕事って……ここがどういうところか知ってる？」

「ええ、いろいろ聞いてます。別名ゴキブリハウスだとも」

「辞めようと思わなかった？」

「いいえ」

やけにきっぱりと言う。思わず聞いてしまった。

「君はいったい何でここに送られたの？」

「さぁ」宍戸は首をかしげただけだ。それ以上は聞くなと言うふうに微笑む。

「食事に行ってもだいじょうぶだよ」

「佐倉さんはどうされるんですか」

「俺はいつもカップ麵。うちの商品を二、三個順番に食ってる。クレーム処理の基本は商品知識なんだそうだ。俺、中途入社だし、ここもまだ先週からだから」

「じゃあ、私もご一緒します」

「まずいよ」

「わかってます、入社五年目ですもの」

給湯室で自分のぶんの二つのカップ麵と、宍戸のためのワンタン麵にお湯を注いでいると、電話が鳴った。あわてて戻ると、もう宍戸が出てしまっていた。

替わろうか？　目で合図をしたが、首を振る。おもむろにスヌーピーの手帳を開き、女子高生みたいな丸文字で『メンマに金属片？　男性　30代？　怒ってる』と走り書きをした。落着いたしぐさだった。考えてみれば珠川食品の女性秘書は受付も兼務している。受付嬢の経験がある宍戸は、涼平よりよほど基本ができているのだ。神保からもらった異物混入ケースの対応メモを渡そうとしていた時、宍戸が少し声を高くした。

「……いえ、そんなことはありません」

何を言われたのだろう、頬が上気している。宍戸の表情で話がこじれてしまったのがわかった。まずい。先週までの涼平と同じミス。怒っている相手の言葉を否定してしまうのは、火事場にガソリンを撒《ま》くのと同じなのだ。涼平は手のひらを突き出して、替わろうという意思表示をしたが、宍戸はかたくなに受話器を握ったまま離さない。いまにも泣き出しそうに潤んだ瞳で宙を見つめ、吐息を漏らした。

「ふぅうん」

受話器の向こうの耳をくすぐるような声にならない声。一瞬、ピンク色の霧が見えたような気がした。近くを飛んでいたら、オスの蝿だって叩き落としただろう。

「……ごめんなさい、私……悪いことを言ってしまったみたいで……」宍戸は眉根にかすかな縦じわをつくった別の想像をしてしまいそうな顔で、形のいい唇をゆっくり動かした。「もう二度と言いません。ゆるして……ゆるしてください」

状況が一変したことはすぐに分かった。夫の暴力を耐え忍ぶ、けなげな若妻風だった宍戸の表情が、いつのまにか口説き文句をあしらう若い女特有のくすぐったさをこらえるような笑顔に変わっている。

「……いえ、そんな……悪いのはこっちですもの……商品は取り替えさせていただきます……ぜひ、お住まいとお名前を……電話番号も……は？　私のですか……ふふ、それは……ひ、み、つ……」

完全に宍戸のペースだった。「そちらにお届けに上がりましょうか」宍戸がそう言った時には、受話器の向こうで男が小躍りしている姿が目に浮かんだ。訪問謝罪の担当者である篠崎が玄関に立っているのを見たら、どんなにがっかりするだろう。

受話器を置いたとたん、宍戸がちろりと舌を出し、オヤジ臭く「ううっ」と低くため息をつく。涼平に気づいてあわてて口を押さえた。

「あれでよかったんでしょうか?」

「……どうだろう。いいんじゃないのかな」よくわからないけれど。ただひとつ言えることは、宍戸のほうが涼平よりずっと上手《うわて》だということだ。「俺なんかより、主任に——篠崎さんに教えてもらったほうがいいよ。ここの実質的なボスは、あの人だから」

そう言うと宍戸が目を丸くした。

「え? あの二万七千円の人が?」

「……二万七千円って?」

「身につけているものの推定総額です。スーツはおそらく二着で二万八千円か、一着替えズボン付きで一万九千八百円程度のもの。靴は四千円から六千円、ネクタイは二千円前後の合繊——ディスカウント店などではなく正規のルートで買ったとしてですが。シャツは二千八百円から三千四百円程度でしょうか。靴下、下着類は不明ですが、総額三千円を超えているとは思えません。ノーブランド品はくわしくないので、多少の誤差はあるでしょうが」

すらすらと言う。今度は涼平が目を丸くした。

「本間室長は、ラルフローレン中心にまとめていますね。総額は十三万から十六万の間でしょうか。装飾品や小物類を除いて。靴や靴下、めだたない部分にはお金をかけていない印象ですけれど、独身でないのなら、あの方の給与から考えると、かなり無理をされているような気がします。神保さんは五万円前後。年齢と年収を考えると平均的ですが、サイズを探すのが大変そう。羽沢くんはすべてオーダーメイドのはず。三十万円以上だと思います。趣味がいいとは思えませんが」

たぶん涼平の顔が「なんで?」と言っていたのだと思う。何も言わないうちに宍戸が答えた。

「受付に座っていると、自然とそういう観察眼が身についちゃうんです」

「……それに何の意味が?」

「いえ別に、単なるその方の値段です」宍戸がスーパーの生鮮食品を品定めする目で、見つめ返してくる。「よろしかったら、佐倉さんの総額も当ててみましょうか?」

涼平はビキニを波にさらわれた女の子みたいに、両手で体をガードしてかぶりを振った。

「いい、聞きたくない」

タマちゃんソース焼きそばを片づけて、伸びてしまったシーフードカップ麵を食べていると、爪楊枝をくわえて篠崎が戻ってきた。

「お、佐倉君、あいかわらずよく食うね。そんなものを二つも。工場からちょろまかしてきたの?」

「あんまりタマちゃんのカップ麺ばっかり食べてると、体こわすよ。何が入ってるかわかったもんじゃないからね」

まんざら冗談とは思えない口調で言い、宍戸を振り返った。

「どう、由里ちゃん、ここの居心地は？　佐倉とは二人っきりにはならないほうがいいな。この男は、ズボンをはいたケダモノ――」

篠崎が言い終わらないうちに、電話が鳴った。涼平があわててシーフード麺を呑み下そうとしていたら、またも宍戸が受話器をとった。篠崎が口笛に似た声を漏らす。

「お、佐倉、もうしこんじゃったのかい？」

「凄いですよ、彼女。まぁ、聞いててください」

しかし、受け答えする宍戸の口調は、あきらかにさっきの男の肌を撫でさするようなものとは違っていた。半オクターブほど低い生硬で事務的な声になっている。たぶん今度の相手は女なのだ。彼女にはありあまるフェロモンの噴出量を自在にコントロールする力があるらしい。

受話器を置いた宍戸が首を斜め三十度にした。

「変なお客さま。いきなりシノさんはいるかい、って言うんです。おりませんと答えたら、明日の午後一時に必ず来るように伝えてくれって。誰ですかシノさんって」

篠崎が自分の顔に指をつきつけた。「誰から？」

「それが……明石町と言えばわかるとしか」

「違いますよ」

篠崎の顔が一瞬にして強張った。

「明日?」

「ええ、シノさんは最近ちっとも顔を見せないじゃないか。明日こそ来い、と」

こめかみを指で揉みほぐしながら、篠崎が珍しく暗い声を出した。

「ああ、なんだか熱が出てきたみたいだ。風邪かな。重症ならいいんだけれど」

風呂場の排水口へ流れていく髪の毛をじっと眺めていた涼平は、ゆっくり首をかしげた。以前は気にもとめていなかったのに、最近、抜け毛の本数が気になる。いつもこんなに抜けていたっけ。思わず自分の頭に手をあて、それからシャワーで抜け毛を下水に押し流した。

風呂から上がると、電話が鳴った。電話を見るのも嫌だった先週ほどではないけれど、いまだに自宅の電話でも鳴り出すと心臓がきゅっとしぼむ。

——おう、悪いな、何度も電話もらったみたいで。どうした、元気か。

マサヤだった。ポリボックスのドラムだったマサヤは、いまや大手都銀の銀行マンだ。痩せっぽち揃いのバンド連中の中にあってドラムはなぜかデブ比率が高いものだが、学生時代のマサヤは体脂肪率十パーセント未満を誇っていた。しかし、いまや見る影もない。会うたびに体重が増えている。半年前、最後に会った時には、顎がくっきりと二重になり、ベルトの上にたっぷり肉を余らせていて、涼平と同じ二十七歳なのに髪には白髪までまじっていた。「老けてみえるほうが得なんだよ、銀行員は。人さまの金を扱う商売だろ。若造に見られると何かと不利なんだ。支店の外回りならおばちゃんたちに喜ばれることもあるけど」

マサヤは本店勤務。ひと昔前のMOF担みたいな仕事をしているらしい。「このオヤジ臭いスーツもそのための武装さ」そう言って襟をひっぱってみせたダークブルーのスーツがすっかり板についていた。大学時代、初めての面接の時に涼平がネクタイの結び方を教えてやったなんて、いまとなっては信じられない。

——昨日は最終電車だったもんで。今日も仕事。これでもいつもより早いんだ。大変だよ。みんな銀行員ばっかり得してるって言うけどさ。ここ数年、ボーナス凍結、賃金据え置き。そのくせ仕事は減らない。みんなで少ないパイを分け合ってるんだな。リストラされないようにいいところを見せなくちゃならないしな。

「土、日は休めるんだろ」

——とんでもない。ゴルフだよ。お得意さんと。官僚の接待は自粛なんて言ってたっけど、そこはそれ。ナイスショ〜、パチパチパチってやつ。うまくなったぜ俺、見せてやりたいよ。どんなに下手なやつと回ってもスコアはつかず離れず。ドライバーも向こうより飛ばさない。あ、お前はゴルフやんないんだっけ。

半月前、向こうから誘ってきたコンサートも、急な接待が入ったとやらで、結局ドタキャンしてきた。

——悪かったな、この間は。んで、何？　四回も留守電が入ってたけど。

「ああ、いや……」少し口ごもってから言った。「リンコのこと、何か知らないかと思って」

マサヤの返事には哀れみがこもっていた。いつまでも情けない奴って感じの。

——この間、お前、もういいんだって言ってたじゃん。

「まぁ、そうなんだけどさ」

——お前が知らないのに、俺が知ってるわけないだろ。

「電話とかはない？」

——ないよ。お前、本当にどこにいるのか、なんも知らないの？

「……ああ」

——あの人、紐《ひも》切れ風船みたいな人だからなぁ。前に山梨でバンド合宿した時だって、電車乗り過ごしたとかで長野の方まで行っちまって、結局来なかったじゃん。三ノ輪でライブやった時も……覚えてるだろ。

覚えてる。ライブハウスに入る途中で見つけたチンドン屋について行ってしまって開演時間になっても戻って来ず、結局三曲目まで涼平が歌うはめになった。客が半分に減ってしまった。

——なぁ、リョウヘイ、お前がちゃんと風船の紐を握ってなかったからじゃねえのか。あの人の場合、一度手を離しちまったら……。

そこでマサヤは口をつぐみ、あわてて自分の言葉を取り消すように言う。

——タカシには連絡してみたか。

「いや」

ポリボックスのベースだったタカシは商社マンだ。七十年代パンクのファッキン・イングリッシュをシャウトしていた英語力を生かして、いまはオランダ支局勤務。国際電話をかけるのには、いまだに英語の交換手を通さなければいけないと思いこんでいるリンコが連絡をするわけがない。

——あ、マキさんは？　あの人なら知ってるかもよ。

マキさんはリンコの年上の女友だちだ。マサヤの言うとおり、リンコが涼平以外の誰かに連絡をとろうとするなら、まず彼女にかけるはずだ。涼平にもそれはわかっている。実際に何度か携帯に入っている番号を呼び出そうとしたこともあった。だが、どうしても途中で手が止まってしまう。マキさんの口から語られるかもしれない、涼平の知らない事実を聞くのが怖かったのだ。「リンコはもう二度と会いたくないって言ってる」あるいは「リンコには新しい男ができたんだ」例えば、そんな言葉を。

発泡酒を二本、立て続けに空にしてから、マキさんに電話をした。留守電になっていた。このまま切ろうかどうか、しばらく迷ってから、結局、メッセージを吹きこんだ。指のつけねの受話器ダコが痛かった。

「もしもし佐倉です。ごぶさたしてます。一度、どこかで会えないでしょうか。また連絡します」

それから涼平はギターケースを下げてマンションを出た。

週の初めの中央公園には人けが少ない。ウォーター広場の先週の金曜日と同じ場所だった。

もちろん会える可能性なんかゼロに近いとわかっているのだけれど、涼平の目は公園の暗がりを彷徨《さまよ》い、ずっと「彼」を探していた。現実の人間とは思えない、あの不思議な男の姿を。

もう一度、話をしてみたかったのだ。説教じみた話は素直に聞かないのが人生のモットーみたいな涼平だったが、なぜか彼の言葉なら、衒《てら》うことも斜《しゃ》に構えることもなく、まっすぐ聞けるし、自分の言葉もアンプやアレンジャーを使ったりせず、思ったそのままを口にできる気がするのだ。

一時間たったが、ギターケースの中に百円玉がひとつと煙草の吸殻が放りこまれただけだった。七曲目はジョン・レノンの『ギブ・ピース・ア・チャンス』涼平は歌った。呪文を唱えるように。

オール・ウィ・アー・セイイング・イズ・ギブ・ピース・ア・チャンス

今日はチャンスがないようだった。小さくため息をついて涼平は百円玉を拾いあげた。のろのろとギターケースに蓋をし、ことさらゆっくり靴紐を結び直し、ジーンズの尻を払い、ようやく本当にあきらめて立ち上がった時だ。背後から足音が聞こえた。

振り向くと、彼がいた。本当に人間ではなく、神様かもしれないと涼平は思ってしまった。もしかしたら彼の姿を透かして、向こうの風景が見えるのではないかと疑って目をこらしたほどだ。

公園の木立の向こうからゆっくりとこちらへ歩いてくる。この間と同じジーンズとサンダル履き。夜風は確かに冷たくなっているけれど、九月半ばのいまの季節には少し早い厚手のコートをはおっている。冬物先取りファッションだ。ふと、音楽関係ではなく服飾関係の人かもしれないと思った。まぁ、それでもいい。別に変な期待をして待っていたわけじゃないのだから。

「いい曲だね」

ジョン——涼平が勝手につけた彼の呼び名だ——は立ち止まり、小さく拍手してから涼平の向かい側のコンクリート塀にふわりと腰を落とした。

「ありがとう」

「いまの曲は？」

ジョンが涼平を見つめ返してくる。丸眼鏡の中の柔和な目が、かすかに光った気がした。もちろん曲名を尋ねているわけじゃないだろう。なぜこの曲を歌ったのかを問いかけているのだと気づいた。

「……なんでだろう、チャンスってを歌いたかったのかな。たぶん、いまの気分なんです。チャンスが欲しいって。もう一度だけ」

「チャンス？」

「ええ、チャンス」すっかりクセになった、オウム返し法を使ってしまった。「目の前にあったはずなのに、逃がしてしまったんじゃないか、そんな気がするんです……もしまだチャンスが残っているのなら、なんとかその尻尾をつかみたいって……そんな気持ちなんです」

ジョンはおだやかに耳をかたむけてくれている。まるで聞く前からすべてわかっていると言いたげな表情だった。

「でも、もしチャンスの尻尾を見つけたとしても、それをどうしたらいいのかわからない。混乱してるんです」

まるで神父に懺悔《ざんげ》しているみたいだ。なぜ赤の他人にこんなことを馬鹿正直に話しているのか、自分でもよくわからなかった。最近、電話で心にもないことばかり口にしているからだろうか。涼平は言ってみた。

「こんなこと言うと驚かれるかもしれませんが、実はあなたのことをずっと待っていたんです」

ふだんの涼平なら、こんな気恥ずかしいセリフは絶対に口にしない。すべての現実を包み隠してしまう真夜中の公園の濃い闇と、本当にここに存在しているのか疑わしくなる目の前の幻のような男が言わせた言葉だった。ジョンがこくりとうなずく。知っていたよ、そう言っているふうに見えた。

「あなたに、何かひと言、言って欲しくて」

ジョンがすいっと立ち上がる。やはり驚かせてしまったのだろうか。そのまま帰ってしまうのかと思ったら、涼平を哲学者を思わせるまなざしで見下ろしてきて、ぼそりと言った。

「見つけたものは、拾うべきだね」

眼鏡の中のジョンの目がかすかに笑った。涼平の顔の前にひとさし指を突き出してくる。そして、もうひと言。

「拾ったものは、離さないこと」

シンプルで素敵な言葉だった。涼平はそのフレーズを何度も頭の中で復唱した。ジョンにぺこりと頭を下げる。九十度だの四十五度だのと計算する必要のない、目の前の相手への敬意が自然にそうさせるお辞儀だった。

「今日こそ、聴いてください。この間は聴かせられなかった。僕のいちばん好きな曲なんです」

ケースからギターを引っ張り出して、涼平は再び弾きはじめた。だが、イントロが終わらないうちに、背後でゆっくり去っていく足音がした。

7

地下鉄の車内で軽口を叩き続けていた篠崎は、駅を降りて地上へ出ると、とたんに無口になってしまった。目の前に広がっているのは、仕舞屋《しもたや》風の家々の向こうに巨大なタワービルがそびえ立つ、時間の遠近法を間違えたような街だ。中央区明石町。クレーム電話の常連「明石町」は、本人の住所からとった符丁だった。

「ねぇ、篠崎さん、今日は何の謝罪ですか?」

涼平が尋ねても、聞こえているのかいないのか、まるで返事がない。

「明石町っていうのは、どんな人なんです」

「どんなもこんなも。ひと口に説明できるもんじゃない。会うまでは知らんほうがいい」

涼平が逃げ出すのではないかと疑る口ぶりで言い、それっきり黙りこんでしまった。

表通りから一本脇道に逸《そ》れ、そのまた奥の路地へ入っていく。戦前から建っていると言われても驚かない民家が建ち並んだ一角だ。一軒の前で篠崎が足を止め、暗い声を出す。

「ここだ」

黒い板塀の上から定規を当てたように刈り整えられた庭木がのぞいている。瓦屋根を載せた門扉《もんぴ》に掲げられた表札には、書の展覧会で見かけるたぐいの文字で「吉野」と記されていた。表札の脇の『小唄・三味線教室』と書かれた木の看板は、もう長いこと雨ざらしになっているらしく、半分文字が消えかかっている。

木戸を抜けた先は手入れの行き届いた和風庭園で、玄関まで玉砂利を敷いた飛び石が配されている。外から見る印象より中は広い。家屋は平屋でそう大きくはないのだが、名のある民芸品と言われてもおかしくない鬼瓦ひとつをとっても、相当な金や手間をかけて建てられたことがわかる木造住宅だ。

篠崎は通い慣れているらしく、玄関の引き戸の前に立つと、迷うことなく、和風の造りには似合わない最新式のインターホンの前に立つ。玄関の軒の上から監視カメラがこちらをのぞいていることに気づいた。篠崎はしばらくボタンを押すのをためらって、トンボとりのように指をくるくるさせてから、悲愴な決意を秘めた——たとえば核ミサイルの発射ボタンを前にした大統領もかくやといった——面持ちでボタンに触れた。

チャイムの音を合図にしたように、三味線の音が始まり、続いて歌が聞こえてきた。

〜逢うて嬉しき笑いの種がぁぁ〜ん

都々逸《どどいつ》って言うんだっけ。歌とも喘《あえ》ぎともつかない、ねっとりと火照《ほて》った手で肌をさすられるような女の声だ。屋敷の中で絞り出されているその歌声に、篠崎は調律師さながらの熱心さで耳をかたむけた。

「ふむ。今日の機嫌はさほど悪くないとみた」

歌声がいったん止まって三味線がワンストロークし、邸内の空気をでろんと震わせた。長いため息に似た声が残響の後を追う。

～朝は涙の種となるぅぅうう
「……やっぱり、だめだ」

振り向いた篠崎の顔に、いつものふてぶてしさはなかった。訪問謝罪の裏ワザ「沈痛な表情づくり」をしているわけでもなさそうだ。沈痛というより引きつった無表情で、目が落ち着きなく宙を泳いでいる。

インターホンから女の声で返答があった。歌声よりもいくぶん低い声だ。

「開いてるよ、入っておいで」

室内はひなびた温泉旅館を思わせる静謐《せいひつ》と辛気臭さをただよわせていた。歌声に誘いこまれるように篠崎が歩き、その後ろに涼平も従う。中庭に面した廊下に足を踏み出したとたん、歌声が大きくなった。

～来ぬか来ぬかと恋しさ募り　恋しきお方ぁぁぁん憎くなぁるん
それまでも軽快とはいえなかった篠崎の足取りがますます重くなる。

閉ざされた障子の前へ篠崎が正座した。都々逸は続いている。篠崎は膝の上の拳を握りしめたまま、ふすまの中に声をかけた。

「珠川食品、篠崎でございます」

～三千世界のからすを殺しぃぃぃ　ぬしとぉ朝寝がぁぁん～

「遅くなって申しわけありません、吉野様」

ペン。三味線が短くフィンガーピッキングし、篠崎が首を縮めた。

「遅いなんてものじゃないねぇ。お燗が冷やになっちまったよ」

「申しわけございません」

篠崎が正座したままふすまを開ける。部屋は薄暗かった。

十畳の和室の中ほどで和服姿の女が時代劇の小道具じみたちゃぶ台に頬づえをついている。年齢はよくわからない。中年過ぎの大年増だが、婆さんと呼ぶのはちょっと気がひけた。本人が女を降りていないのが一目瞭然だからだ。しもぶくれの顔にはたっぷりおしろいがはたかれていて、唇も紅い。間接照明がアンダーライトのように女の顔を白く浮かび上がらせていた。

涼平は障子を開け放って後に続く。振り返った篠崎があわてて障子を閉めた。部屋を明るくしてはいけないらしい。篠崎が畳に頭をこすりつけ、涼平もそれにならった。

明石町はくわえていたロングサイズの煙草をキセルのように弄《もてあそ》び、唇の端から薄荷《はっか》の匂いの煙を吐き出した。畳にはいましがた爪弾いていた三味線が置かれ、ちゃぶ台には小さな徳利が二つ。ひとつはすでに横倒しになっている。まるで芝居のワンシーンを見ているようだった。空の徳利まで艶《つや》っぽくころがる演技をしているかに見える。

篠崎がやりすぎじゃないかと思えるほど長い時間平伏し続けてから、ようやく顔を上げる。隣で猿まねをしていた涼平も顔を上げて、ほっと息をついた。

部屋は二間続きだが、牡丹《ぼたん》が描かれた右手のふすまはぴたりと閉じられていた。ふすまも床の間の掛け軸も、その前に置かれた壺も、かなりの年代物に見える。時計の針が数十年前に止まってしまったような部屋の奥、紫色の桔梗《ききょう》が活けられた床の間脇の一角だけが異彩を放っていた。本来なら違い棚に骨董品が並んでいるだろう空間に文机が置かれている。文机の上にはコードレス電話とファックス。その先の壁にはなぜか日本地図が貼ってあった。小学校の教室に貼るような大判で、びっしりとピンが刺さっている。よく見るとピンは万年青《おもと》の実ほどの飾りがついた小さな簪《かんざし》だ。

篠崎が進呈品「松」を差し出す。

「つまらないものですが」

箱に一瞥をくれただけで明石町が言う。

「本当につまらないねぇ。どうせまた珠川の漬物やらお惣菜やらの詰め合わせだろ。たまには有明屋の松茸しぐれぐらい持っておいでな」

「は、申しわけありません。しかし、有明屋はいちおう同業他社でございますので」

「珠川も支那そばなんかやめて、ああいうのをおつくりよ」

「ははっ、申し伝えます」

誰に申し伝えるというのだろう。篠崎がまた畳に頭がすりつくほど頭を下げたから、涼平も下げた。おおかた下を向いたままあかんべをしているのだろうと思って、横目で顔を盗み見たのだが、篠崎はこめかみから汗を滴らせていた。いままでとはあきらかに違う。小細工なし。本気で頭を下げているのだ。

「おや、新しい子かい」

明石町がいま気づいたという口調で涼平を見返してくる。ふんだんに塗ったマスカラの下で黒目がちの瞳が妖《あや》しく輝いていた。篠崎に紹介されて涼平は頭を下げる。女の視線が自分の頭のてっぺんから、拳を置いた膝頭にまで注がれている気がする。まるでスーパーの食品コーナーに並べられた気分だった。

「ま、こっちへおいで」

女が三味線を引き寄せて自分の前に場所をつくると、篠崎はますます汗をかき、警戒しながら正座のまま前進した。

「して、吉野さま、本日のご用向きは？」

ぺん。部屋の隅に立てかけようとした三味線が明石町の手の中で鋭い音を立てた。篠崎がびくんと体を震わせる。

「あんたのとこ、政《まさ》さんがいないとやっぱりだめだねぇ」

「はっ、だめと申しますと」

「梅干しだよ」

「……梅干し？」

「お台所にお盆が置いてある。とっておいで」

「……お台所にお盆」

言葉をオウム返しにしながら篠崎が腰を浮かすと、明石町がぴしりと言った。

「あんたはここにおいでなよ。若い子にとって来させればいいだろう」

「……佐倉君、お台所」

篠崎に教えられたとおり、部屋を出て廊下を右に折れる。黒光りした板張りの廊下は顔が映るほど丹念に磨かれていた。両側には金糸を織りこんだ襖《ふすま》。欄間には凝った細工がほどこしてある。まるでお寺のような造りだ。一人で住むには広すぎるだろうし、金もたっぷり持っていそうに見えるが、屋敷の中には家族も使用人らしい人間の姿もなかった。

ぐるりと廊下を巡った奥に、昔風のダイニングキッチンがあった。ここもひとり暮らしには贅沢すぎる広さだ。食器棚には高価そうな器がびっしり詰まっている。中央にはアンティークなのか手に入れた当時は新品だったのかさだかでない年代物のテーブルが置かれていた。テーブルの中央の漆の盆には、クロスと同じ柄のキッチンタオルがかぶせてある。のぞいて見ると、封の開いた珠川食品の『紀州梅しそ漬け』のパックと小鉢がひとつ。わざわざ取りにこさせるまでもなく、万端整えて用意してあった感じだ。

盆を手に涼平が戻ると、篠崎が出たときと同じ姿勢のまま身を硬くしていた。明石町が涼平に流し目を寄こし、それからちゃぶ台の上を見つめた。そこに置けということだろう。三味線のバチで盆をさして篠崎に尋ねた。

「なんだいこれは?」

「弊社の『紀州梅しそ漬け』でございますが」

「紀州?」妙なことを言うという具合に明石町が首をかしげた。「この梅は紀州のものじゃないね。中国産だろ？」

篠崎が官僚の国会答弁並みの慎重さで答えている。

「……私の伝え聞いております範囲では……確かに原料の産地は国内ではなく、中国に求めたと認識しておりますが……」

「だろうね。最近の梅干しはどれもこれも紀州、紀州って、本当なら和歌山中が梅林だらけになっちまう。中国産なのになぜ紀州の名前を出すんだい」

「それはそのぉ、和歌山の提携業者が加工しておりますので……それでまぁ、紀州と。現在のところ法的には問題にならないとの判断ではないかと……」

凉平も研修で聞かされた覚えがある。この春に生鮮食品の品質表示法がかわり、次は加工食品の番だということを。いまのところ加工食品に原産地表示の義務はない。法律が変わるから、おおかた駆けこみで在庫処分のつもりで値引きして卸しているんだろ？」

「最近、おたくの梅干し、たくさん出まわってるじゃないか。法律が変わるから、おおかた駆けこみで在庫処分のつもりで値引きして卸しているんだろ？」

「はぁ、たぶん……」

「いい加減だねぇ。人の口に入るものをさ」

「……しかし吉野様」篠崎が汗を拭きながら呻《うめ》き声を出した。

「しかし、なんだい」

「……よそも同じようなものでございまして」

「しかしもかかしもないよ。そんなことを真似する必要がどこにあるんだい」

箸で小鉢を叩く。篠崎の背筋がぴしりと伸びた。

「ほんとうの紀州の梅干しを食べさせてあげるよ」

明石町が片袖を押さえながら小鉢の蓋を開けた。中にはぎっしりと大粒の梅干しが詰まっている。そのひと粒を白いふっくらした指でつまみあげ、二人にかざしてみせた。固唾《かたず》を呑んで見つめている篠崎と涼平を前にしても、急《せ》く様子は微塵《みじん》も見せない。時間をたっぷり持て余した人間のみに許されるたぐいの、ゆったりした動作だった。

「和歌山から送ってもらった青梅であたしがこしらえたんだ。きれいな赤だろ。着色料なんかじゃない。赤じその色だよ。妙なクスリなんぞ使わなくたって、これだけ染まるんだ。うちはね、梅干しも佃煮もお漬物もたいがい手作りさ。まぁ、食べてごらんな」

「失礼いたします」

篠崎がうやうやしく差し出した手へ、明石町はぽとりと梅干しを落とす。

「ほほう」篠崎が宝石を鑑定する手つきで梅干しを顔の前に差し上げて、しげしげと眺める。

「これはこれは、なんとも美しいもので」

確かにきれいな色だった。肉色をした市販の高級品より濃い色合いだが、毒々しいほどの赤でもない。艶やかなルビー色だ。

「大げさだね、たかが梅干しだよ、早くお食べ」

ワインのテイスティングよろしく口の中でゆるゆると梅干しを転がしていた篠崎が、いきなり唇を肛門みたいにすぼめた。中から出っぱったように唇の下に梅干しのタネをつくっている。

涼平もひとつを手にとり、口に含む。

頬がせつなく震えた。酸っぱい、そしてしょっぱい。しかしうまかった。酸っぱさの中にほのかな甘味がある。柑橘系《かんきつけい》の花の匂いに似た芳香が鼻孔をくすぐる。コンビニ弁当のカリカリ小梅を食べ慣れた涼平には、新鮮な味だった。この梅干しひとつで、どんぶり飯一杯は食えるだろう。

「その梅干しはね、昔のあんたの会社の味だよ。政さんは玉川漬物を始めたばかりの時には、たくわん樽の運び方しか知らなかったから、あたしがいろいろ相談に乗ったんだ。梅干しだけじゃなくて漬物のことでもね。なにしろあたしは、故郷《くに》を出るとき母親からもたされて、震災の時にも守り通した糠床《ぬかどこ》を持っているからね。よく覚えておき、それが紀州の梅干しというものだよ。あんたんとこの梅の調味料漬けじゃなくてね」

「申し伝えておきます」

篠崎がまたまたひきがえるみたいに這《は》いつくばった。明石町はほんの少しだけ唇を緩ませて、子どもに菓子をすすめるように言う。

「もっとお食べ」

涼平と篠崎は黙々と梅干しを食い続けた。小皿に十個の梅干しのタネが並んだ頃、明石町がぽつりと呟く。

「時に、政さんはまだ帰ってこないのかい」

「はぁ」六個目の梅干しを口に含んだまま篠崎が答える。

「いったいぜんたいどこへ消えちまったんだろうね。まぁ、節子のとこには連絡なんかいかないだろうから、あんたらが居場所を知らなくても無理はないけどねぇ」

政さんって誰のことだ？

「清《せい》ちゃんも知らないのかい？」

「ええ、溝口専務もご存じないはずです」

政さんというのが誰なのか、ようやくわかった。玉川政次。先代社長のことだ。節子はその長女。現社長夫人。いったいこの女は何者なんだ？

「昔からそうなんだよ、あの人は丁稚奉公の頃から横紙破りでね。何をやらかすかてんでわからなかった」

明石町が小さな管楽器の音色を思わせる吐息をつく。部屋の隅のコードレス電話が鳴った。明石町はあわてる様子もなくのんびりと手を伸ばす。ほどなくファックスも鳴り、グラフや数字の並んだ書類が吐き出されてきた。

明石町はふた言、三言、電話の相手に何か言い、涼平たちから隠れるように眼鏡をかけて、送られた書類を眺めはじめた。売りだね。十万株ぐらいでいいよ。そう言っているのが聞こえた。

明石町がコードレスを置くのを見はからって篠崎が声をあげた。

「お取りこみ中のようですので、そろそろ」

「別に取りこんじゃいないよ。暇で困っていたんだ。いま来たばかりじゃないか。今日こそゆっくりしていけるんだろ」

明石町が小さなとっくりをつまんで盃に酒を注ぐ。立てた小指が完璧なラインを描いている。くいっと飲み干しながら、篠崎か涼平かどちらを見ているのかわからない流し目を寄こしてきた。

「あ、いえ、これからもう一軒、行かねばならない所がございまして」

「もう一軒？　あたしのとこはそのついでかい」

「めっそうもございません」

篠崎がぶるぶると首を振る。

「緊急のトラブルでして。弊社恒例の異物混入がまた発生いたしましたもので。冷凍枝豆に虫が、な」

最後の「な」は涼平に向けての言葉だ。そんなのあったっけ。涼平がぼんやりしていると、もう一度篠崎が言った。

「な」

すがりつくような目だった。涼平はあわてて答える。

「は、はい」

「枝豆に虫なんて当たり前じゃないか。私に言わせりゃ、虫もつかない食べ物のほうが恐ろしい。その子に行ってもらえばいいじゃないか」

「いえ、こいつはまだ新米でして。一人ではとてもとても」

「つれないねぇ」

明石町が三味線を手にとった。

〜つれないぬしの　ころもを裂いて　背中に爪を　たてましょかぁぁ〜

篠崎が柏手《かしわで》を打つようにぎこちなく拍手をする。

「この間の子はどうしたね」

「……山内でございますか」

「名前は知らないよ、柴犬がくしゃみしたような情けない顔の子だよ。あれはだめだね。色気も性根もない。不細工な男はここに寄こさないでおくれ」

そういって涼平の顔に目をすえる。ぞくりと背骨が震えた。恐怖と煽情の中間ぐらいの震えだった。目をそらしたものかどうか涼平は迷ってしまった。

「そうだ、この子を置いていけばいいじゃないか」

涼平は目を丸くして篠崎を見た。篠崎は黒目を上にあげて眉根を寄せている。迷っている表情だった。今度は涼平が視線で篠崎にとりすがった。

「いえいえ、そうもまいりません」

「ほんと、つれないねぇ」明石町は梅干しを口に放りこむと、すねたように頬をふくらませた。ぽってりした顎を違うことを想像してしまいそうな微妙さで動かしたかと思うと、口づけを迫るふうに紅い唇を尖らせて、種を吐き出す。「帰っていいよ」

こっそり溜めこんでいた息を吐き出したのだろう。篠崎の肩が大きく上下した。

二人が部屋を出たとたんに再開した三味線の音は、玄関を出た後も続いていた。飛び石を歩き、屋根付きの木戸を閉めたとたん、篠崎がまた息を吐き出す。今度ははばかることのない、深海から生還した潜水夫さながらの大きなため息だ。

「はああああああ」

息と声を吐きつくしてから、びくりと背中を震わせ、聞こえるはずもない背後を振り返る。

「篠崎さん、あの人は、いったい」

答えるかわりに篠崎が煙草を口につっこんで、今度はけむりとため息を同時に吐き出した。

「ふわあああああ」

「珠川食品とかかわりのある人です？　先代社長の知り合いなんですか」

「知り合いも知り合い、先代のお妾さんだ。かかわりあるなんてもんじゃない。先代に知恵も金も貸して、うちを大きくしたのは、あの婆さんだよ。先代の行方がわからなくなってからは、会社とは関係を断ってる。でも完全に切れたわけじゃない。なんせ、うちの筆頭株主だからな」

涼平の顔の前に指を二本突き立てた。

「二十パーセント。うちの株の五分の一はあの人のもんだ。二部上場する時に、手切れ金がわりに先代がしこたま渡したらしい」

明石町は元赤坂芸者であるそうだ。手切れ金を渡したものの、二人の関係は先代が失踪する直前まで続いていたという。会社の上層部はみな煙たがっているが無視のできない存在で、明石町の相手をするのも古くからのお客様相談室の仕事のひとつなのだそうだ。

「あの婆さんの機嫌をそこねてみ、首が飛ぶ。本間はいまだにそれを知らない。お客様相談室のトップシークレットだからな。知ったら泡をふいて倒れるだろうよ」

「やっぱり篠崎さんでも、クビは怖いんですか？」

「いや、クビより怖いのはあの婆さん自身だ」

「確かに気難しそうだったけれど……」冷や汗を流すほど緊張する相手とも思えない。篠崎の恐れおののき方は尋常じゃなかった。

　篠崎が真顔で呟いた。「なんせ、俺を狙ってる」

「狙ってる？」

「ああ、一人の男として。魅力的な一男性として」

「まさか」篠崎を？　涼平は肩をすくめて見せたが、いつもの軽口ではないようだ。篠崎は大真面目な顔で口を尖らせる。

「本当なんだって。一人だったらどうなっていたことか。だからお前を連れてきたんだ。隣の部屋のふすまが閉まってただろう。あそこはいつも閉まってるんだ。開けたらきっと枕を二つ並べた床が――」

　何事かを想像したらしい。篠崎がぶるりと頭を振った。

「誘いに乗ってしまいそうな自分が怖い。お前も気をつけろ。以前に山内を連れてった時は、目もくれんかったけど、お前のことは気に入ったみたいだ。置いてけって言ってたからな。もしお前をあそこに残して俺が行っちまったら、いま頃——」

「いやぁ、僕なんか相手にしないでしょ。いくらなんだって年が違い——」そう言いかけて涼平もぶるりと首を振った。年が違っていても、そういうシーンが頭に浮かんでしまうタイプの女だった。「若作りしてるけど、案外年はいってますよね。うちの母親ぐらいかな?」

篠崎が表情の抜けた顔で涼平をのぞきこんでくる。

「うちの先代がいくつだか知ってるよな」

「はぁ、だいたい」八十いくつかだろう。生きていればだけれど。

「ようく考えてみ。うちが前身の玉川漬物の時代から数えると、今年で創立何年になるか……」

何年だっけ? 社史に書いてあったが忘れた。篠崎が目をガラス玉にして言った。

「玉川漬物の創業は、先代が二十歳そこそこの時、昭和十四年だよ。その前の丁稚奉公の頃から明石町が芸者をやってるってことは? しかもだ、震災からも守り通したどうしたって話をしてただろ。あれは阪神淡路のことじゃないぞ。関東大震災だ」

うろ覚えの歴史年表を頭の隅からひっぱり出して計算してみた。途中で怖くなってやめた。

「ということは……あの人の年齢は……」

「先代にとっても年上のヒトだったんだよ。考えるだに恐ろしい。魔物だ。背中に甲羅《こうら》が生えていても、尻に九本の尻尾が生えていてもおかしくない」

篠崎が首振り人形のようにゆっくりかぶりを振る。涼平も首をぶるりと振って頭の中の計算式を消し去った。計算しないほうがよさそうだった。

篠崎が数軒先の蕎麦屋ののれんを顎でさした。

「精進落とししていこか？　いや、悪魔払いか」

「飯食ったばかりじゃないですか」

「一杯ひっかけてこ」

新米ゴキブリ社員、涼平は大きくうなずく。明石町の色気とも毒気ともつかない桃色のオーラが体に張りついてしまったのだろうか、確かに頭がぼんやりして全身が気《け》だるかった。たぶん今頃は宍戸一人に任せるなと本間にどやされて、羽沢が目を三角にしているだろう。午後からの修羅場を思うと、酒でも飲まなきゃやってはいられない。

8

待ち合わせの場所に着いたのは涼平のほうが先だった。新大久保駅近くの喫茶店。リンコの友だちだから、たぶん時間にはルーズだろうと思っていたら、やっぱりだ。約束の六時を十五分過ぎても相手は現れない。熱燗みたいにちびちび飲んでいたのに、コーヒーカップはすぐに空になってしまった。

煙草が吸えたら、と思うのはこういう時だ。リンコなんかまれに——五回に一回ぐらい——涼平との待ち合わせ場所へ自分が先に着くと、いつも灰皿に吸がらをてんこ盛りにする。いま考えると、あれは遅刻への無言の抗議のためにわざと立て続けに吸ってたんじゃないかと思う。

コーヒーのおかわりを頼もうかと思いはじめた頃、ようやく入り口にマキさんの姿が現れた。リンコが行きつけの飲み屋で知り合った数少ない女友だち。涼平が紹介されたのもその店。ここから遠くない場所にある居酒屋ゲンゴロウだ。そもそもゲンゴロウ以外でマキさんと会うのは初めてだった。仕事は何をしているんだっけ。税務署だか職安だか、そういう堅めの仕事だったと思う。でも見た目は公務員というよりデパートのブランドショップのベテラン店員という感じだ。

「ごめんごめん」黒のパンツスーツ姿。ショートカット。ふた昔前の『アンアン』から抜け出てきたようなファッションのマキさんが両手を顔の前で合わせた。「お、待、た、せ」

マキは苗字だ。下の名前は確かヨシエ。ヤスエだったかもしれない。リンコよりさらに年上。リンコは六十年代に憧れて生きている女だけれど、マキさんは本当に六十年代から生きている女性だ。涼平が急に呼び出した理由は何も話していない。どうやって切り出そうかと思っていたのだけれど、向こうは何の用かすっかりわかっている様子で、お日柄の挨拶もなしにいきなり本題に入った。さすが年の功。

「どうしたい？　あたしとデートしようってわけじゃないよね。リンコのこと？」

「ええ」

いきなりだったからこっちが戸惑ってしまった。ビールをオーダーしたマキさんは、大ジョッキがないのと、グラス一杯が六百円もすることに不満そうな声を出す。

「ゲンゴロウで落ち合えばよかったのに」

「会社に戻らなくちゃならないもので」

初めて一人で訪問謝罪に行った帰りだった。宍戸が来てからは涼平もデスクを離れることができるようになった。篠崎は群馬のスーパーへ日帰り出張中。客が商品を買った店へクレームをつけてしまった場合、取引先にも謝らなくてはならなくて、かなり大変らしいのだが、篠崎は前の日から浮かれていた。「ラッキーだよ。桐生の開催日じゃないか」競艇場のある場所への出張は大歓迎だそうだ。

「で、リンコのことの何?」

涼平はグラスの水で喉のつかえを下に落とす。

「いまどこにいるのか知りたいと思って……マキさんならご存じかと」

「いまどこにいるのか知りたい」涼平の言葉をそのまま復唱する。「だってもう半年前に別れたんでしょ」

「別れたというか、ちょっとしたすれ違いが続いているというか……」

「出ていったんだよね、リンコは。それが半年前。以後、音沙汰なしと」

以上、間違いありませんね――区役所の窓口でそう言われている気分だった。延滞届けは出されてますか? マキさんは印鑑のかわりに煙草を取り出して、顔の横へメンソールの煙を吐き出した。

「それがどういう意味かわかってるよね。世間では普通そういうのを、別れた、って言うんだよ」

「……はぁ」

「出ていってすぐだったらまだ可能性はあったかもしれない。でも、半年もほったらかしにして、いま頃、また会いたいなんて言ったってねぇ」

「でも会いたいんです」

マキさんが珍しい動物を見る目で涼平の顔をのぞきこんできた。

「あんた、馬鹿?」

「おそらく」

「ねちっこい性格だね」

「否定はしませんけど」

「ストーカーになりやすいタイプかもね」

「それは違うと思う」

三口しか吸っていない煙草を灰皿に押しつけてマキさんが言った。

「先に言っておく。リンコの行き先はあたしも知らないんだ。行き先なんてないのかもしれない。何回か電話はもらったけれど、いつもかけてくる場所が違うんだ。最初は京都にいるって言ってた。一番最後は広島。時々、昔の自分を知ってるちっちゃなライブハウスで歌わせてもらってるって言ってたよ。でもそれも三カ月前だよ。あんたはよく知ってるだろうけど、あの子は電話嫌いだからね。もちろん携帯なんか持ってやしないし。かといって手紙を寄こすような筆まめでもない。どっちにしろあたしにも連絡を寄こさないってことは、誰にも居場所を教えてないね。隠れたがっているのかもしれない」

「……そうですか」

「やめてよ、そういう捨て犬みたいな目をするの。あたし犬は苦手なんだから。ねえ、あんたたち、いったい何があったか言ってごらん。喧嘩の原因は何？　リンコから聞いてないんだ。ちゃんと話を聞けば、どこへ行ったのか一緒に考えるぐらいのことはしてあげられるかもしれない」

「わからないんです。本当に。いつもの喧嘩と変わらなかったと思う」

「よーく考えてみな。あんたにとってはつまらないことでも、リンコにとっては大切なことがあったのかもしれない。リンコと最後に何を話した？　大事な約束をあんたが忘れてるってことは？　あの子が消える前に二人の間に変化はなかった？」

尋問されているみたいだ。勤め先は税務署じゃなくて、もしかして警察署だったっけ。

「変化といえば……会社を辞めました」

「リンコに食わしてもらってた？　甲斐性なしのヒモ生活かぁ。それで愛想をつかされたってわけか」

「いえ、そういうわけでは……ちゃんと生活費はワリカンで出してたし。第一、いまは再就職してます」かろうじてだけれど。

「男が会社をリストラされただけで、別れるカップルっているんだよね。あたしの職場にも結婚相手が勝手に一流企業を脱サラしたからって婚約破棄しちゃったコがいるよ。男より男の肩書が好きだったんだね。まぁ、リンコに限ってそれはないだろうけど。あんたの前の会社はどこだったっけ。どうせ、ろくな会社じゃないんだろ」

「ええ、まぁ」

「前の晩は？　リンコが出てっちゃった前の日、何かなかったか思い出してみ」

「確かに喧嘩はしましたけど、喧嘩はしょっちゅうしていたし……」あの晩のことは、思い出すまでもない、再現フィルムみたいによく覚えている。「……最初はピザのことで揉めたんだっけ」

「ピザ？」

「ええ、夕飯《ゆうめし》づくりは交替制だったんですけれど、その日は面倒だから、ピザでもとろうかと」

「ははぁん、読めたよ」マキさんが年寄り猫みたいに目を細めて涼平を見つめ返してくる。

「男はみんなそうだ。家事は交替制だなんて言ってるのは最初のうちだけ。いつの間にか女がやるのが当然みたいな顔をしはじめる。リンコにばっかり家事を押しつけていたんだろ。それでリンコの不満が爆発した」

涼平はあわてて首を振った。

「とんでもない。あの晩はリンコの番だったんですよ。二人とも家事は苦手だけど俺のほうがまだいくらかましで、二回に一回はちゃんとつくりますけど、リンコはぜんぜん。そもそも夕飯は家で食べるって約束しても、帰ってこなかったりするし。たまにやけにはりきってつくっても、めちゃめちゃまずいし。じゃあピザでも取ろうかって言ったら、おおっ、ラッキー、なんて言ってはしゃいでたぐらいで」

マキさんはばつが悪そうに枝毛をつまんだ。

「ごめんよ。夕飯《ゆうはん》に帰らないのはたぶん、あたしの責任でもあるね。飲みに誘ってるから。でも、あたしにはちゃんと夕飯の支度をしてから出てきたとか殊勝なことを言ってたけどねぇ」

「夕飯の支度ってのは、カップ麺と箸のことです」

「あ、そう。じゃあ、なにを採めたの」

「アスパラ入りにするかポテト入りにするかで」

「はぁ?」

「リンコはポテトが好きでアスパラが嫌い、僕はその逆なもんですから、何を頼むかで……」

「馬鹿だね。ハーフ&ハーフとかって言うのがあるじゃないか。ほら、半分ずつ別々の具を載せてくれるやつ」

「……それは知らなかったな。俺たちあんまりピザはとらないもので。結局、じゃんけんで俺が勝ったもんだからリンコがむくれちまって、人のピザの上にアスパラを放りこんできて――」

「……次元が低すぎやしないか」

「すいません」

「いくらリンコとあんたが馬鹿でも、ピザの具が原因で別れるってことはないよね」

「ない……はずです」

「で、その後は?」

「ギターのことで、ちょっと言い争いになっちまって……俺、ギターを買って、けっこう高いやつだったんで、その値段のことや、頭金が足りなくてリサイクルショップにあれこれモノを売ったことなんかで」

マキさんがぱちりと指を鳴らした。

「そこ、臭いね。あんた、一緒にリンコが大切にしているものも売っぱらっちまったんじゃないのかい。親の形見かなにか。可哀相に、哀れリンコはよよと泣き——」

マキさんが芝居がかった口調で言う。若い頃、女優——性格派の——をめざしていたマキさんは、天井桟敷のオーディションを落ちて新国劇の研修生になった経験があるそうだ。

「それだけは勘弁しておくれよ、おまいさん。えーい離せ離せ——」

「もしもし」

凉平が問いかけると、マキさんが妄想から戻ってきて舌を出した。

「だけど、売ったのは俺のものだけですよ。リンコのものに手をつけるなんて、そんな恐ろしいこと、とても」

「そうだろな。じゃあ、はい、次」

役人風の口ぶりに戻って続きを促してくる。

「いや、それだけです。あとはリンコがふてくされて黙りこんじまって。俺ももう何も話しかけずに寝ちまった。それで朝になったらもう……」

「ふーむ」ビールをすすりながらマキさんが顔をしかめた。「他に思い当たる節は？」

凉平は映りの悪い中古テレビにそうするように、こつこつと頭を叩いてみる。

「……そういえばパソコンを買った時もしばらく不機嫌だったな」

「買い物ばっかりしてるね。あんたの浪費癖が原因じゃないだろうね」

「いえ、たまたまです。ここ何年かのでかい買い物はその二つくらい。普段はあんまり金は遣わないほうなんですけど……去年の暮れにパソコンを買って、俺、最初の頃ははまっちゃって。リンコにはそれがずいぶん不満だったみたいなんです」

「まぁ、六十年代にはなかったしろものだからね」

「よく喧嘩してました。画面ばっかり見てないで、私を見ろって」

「倦怠期だったのか」

「そんなことないと思うけど……でも、そのパソコンも人に売ってしまいました。確かにリンコの言うとおりだ。あるから使いたくなる。なければないで何の問題もない」

「他には」

「思い当たらないな」

「あんた、リンコとよりを戻して──もし戻せればだけれど、それからどうするつもり」

マキさんがグラス越しに見つめてくる。答えはひとつだ。漢字二文字。でもそれを言えばマキさんは笑うだろう。「あんた、リンコみたいな女とつきあってて、そういう月並みなことしか考えてないのかい」とか「リンコは一人の男に縛られる女じゃないんだよ」とか、そんなセリフが聞こえてくる気がした。なにより怖いのは、こう断言されることだ。

「リンコはあんたとは、そんなこと考えてもいないって言ってたよ」

だから、「……どうするって、昔みたいに一緒に暮らせたらって」とだけ言った。

「いつまで」

「いつまでも」

「馬鹿だね、やっぱり」マキさんは唇の端っこから器用に煙草のけむりを糸にして吐き出す。

「リンコはきっとこのままじゃいけないって思ったんだね」

「というと……自分がいると、俺がいつまでもふらふらしちまうって思って」

「馬ぁぁ鹿もん。そんな都合のいい女がこの世にいるか。あんた、ほんとに本気でそう思ってる？　君といつまでも、フォーエバー・ラブ、なんて曖昧《あいまい》なことを言うやつにかぎって、そのいつまでもが一カ月とか二カ月だったりするんだよね」

「そんなことはない。リンコとずっと一緒にいたいって気持ちは本当なんです」

「じゃあ、その気持ちの証《あかし》が欲しかったんだろうね。わかるだろ？　アカシだよ」

どういうことだ？　涼平はまたひたいを拳で叩いてみた。マキさんが頬づえをついて顔をのぞきこんでくる。

「結婚」

げっぷかと思ったほどさりげなくマキさんが言った。

「結婚とか考えたことないのかい、あんた」

なんでマキさんに先に言われてしまうんだ？　しかもなじるような口調で。

「いや、その、もちろん……」

「同棲していた女はただの青春の思い出にして、若い女を嫁にもらおうって魂胆かい。リンコを捨てて、もっと若くて肌がぴちぴちで素直で料理が上手で酒も煙草もとんでもありませんってな女を選ぶんだね。哀れリンコは、式場の柱の陰でハンカチを口にくわえ――」

傷心のリンコがトランクを引きずって北の海の見える停車場に辿《たど》りついたところで、マキさんの夢想がようやく終わる。辛抱強く待っていた涼平は言った。

「でも……まさか、リンコにかぎって。そんなこと言ったら、ぶっとばされちまう。マキさんも知ってるでしょ。あいつはそんなタイプじゃないから」

「タイプもへったくれもないよ。ああいう女は結婚しない。ああいう女は結婚が嫌い。そんなの時代遅れの幻想だよ。差別だ。男の場合を考えてごらんよ。いつまでもふらふらしてる実生活向きじゃない男だって結婚はするし、そのことを誰もおかしいとは思わないだろ。あたしみたいに一度失敗してる人間には結婚なんてつまらないものにしか思えないけどさ、リンコがしてみたいと思ったたって不思議じゃない」

「まさか」

「まさかじゃないんだよ」

きっと涼平の目は点になっていただろう。

「リンコは親父さんが小さい時に亡くなってるだろ。おふくろさんももういないし。普通の家庭ってのが、実は大好きなんだよ」

父親はアルバムの中の写真でしか知らず、十六で母親も失ったリンコは、山梨の親戚の家で二年間を過ごしたあと、東京へ出てきた。その親戚の家は住所も連絡先も不明だ。涼平の知るかぎり、リンコが電話をしたことは一度もないはずで、向こうから電話がかかってきたこともない。どちらにしてもそこへ戻っていることはないと思う。リンコは山梨時代の二年間のことはほとんど話さないから。

「本人は言わないけど、あたしにはわかる。カップ麺と箸だとは知らなかったけれど、あんたにご飯の支度をしてきたってあのコが言う時は、いつもなんだか嬉しそうだったもの。別に結婚願望って言ったって、あんたにメシ食わしてもらおうとかそういう願望じゃないよ。だから、他の何かかもしれないって言ったじゃないか。ずっとそばにいてくれるって意思表示が欲しかったんだよ。あんた、リンコにそういう話はしてなかったの？」

「怖くて」

「怖い？」

「もちろん、この先もずっと一緒に暮らしたいって思ってた。でも、それを結婚話なんかにしちゃうと、リンコが離れていっちまうような気がして……しかも、昔、それとなく言ったことがあるんです」

「なんて？」

二年前。東南アジアへ旅行した年だったと思う。

「えーと、テレビをつけっぱなしにして二人で夕飯を食ってた時……有名人のお宅訪問とかそういう番組をやってて……リンコ、ああいうの好きでしょ。番組が新婚のタレントの新居訪問とかいうコーナーになった時、成金趣味の家に二人でダッセェーとか言ってたんですよ。で、俺、いい機会みたいな気がして、俺は結婚したら、もっとシンプルな家に住むよ、って言ったんです、リンコに。冬でもサーフィンができる暖かい海の近くの一軒家がいいなって。もちろん相手はリンコのつもりで話したんだけど……」

「だけど？」

「リンコは、俺と目を合わせてくれないんです。で、あんたと誰かの新居は、私がインテリアコーディネイトしてあげるよ、って言いはじめたんです。話題をそらすみたいに急にあたふたして間取り図まで描きはじめて……」

リンコはイラストが得意で、デザインもアーカホリックの案内チラシ《フライヤー》づくりも頼まれるぐらいの腕前だった。ある時、プロをめざしたらって涼平がすすめると、「嫌だよ机仕事は」と鼻先で笑ったけれど、数日後に『インテリア・デザイナー入門』という本を買ってきた。ほとんど読まずに本棚にしまいこんでしまったけれど。

「……けっこう哀しかったです。リンコは結婚なんて考えてないんだな、少なくとも俺なんかとは。そう思って」

「あんた、女きょうだいいないでしょ」

「ええ」

「鈍いよ。鈍すぎる。女の気持ちがぜんぜんわかってない。あたしに言わせたら、哀しいのはあんたのその驚異的な鈍感さだね。普通はその時点で気づくんだけどねぇ」

マキさんは深々とため息をついた。

「リンコが言ってた、あんたと誰かっていう『誰か』は、自分のことだって言って欲しかったんだよ。いま時のコなら『いきなり一戸建てぇ、借家じゃやだぁ。とりあえず住宅ローンの頭金を貯めてから広いおウチを建てましょうよぉ』とか『えー、海ぃ、あたし嫌よ、クルマが錆びちゃうからぁ』とか言うんだろうけどさぁ」

マキさんが若い女の口まねをする。さすがにうまいが、かなり不気味だ。涼平の顔の前に突き出したひとさし指をタクトのように振った。

「リンコにそんなことが言えると思う？　年上でしかもパッパラパーなことは自認してるんだよ。そんな自意識過剰なセリフはリンコには吐けないんだよ」

「でも、その前にも似たようなことがあって……その時はもっとマジにプロポーズっぽい言葉を口にしたんですけど、その時も、リンコに笑われただけだったから、ああ、やっぱり駄目かって思って……」

「その前っていつさ？」

「リンコの二十五の誕生日の日に」

「大昔じゃないか。そんな前だったら、リンコの気持ちが変わったって不思議じゃない」

「大昔って言ったって四、五年前ですよ」

「二十代後半になるとね、女は一年で三つずつ年をとるんだよ」

「はぁ」

「あんた、デリカシーが足んないね」

「すいません。でも、それと今回出てったことと、どういう関係が？」

「もうちょっと考えてごらん」

「……はぁ」

「そんな目で人を見ない」

涼平はこめかみを手のひらで叩いた。鈍すぎるらしい自分の脳味噌の配線を少しでもよくするために。

「結婚って言ったたって、あのコは素直じゃないから、証っていうのは式を挙げたいだの、親戚に会ってくれだの、そういうこととは違う気がするな」

「なぞなぞクイズみたいだな」

「男と女が一緒に暮らすってことはだね、それこそピザ屋のハーフ&ハーフみたいなものなんだよ。そういうなぞなぞクイズを、きちんと解いていかないと、女と一生暮らすなんて無理だよ、僕ちん」

涼平はコーヒーカップを口に運ぶ。空だったことに気づいて、かわりにコップの水で喉を湿らせた。

「まさか、そんな……信じらんないですよ。リンコが……結婚なんて」

「あいつは六十年代の価値観で生きてる女だよ。生まれてくるのが遅すぎたような。わかってるだろ」

「ええ」

「考え方が古典的なんだ」

そんな馬鹿な。リンコが結婚を？　俺と？　考えてもいなかったよ。

「その件に関しては、しかるべき部署に報告し、今後このようなことがないように……は、他にも……ネギは入れるな、でございますね。入れ歯のすき間にはさまる、と……注意書きの文字も小さすぎる……いえいえ、そんな。お年寄りを馬鹿にしているなど……とんでもございません」

9

お客様相談室に来て一カ月。顔の見えない相手から罵声を浴びせられたり、長々と嫌みや愚痴を聞かされることには、いまだに慣れることができないが、謝罪の言葉は勝手に口から飛び出し、頭は自然に下がるようになった。最近では本間から「君は僕の想像以上の働きをしているよ。篠崎二世だな」そんな嬉しくもない褒め言葉さえかけられる。

涼平の向かい側では、宍戸が受話器を握っていた。本間のえこひいきは宍戸がやってきた翌週からあっさり解除された。たぶん前の週末の金曜日に、仕事の心得を教えたいから夕食を一緒にとしつこく誘いかけたのを、宍戸があっさりはねつけたからだ。わかりやすい男だ。恥ずかしいぐらいに。本間がここへ飛ばされた理由は誰も知らないのだが、おおかた女がらみだろう。女子社員へのセクハラかもしれない。

宍戸は案外にここの仕事が向いている。受付嬢をやっていただけに、電話の応対にもそつがないし、人のあしらいも上手い。ただしそれは苦情客が男の場合だけだ。声までフェロモンを発しているような甘酸っぱい声は、たいていの男を懐柔してしまうのだが、いくら事務的に押さえても相手が主婦の場合はしばしば逆効果になる。だから数の上では圧倒的に多い女の苦情客は、涼平が替わるようにしている。ごくたまにいる「女じゃ話にならん」というフェロモンどころじゃない頑固じじいの客の場合も。というわけで一カ月たったいまも、デスクにいる間はかかってきた電話の大半を涼平がとることに変わりはない。

「申しわけございませんっ」

電話を握りしめたまま、涼平は深々と頭を下げる。向こうが切ったことを確かめてから受話器を置き、報告書を書きはじめた。

『連絡者　クボタ様　推定七十代　女性　無職と思われる』

本間のデスクに置くこの報告書を誰が読むのかよくわからないまま、担当者名にサインをする。本間によれば「私と総務課長が協議したのち、担当部署に報告が届くことになっている」そうなのだが、この一カ月、驚くほどの数の商品瑕疵《かし》や欠損や不良商品の報告書を書いたにもかかわらず、どこぞの部署がなにがしかの改善策を出したという話は聞いたことがない。

苦情電話は一カ月前にここへ来た時より確実にふえている。篠崎は言う。「大繁盛だね。相談室開設以来かもしれないよ」ここの仕事が繁盛しても何の意味もない。いや、むしろよくない兆候だ。高野に言わせると「リストラしすぎだよ。生産ラインの担当者がころころ替わるし、そもそも人が足りなくて、現場のタガがゆるんでいるせいじゃないか」だそうだ。

店に置く商品を大手メーカーの売れ筋に絞りこんで大量仕入れをし、コストダウンをはかる──そろそろ転換期と言われながらも流通業界のこの戦略はあいかわらず根強く、珠川食品の製品の多くは置いてきぼりにされていて、月間販売実績はきれいな右肩下がりを描き続けていた。だから起死回生の新商品になるはずの『ポルコ』には、珍しく販売促進に力が入っている。新発売キャンペーンが展開され、マス媒体での広告こそないものの、店頭用のポスターも制作された。

涼平はボールペンを握った手をとめ、正面の壁を眺めた。『BRANDED－NEW〝PORCO〟』という派手な英文字のキャッチフレーズが躍るそのポスターが、お客様相談室にも貼ってある。

パッケージを制作した副社長の知り合いのデザイナーの手によるものだが、たぶんその男はプロダクトデザインの専門家で、グラフィックの経験がないのだろう。新人モデルが商品を片手にした古典的なポーズで微笑む、商品よりもモデルばかり目立っている素人臭いレイアウトで、へそだしスタイルにカウボーイハットというコスプレ衣裳のモデルもなんだか二流のAV嬢風のケバい女だ。しかし『ポルコ』の成否は、ポスターの出来ばえ以前の問題かもしれない、そう考えながら涼平は報告書づくりに戻る。

問題製品　カップ麵ポルコ
問題点　①麵が黄変。異臭。

②注意書きの文字が小さすぎる。
③ネギが入れ歯にはさまる。

②と③はともかく、①は問題だ。先週発売されたばかりなのに、〝ポルコ〟に対する同様の苦情はすでに二十件以上。玉川副社長とそのスタッフがいくらマーケティング戦略を練り、キャンペーンを打ったところで、この会社の技術力が初の生麺製造に対応しきれていないのではないだろうか。いくら流行りの衣裳を着ても、アカ抜けないポスターのモデルと同じように。

このままクレームが続くようなら回収騒ぎになってもおかしくないのだが、いちいち騒ぎ立てたって、本間から返ってくる答えはいつも同じだ。「君は経験が浅いから知らないだろうけれど、新製品に文句を言ってくる人間は多いんだ。味に慣れていないからね。おかしいのは客の味覚のほうかもしれないじゃないか」涼平自身、感覚が麻痺してしまっているかもしれない。十分以上聞いたクレームをたったの三行で片づけて、室長デスクの書類ボックスへ放りこんだ。

怒鳴り声がまだ耳鳴りとなって残っていた。こめかみを揉みほぐしながら椅子に腰を落とそうとした瞬間、また電話が鳴った。反射的に手を伸ばしたが、内線だった。ため息をついて椅子に尻をつくと、宍戸が声をかけてきた。

「内線です。佐倉さんに替わってくれって」

たぶん高野の昼飯の誘いだろうと思ったのだが、違った。

――佐倉ちゃん、久しぶり。

座敷犬が吠えているような耳ざわりな声。販促課長の末松だ。思いつくかぎりの最小限の語《ご》彙《い》で返事をした。

「は？」

そのたったひと言も硬い声になる。

――いや、本間室長がいないって言われたもんだから。連絡もつかないかな？

「ええ」本間に用があるなら、俺と話す必要なんてないだろが。

――困ったな……じゃあ君に頼んでもいいかな。ねぇ、佐倉ちゃん、ポルコの新発売キャンペーンの五千円プレゼントは知ってるよね。

末松が言っているのは、タマちゃんの麺製品のすべてに同封しているカード形式のクローズド懸賞だ。六×六の碁盤目に並んだマスのアルミフィルムをコインでこすって、『ポルコ新発売』という六文字を出せば、五千円をキャッシュでプレゼントする。

――そのプレゼントキャンペーンでトラブルが発生しちまって。まぁ、ちょっとしたミスなんだけど……それでそのぉ、お願いがあるんだよ。

末松の言葉は歯切れが悪く、そしてやけに卑屈だ。

「なんですか、いったい」

こいつとは二度と口をききたくないと思っていたのに、九文字も喋ってしまった。

――なんて言ったらいいのかな、印刷会社がアホでさ、アルミフィルムが薄すぎて、中が透けて見えるらしいんだわ。

「はぁ？」

馬鹿じゃなかろうか。六の六乗、普通なら当たりの確率は何万分の一。それがすべて当たりになってしまう。懸賞にかかわる印刷は信頼できるところに仕事を出し、校正刷りをちゃんとチェックしないと大怪我をする。広告代理店では初歩的な注意事項だった。おおかた末松はいつもただ酒を飲ませてもらってる経験不足の印刷会社に仕事を発注したんだろう。思わず言ってしまった。

「注意書きを添えてなかったんですか？　印刷上のミスの場合はご容赦くださいとか。こういう場合は常識ですよ」

お前なんかに言われなくたって、と怒り出すだろうと思ったのだが、

――もちろん書いてあるよ。謝罪広告の準備も進めてる。うちの会社の最初の新聞広告が謝罪広告ってわけ、笑っちゃうでしょ。

妙に下手《したて》に出た末松の喋り方は変わらない。嫌な予感がした。

――もう当たりが出るわ出るわ。たいていの人には印刷ミスってことで納得してもらってるんだけど。そういう客ばっかりじゃなくて……。

「だから、何なんですか。それがお客様相談室《うち》に何の関係が？」

――それがさ、どうしても金を出せって、怒っちゃってる客がいてさ。たった一人なんだけど。

「払ってやったらいいじゃないですか」

――そうもいかないんだよ。たくさん買い占めてるんだ。五百だか千だか。いくらになると

思う。ちょっとヤバそうな客でさ。

「ヤバそうって、どうヤバいんです？」

——いや、その、文字どおり、いわゆるヤバい筋っての？　こっちはそういうの不慣れだろ。それで……。

「それで？」

——いや、それでね……お客様相談室にかけてくれって言っちまったんだ。

「ちょっと待ってくださいよ」声が尖ってしまった。

——頼む。お願いだよ。総務に相談しても耳を貸してくれないんだ。そのうち電話がかかってくると思うから。

もうかかっていた。涼平の目の前で電話をとっていた羽沢が目をひんむいている。よほどでかい声でわめかれているのだろう、受話器を耳から遠ざけていた。相手が課長だと言うことも忘れて涼平は叫んでしまった。

「ふざけるのもいい加減にしろよ！　なんでうちがあんたらの尻ぬぐいを——」

電話を切りやがった。かけ直そうとすると、羽沢が送話口を押さえて声をかけてきた。

「うるさいよ、このヒト。責任者を出せって。佐倉さん、何とかしてよぉ」

三十代に見える老け面のくせに、羽沢が甘ったれた声を出す。責任者と言われても本間も篠崎もいない。神保がいつものようにメモをしたためはじめた。ええい、もう。受話器をひったくった。

「はい、お電話かわりました」

――あんたが責任者？

喉に砂をまぶしたような中年男の声。思っていたより静かな口調だったが、その静かさは時限爆弾の時計の音に聞こえた。

――金は払えないって、どういうこったい？　お宅の商品をずいぶんと買ったのにさ。

「ずいぶん」というところで語気を強める。相当の数のようだ。噂を聞いてかき集めたのに違いない。一個買うごとに五千円。打ち出の小槌を手に入れたようなものだ。

「あの、あいにく責任者は席をはずしておりまして、とりあえず私がお話を……」

涼平が言ったとたん、時限爆弾が爆発した。

――ふざけんじゃねえ！

爆風のような大声に体がよろけてしまった。

――あっちにかけろ、こっちにかけろ、あげくに責任者はいねえだとぉ。ぐだぐだ言ってねえで、すぐに来い。いまから言う場所に、ちゃんと話のできるやつを連れてこい！

男がわめき立てる。興奮が抑えられないというより、慣れたセリフを口にしているわめき方に聞こえた。男がやけに冷静に二度繰り返した住所は東京都墨田区。個人名じゃなかった。パレスマンション８０１。清村興業。

「あの清村興業のどちらを訪ねればよろしいのでしょうか」

「どちらもこちらもねえ。ドアを開けて案内の人間に社長に会いたいって言いな。いいか、いますぐだぞ。一時間、いや三十分で来い」

いますぐと言われても困る。返事がないのを承知で神保に声をかけた。

「やばいですよ、神保さん。いますぐ来いって。ヤーさんかもしれない」

俺に任せろという具合に神保がうなずいた。力強くうなずきながらメモ書きに戻ってしまった。羽沢は目が合ったとたんパソコンの画面の下に顔を沈ませる。

「総務課のしかるべき窓口と相談されてはどうですか?」宍戸が言った。

涼平は力なく答える。「しかるべき窓口というのは、どうもここらしいんだ」

そっちで解決しろと言われるのは目に見えていた。顧問弁護士がいないわけではないが、裁判になるとかえって金がかかるから、ユスられたら金で解決。それが珠川食品の体質だ。

本間が戻ってきたのは、通告された三十分を過ぎた頃だ。事情を説明すると、珍しく品のない舌打ちをした。

「末松はそういうやつなんだよ、昔から」以前、気持ちのいい男だって褒めてなかったっけ。

「こっちが責任をとることはない。またよけいな金を使うことになるじゃないか。販促から金を渡せって末松に言ってやれ」

「それが何度電話しても出ないんです。居留守を使ってるみたいで。どっちにしろすぐに金を払うのは無理だと思います。たっぷり買い占めているらしくて、百万単位になるはずです。いや、もう一桁上という可能性も……」

本間の目玉がみるみるふくらんだ。

「……で、先方は……なんて言っているんだ」

「すぐに来いと。ちゃんと話ができる人間を連れてこいって言ってました」

涼平が顔を見つめ返すと本間は目をそらし、ちゃんと話ができる人間が居《い》はしまいかとオフイスを見渡しはじめた。

「篠崎君は?」

首を振ると、本間の目からすいっと光が消えた。

「携帯に連絡は入れたかね」

「ええ」サボってる時はいつも電源を切っている。

「まったく、こんな大事な時に」

そうしている間にも、お客様相談室の電話は鳴り続けている。本間には自分が話をする気はないらしい。「佐倉君は取らんでいい。オン・ザ・ジョブ・トレーニングだ。たまには宍戸君たちに任せたまえ」こんな時にかぎって、猫なで声でふだんは口にしないセリフを吐く。清村興業からまた電話があった時、涼平が別の電話に出ていたら困るからだろう。そろそろ焦《じ》れてまた電話をかけてくる頃だ。コール音が鳴るたびに涼平の心臓は肋骨の奥でバウンドした。

「はい、お客様相談室です」

何本目かの電話をとった宍戸が、それだけ言って絶句した。きれいに整えた眉をしかめて、救いを求めるようにこっちを見返してくる。来た。

「佐倉君、とりあえず君が——」

本間がすかさず声をかけてきたが、そのセリフは室長デスクの上で凍りついてしまった。宍戸がこう言ったのだ。

「はい、責任者は戻っております」

本間がのどぼとけを上下させる。宍戸が電話を保留にすると、室長デスクの着信ランプが点滅した。

「室長、お電話です」

「……誰から？」

「わかりません。名前なんかどうでもいい、馬鹿たれ、としか」

「……用件は？」

「責任者を出せ、早く来ねえとただじゃすまねえぞ、馬鹿たれが、とだけ」

宍戸が涼しい顔で馬鹿たれを連発した。全員の視線が本間に集まる。本間が生唾を呑みこむ音がした。じっと受話器を見つめるだけで、いっこうに手を伸ばそうとしない。宍戸が緊張のあまり漏らした吐息を、自分への侮蔑のため息だと勘違いしたらしい。熱湯に手を伸ばすようにおそるおそる受話器に触れ、ううっと呻いて持ち上げた。

「えー私が室……」

本間の言葉は受話器の向こうの声に吹き飛ばされた。怒鳴り声が室長デスクに近づいた涼平の耳にまで届く。馬鹿たれ……こっちはさっきから……馬鹿野郎……いつまで……るんだ、馬鹿。とぎれとぎれに聞いただけで三回は馬鹿と言われた本間の顔がみるみる赤くなった。本間はぶるりと体を震わせ、それから信じられないことを口ばしった。

「あれあれぇ？　どうしてここに繋《つな》がっちゃったんだろ。こちら営業一課ですが？　どちらにおかけですかぁ？　あ、は、はいっ、すぐに電話をまわしますぅっ！」

金切り声をあげたかと思うと、通話を保留にしてしまった。あっけにとられている全員を見まわして本間が胸をそらせ、組んだ指を鳥の羽根のように動かして見せた。

「いいかい、こういう場合はね、いまのような対応がベストなんだ。責任の所在をはっきりさせてはならない。なぜなら相手に怒りの対象を特定させてしまうことになるからね。これで向こうも少しは頭を冷やすはずだ。顧客クレーム処理の高等戦術に属するテクニックだよ。覚えておきたまえ」

組んだ指が小刻みに震えていた。どう考えても、頭を冷やすどころか火に油を注いでしまったとしか思えないのだが。

「よし、問題は次の対応だな。私が上と善後策を講じてくるから、それまでの間は篠崎君にでもしのいでもらいたまえ」

上？　上っていったい誰のことだ？　呼び止める間もなく本間は上着をつかんで部屋を出ていってしまった。敵前逃亡。本間の背中を見送りながら羽沢がぽつりと呟く。

「ああいう大人にはなりたくないな」

宍戸が長い髪を揺らしてうなずいた。

「タイタニックには一緒に乗りたくないタイプ」

神保が立ち上がって近づいてくる。涼平は自分より十センチ上にある顔を見上げた。いくら人前で喋れなくても、いま頼りになりそうなのは神保だけだ。

「神保さん、どうします?」

神保がレポート用紙を突き出してきた。ちゃんとタイトルまでついている。『企業恐喝行為における緊急時対策の概要およびその留意点』なんと数十分の間に三枚のレポートを書き上げていた。自分の胸を叩き、それからドアに向かって首をひねる。(俺と一緒に行こう)と言っているらしい。迷ったが、涼平は首を横に振った。せっかくだが遠慮しておくことにする。ただでさえ喧嘩を売っているような面構えの何を聞かれても無言の大男と二人で、激怒しているヤーさんの事務所に乗りこめば、事態はさらに悪化するに違いない。

部屋に能天気な『ドレミの歌』が流れ続けている。電話の保留音だ。清村興業はドレミの歌が鳴り響く電話の向こうで、怒りの刃《やいば》をといでいるだろう。本物の刃をといでいるかも知れない。

リョウちゃん、本当はチキンハートだから。どこかでリンコの声が聞こえた気がした。どこにいるのかわからないリンコに答えるように、涼平は頭の中で叫んだ。「よしっ、一人で乗りこんでやる」受話器に手を伸ばしかけたその時だ。

「ハロ〜ッ」

張りつめた室内の空気に放屁するような声がした。篠崎だ。まるで本間がいなくなるのを見はからったみたいに姿を現した。実際に旧館入り口の植え込みの蔭で見はからっていたのだろう。両手に大きな紙袋を抱えている。

「いやいやいや、腹ごなしのつもりでパチスロに寄ったらさ、出るわ出るわ。帰るに帰れなくなっちゃってね。ほい、おみやげ。由里ちゃんにはチョコレート。羽沢は『モー娘。カード入りポテトチップ』……うるさいなこの電話」

止める間もなく電話を切ってしまった。宍戸が小さく悲鳴をあげる。

「ん？　どうしたの佐倉、ハトがかんしゃく玉を呑みこんだみたいな顔だよ。そんな顔しなくたってお前と神保の分もちゃんとあるから心配するなって」

「それどころじゃないんです」

さすがの篠崎も今回ばかりは目をむくだろう。そう思っていたのだが、涼平の説明を聞いた篠崎はパチスロみやげのチョコレートをかじりながら、唇の下に梅干しをつくっただけだった。

「販促課長って誰？」

「末松っていう俺の元上司です。社内にいるらしいんですけど席にはいなくて」

「スケマツ？　知らないな、へんてこな名前なのに記憶にない。どんなやつさ？」

「スエマツ。ねちっこくて気取り屋。上に弱く下に強い。室長を丸っこくしたようなやつです」

「ふむむ。役立たずってことか」チョコレートでふくらませた頰からため息を吐き出す。「しかたない、こっちでなんとかしよう。販促に貸しをつくって贈答用のプレミアムをしこたま貢がせようかいな。んで、キムラ興業はどうしろって」

「清村興業です。責任者が来いって言ってます」

昼の下の梅干しをなでながら、篠崎は天井を見上げた。

「行くのはまずいな。こっちに呼びつけよう。向こうへ行ったら何をされるかわからん」

「でも、そんな話が通用する相手じゃないですよ」

「そういう相手だからこそさ。サッカーと一緒だよ。こういう交渉事ってホームの方が断然有利なんだ。敵さんもその辺を承知で呼びつけているんだ。どっかの一室に押しこめて、人相の悪い面《つら》を並べて俺らを取り囲もうって算段なんだろうさ。だから――」篠崎がひとさし指を立て、集まった全員の顔を見まわした。「その逆をやればいいんだ。社内で事を運ぼう。敵が慣れていない、おケツの落ち着かない場所で話を進めるんだ。そのほうがいろいろ細工もしやすいし」

「細工って?」

涼平がそう聞き返した瞬間、電話が鳴った。どこからかは容易に想像がつく。受話器に伸ばしかけた手を途中で止めて篠崎を振り返った。

「いったい、どう言えば」

「貸してみ」

受話器を受け取ったとたん、篠崎が顔をしかめた。受話器を耳から離し、体を斜めにかたむけて、飛び出してくる大声に耐えている。そのまましばらく喋らせてから、相手が黙りこんだ一瞬をついたのだろう。防戦一方だったボクサーがカウンターを繰り出すように初めて声を発した。

「誠に誠に、申しわけございませんっ〜」

深々と頭を下げてから一気にまくし立てた。

「ご連絡遅くなりましたこと、心からお詫び申し上げます。大変申しわけございません。清村様はじめ多くのお客様にご迷惑をおかけしたこのたびの事故に関して当社といたしましても誠意ある回答をと、いままで対応を協議しておりまして、そのために遅くなってしまいました」

電話の向こうからまた罵声。馬鹿野郎と馬鹿たれを連呼しているのがわかった。

「はぁ、ごもっとも。言いわけなど口にしても始まりませんです。はい、馬鹿たればかりの会社でございます。清村様の仰せの通りで………あ、清村様でよろしいんでしょうか？　え、名前なんかどうでもいい馬鹿たれが？　ごもっとも。はい、ちゃんと用意してございますので、こちらにご足労いただければと………いえいえいえ、誠に申しわけございませんが、当社まで足をお運びください………いやいやいや、そこをなんとか」

再び受話器の周囲にまで響く罵《のの》り声。だから無理だと言ったのに。受話器を耳から遠ざけていた篠崎は、突然声をひそめ、悪代官に密談をもちかける越後屋さながらの囁き声を出した。

「実は清村様、なにせ安い金額ではございませんので、まだお渡しする金の準備が整っておりませんのです、はい……面目ありません。当社のような規模の会社ではおいそれと工面は……社外に持ち出す際には手続きなども必要でして……それはもう大金でございますから、はい」

相手の声が少し鎮まった。

「準備をしてそれからお邪魔するとなると、だいぶお時間をちょうだいしてしまうことになってしまいます。ご足労願えれば、その間に万端整えておきますので……一時間でなんとかいたします……あ、よろしゅうございますか？　では、こちらでお渡しするということで。ありがとうございます。場所は——」

篠崎が片手でオーケーサインをつくった。目がにんまりと上向きの三日月形になっている。口を押さえながら電話を切り、切ったとたんに噴き出した。うぷぅ。

「来るってさ。そうとう焦ってるな。一刻でも早く現金が拝みたいらしい。借金の返済日なのかな。当たりカード、千枚持ってるって」

涼平は声をうわずらせる。

「そんな金ないですよ。当たりカード千枚って言ったら、五百万円だ」

「五百万もいらないよ。十万ぐらいで手を打とうかいな」

「十万！　無理に決まってるでしょ」

「そうかなぁ。んじゃ、ちょっと色をつけよう。十五ぐらいかな」

「無茶ですよ、いくらなんでも」語尾が震えてしまった。

「びびることないよ、佐倉。想像してごらんよ。怖い顔のおっさんが、スクラッチカードを必死でこすってる様子を。な、笑っちゃうだろ」

想像してみたが、笑えなかった。

「なんとかなるって。たいした相手じゃないもの。こんなせこいユスリを思いつくのは、どうせ、食いつめた半端なチンピラに違いないさ。十五万で手を打たすからって言って、ちょっと販促のスケマツを脅して金を調達してきておくれ。販促なら課内に当座金があるだろ。社内ってことは、逃げ出したって後で言われたくなくて、どっかに隠れてるんだな。販促のフロアの便所のドアを叩いてみ。たぶん出てくるよ」

「金は出せないって言ったら?」

「身銭を切れって言ってやれ。金が出せなきゃ、消費者金融で借りてこいって脅しかけてさ」

なんだか自分たちのほうがヤバイ筋の人間みたいだ。

「敵さんが一人で来るってことはないだろうな。こっちも頭数を揃えよう。とりあえず俺と佐倉と神保」

神保が胸を叩く。ゴリラのドラミングのようないい音がした。なんとかなる気がしてきた。篠崎に騙されてる気もするけれど。

「あっちが二人以上なら羽沢も加える」

「え? 僕も」羽沢が自分の顔を指でさす。

「うん、相手の人数プラス1。集団で喧嘩する時の鉄則だ。羽沢は座ってればいいから。土手カボチャだろうがお地蔵さんだろうが、頭数を揃えとけば、精神的なプレッシャーを与えることができるんだ」

ドテカボチャってなにさ。羽沢が子どもみたいに唇を尖らせる。

「逆恨みされたらやだな。僕、月の出ていない晩には夜道が歩けなくなっちゃうのはごめんだよ。名前覚えられて仕返しされることはない？」

「まぁ、百パーセントないとは言い切れん」

羽沢が激しくまばたきをする。涼平も再び不安になってきた。

「向こうが四人だったらどうするんですか？」

宍戸が自分も仲間に入りたそうな顔で聞いている。涼平や羽沢よりよっぽど度胸がすわってる。

「席を三人分しか用意しなきゃいいんだ」

「私も何かお手伝いを」

宍戸がそう言うと、篠崎が突然気取ったポーズで頭をなでつけはじめた。

「ああ、そうだよ、君を見こんで頼みたい仕事があるんだ、特別にね。くわしく説明したいから、今夜食事でもどうだい。ホテルのレストランを予約してあるから」

いつぞや本間が涼平たちの前ではばかることなく宍戸を食事に誘った時のセリフだ。

「よろこんで」

宍戸がにっこり微笑むと、篠崎がチョコレートを喉につかえさせて、げほりとむせた。

「後でくわしく話す。とりあえずお茶を出してくれればいいよ。そうだ、羽沢にも頼みがある。テープレコーダーとカメラを用意して欲しいんだ。ない？　んじゃ、どっかから借りてきてよ。いますぐ。ハリーアップ！」

篠崎はやけに生き生きとして、ふだんとは別人の精力的な動きを見せた。楽しそうですらある。販促課へ行こうとする涼平を篠崎が呼び止めた。

「あ、佐倉と神保、名刺はあるか?」

当たり前だというかわりに涼平は内ポケットを叩いた。

「アホ。自分の出してどうする。羽沢の言うとおりだよ。月の出ない夜に外を歩けなくなっちまったらどうするんだ」

「……どうするんだと言われても」

「佐倉はスケマツっていうやつの名刺を出しなよ。そのくらいの責任はとらせなくちゃ。持ってない? じゃあカツアゲするついでに貰ってくればいい。渋ったら、おとなしく出さないとナシつけてやらないぞって脅してさ」

神保は名刺ファイルにきちんと保管していた、前の部署、購買部の課長のものを取り出した。

「羽沢は切れてることにすればいいか……」

篠崎が楽しそうな原因がわかった。鼻歌を歌いながら室長デスクの引き出しから名刺を引っ張り出し、うちわのようにへらへらと揺らした。

「室長は俺に任せるっていったんだろ。代理ってことだよな。だからこれからしばらくの間、俺は本間だよ。ちゃんと本間室長って呼ぶんだぞ」

「了解です、本間室長!」涼平は販促課のある本社二階へ走った。

末松は本当にトイレに立てこもっていた。篠崎の言葉を伝えると、会社の向かいにある銀行のATMにすっとんで行った。本人にしてみれば十五万円で自分の失態が問題にならなければ安いものなんだろう。

「頼むよ。これでなんとかなるんだろ。なるんだよね」末松が名刺と札の入った封筒を押しつけてくる。名刺が何に使われるのか冷静に考える余裕もないようだった。

「ええ、なります」なると思う。いや、なればいいと思う。

旧館に戻ると、篠崎と神保が第二研究所の向かい側、宍戸が更衣室として使っている空き部屋を模様替えしている最中だった。

ここはかつて社長用の応接室だったらしいが、いまは見る影もなかった。壁紙は黄ばみ、ところどころ破れていて、絨毯《じゅうたん》はシミだらけ。先代は華美を嫌っていたとかで、テーブルと椅子は何十年か前のものであることを差し引いても、高級品とは思えない代物だ。椅子など座ったとたん脚が折れてもおかしくない。その脚を篠崎が蹴り飛ばしていた。

「……なにしてるんです？」

「ああ、話をしてる途中でやつらの椅子の脚が折れたらどうだろうって思って。このぐらいにしとけばいいかな。太ったやつばかりだといいんだけど」

「それで交渉が有利に運んだりするものなのですか」

「いや、別に。でも見てみたいでしょ。ヤクザがひっくり返るとこ」

本当にこの人に任せておいていいのだろうか。やっぱり疑問だ。

「あ、神保、あと椅子三つね。俺たちのやつ。丈夫なのにしてよ」

部屋に二人っきりになったのを潮に、涼平は篠崎に問いただした。

「篠崎さん、本当に大丈夫なんですか?」

「うん、まぁ、ぼちぼち」

答えになっていない。

「……勝算は?」

「うん、ある。だいじょうぶ。八二、いや七三ぐらいかな」

篠崎は自信たっぷりに言う。この一カ月で篠崎の性格はだいぶ把握したつもりだ。念のために聞いてみた。

「こっちが七?」

思ったとおり篠崎が首を横に振る。涼平もゆっくり首を振った。

「なんか俺、急に不安になってきたんですけど。気のせいでしょうか?」

「うん、気のせいだね。ノープロブレム。考えてごらんよ。配当倍率三・三。固い勝負だ。鉄板じゃないか」

末松から預かった封筒を、舟券売り場に差し出すように渡した。

「こんな部屋に通して、怒り出しませんかね」

「そりゃ怒るよ。どんな馬鹿でも自分が馬鹿にされてることぐらいはわかるだろうから」

「向こうはただでさえ怒ってるんですよ」

「今回はいつもの謝罪と違う。逆だよ。怒らせるのが目的なんだ。あっちが一応ユスリのプロだとしたら、絶対に直接的な暴力は振るっちゃこないよ。傷害罪や威力業務妨害で訴えられちまうからね。遠まわしに脅しをかけて、こっちから自発的に金を出したというカタチにしたいはずだ、大人の話し合いのふりをして。だからこっちは大人の話し合いはしない。怒らせれば、どこかで必ずボロを出す」

「そういうものでしょうか」

「そういうもん。あとさ、この部屋って、ほら」

篠崎が部屋の隅を指さした。いまは倉庫になっている、かつての社長室へ続く開かずの扉だ。古いタイプの木の鎧戸《よろいど》を篠崎が指で押すと、横木のひとつがぽこりとはずれた。

「知らんかった？　この穴。部屋の中がよく見えるのよ。しかもこっちの部屋からは気づかれないんだ」

そういえば退社時刻になって宍戸がこの部屋へ着替えに行くと、篠崎が突然いなくなることがある。とんでもないエロ親爺だ。

「羽沢にカメラを持たせて隣の部屋でスタンバイさせておく。やつらが何かしでかしてくれたら、めっけもんだ。そうだ、茶を出すときのカップは割れやすいやつにしとこ。本間の気取ったカップなんてちょうどいいな」

「ロイヤル・コペンハーゲンですよ。見かけより丈夫かも」

「んなら、あらかじめヒビ入れとこう」

まだやり残したことはないかと部屋を眺めまわしていた篠崎の目が、壁ぎわで止まった。

「お、いちおうエアコンはついてるんだね。わざと冷房入れとこか」

「もう十月ですよ。いくらなんでも露骨すぎませんか？　逆に暖房がんがん効かせるっていうのは？　ああいう人たちって、見栄張って上着脱ぎたがらないだろうし」

「あ、いいね、それ。いただきだ。佐倉君って嫌がらせの天才だね」

「その言葉、そっくりお返しします」


午後三時すぎ。窓で見張っていた羽沢が大声を出した。

「わ。来たぞ。あれだ、ひと目でわかる」

涼平と篠崎は窓にへばりついた。取引先の人間には見えない男たちがこちらに向かって歩いてくる。一人は小太りの中年男。白いダブルのスーツに紫のシャツ。あれが電話の男、清村か。もう一人は長めの髪をオールバックにし、サングラスで人相を隠した細身の男。涼平と変わらない年に見えた。黒地にピンストライプのスーツから三角定規のようにシャツの襟を飛び出させている。二人とも篠崎が言う、半端なチンピラには見えなかった。

「なんだ二人か」篠崎が振り返って、全員に声をかけた。「じゃ、打ち合わせ通りに行こうかい」

「よかった。僕は出なくていいんだね」

「そのかわり、羽沢は下へ降りてお出迎えしてこい。例の部屋にお通しするんだ」

「そんなの聞いてないよ。なんで僕がやるのさ」

「お前しかおらん。あんな連中に敬語を使わずに話せる人間は。今日は許す、いつも通り生意気な口をきいていいからな」

「え〜　ぶっとばされちまうよ」

「ノープロブレムだよ。向こうも下手に手を出したら、大金がふいになることはわかってるはずだ。ぜ〜ったいだいじょうぶ。一人が不安だったら、由里ちゃんと二人で行きなよ」

宍戸が躊躇《ちゅうちょ》なく立ち上がると、しぶしぶ羽沢も腰を上げる。篠崎が宍戸にこっそり耳打ちしていた。「カメラをどこかに隠して持って行きな。もしも羽沢が殴られはじめたら、証拠写真を撮って逃げてくるんだ」

二人が出て行ってものの一、二分で部屋の外が騒がしくなってきた。羽沢の声が聞こえる。

「え〜こちらで待ってくださってかまわないので。すぐに担当者がいらっしゃるから、お座りなさい」

ものすごい罵声が聞こえてきた。羽沢が両手をふくろうみたいに羽ばたかせて舞い戻ってくる。

「怖〜っ」

頰を上気させた宍戸がフロントホックブラをはずすしぐさをした。

「惜しかったです。あとひと息だったのに」

ブラウスの襟の間から使い捨てカメラがこぼれ出てくる。男たちの目が称賛に輝いた。

「じゃあ、由里ちゃんは茶を出しといてくれ。できるだけまずい茶を。まぁ、いつも通りにゃってくれればいいから」

「は?」

いよいよだ。涼平はネクタイを締め直し、首の骨をこきりと鳴らす。宍戸が戻ってくると、篠崎がうひうひと下卑た声を出した。

「尻触られんかったかい。どんな感じの連中だった?」

「年長の人は、若づくりをしていますが、五十代。首のたるみと手の甲のしみから推定して五十五、六ですね。時計はパテック・フィリップですけれど、どう見てもコピー商品。スーツはバリー、昔の流行りのものを着続けてる感じ。靴は安物。バッグはエルメスで、これもずいぶん長く使ってます。アウトレット価格で換算するとして、総額二十五万から三十万の間でしょうか。若いほうの人は、逆に老けて見せようとしてますけど、せいぜい二十五歳ぐらい。コロンはランバンですが、服は見たこともないブランドで——」

「ふむ。やっぱりな。羽振りが悪くて、金になりそうなネタならなんでも食らいつこうってシケた連中だな。よっしゃよっしゃ、向こうはそうとう焦ってるはずだ。神保と佐倉、準備はいいかい」

準備はいいかも何も、本人は椅子に座りこんだままいっこうに動こうとしない。いつものように競艇新聞に顔を埋めてしまっている。涼平は焦れて足踏みを繰り返した。

「篠崎さん、行きましょ」

「まだまだ、もうちょっと焦らしてから」

さすがの神保も不安そうに篠崎を見つめている。涼平と目が合うと、自分のデスクの引き出しを探ってから、大きな手を涼平へ差し出してきた。ネクタイピンが二つ握られていた。二本の竹刀が交差し、中央に『永遠』という文字が入ったデザイン。神保はいつも古風なネクタイを締め、タイピンもかかさない。ひとつを自分のタイピンとつけ替え、もうひとつを涼平の手のひらに落とす。

これをつけて気合を入れろと言いたいらしい。涼平にはタイピンをする習慣はないが、金色のタイピンが似合うとは思えないベージュのネクタイにつけた。

先代の置き土産といわれた実業団の古豪、珠川食品剣道部が廃部になるという噂を聞いたのはついこの間だ。そういえば、ここ一週間ほど神保は毎朝の日課だった素振り三百回をやめている。たぶんこのタイピンは解散式の時に配るメモリアルグッズなんだろう。

「おいっ、いつまで待たせるんだよ。灰皿だせ、灰皿っ」

ドアの向こうで怒鳴り声がした。若い男のほうだろう。

「篠崎さん、そろそろ」

「うふふ、禁煙って貼り紙しとけばよかったな」

「うふふ、じゃありませんよ、もう行かないと」

「そうだな。ほんじゃ行こうか。二人とも気合入れてね」

いちばん気合の入っていないように見える篠崎はそう言い、ようやく立ち上がった。

まず篠崎が部屋に入る。続いて涼平。最後は神保。中年のほうは椅子にふんぞりかえって活火山並みに煙草のけむりを噴き上げていた。神保の巨体を見ると、貧乏ゆすりをしていた若い男が体を前傾姿勢にして身構えた。室温自動制御機能のない旧式のエアコンが吐き出す熱気で部屋はひどく蒸している。宍戸が淹れた紅茶はほとんど口がつけられていない。

篠崎が腰を折る。九十度、いや七十五度ぐらいか。微妙な角度だ。

「今回の件の担当者でございます」

涼平と神保もそれにならう。腰を折ったまま篠崎は顔をあげ、二人に愛想笑いをふりまいた。座っている彼らより視線は少し上。高みから見下ろす格好になる。篠崎よりも背の高い涼平と神保の場合はなおさらだ。沈痛な顔をしろ、歯を見せるな、相手を見下ろすな、以前教えてもらった面会時の諸注意とは、まったく逆だ。

「遅えんだよ、いい加減にしろよ、おめえら」

サングラスをかけた若い男が巻き舌で吠え立てた。

「お待たせして申しわけございませんでした」

「確かに待ったよ、ずいぶんと」

中年男が煙草の先に伸びた灰を床へ落とす。低くざらついた声は若い男に比べれば落ち着いてはいるが、やはり苛立ちがうかがえる。名刺を差し出しても受け取るそぶりはない。篠崎の真似をして涼平もテーブルへ末松の名刺を置いた。中年男は鋭い視線を名刺に落とし、一人ずつ照合するように三人の顔を眺める。自分には不似合いな課長という肩書を不審に思われはしまいかと、涼平はひやひやした。

「どういうつもりだ、こんな小汚え部屋に通しやがって。なめんじゃねぇぞ」

サングラスが踵《かかと》落としを食らわせるように片足をテーブルに載せる。テーブルが悲鳴をあげた。

「ここは創業者が社長室として使っておりました、当社でも由緒のある部屋なのでございますが……もしお気に召さなければ、別の部屋をご用意させていただきます……少しお時間を、小一時間ほどいただければ」

若いほうが口をひんまげて何かわめこうとしたが、その前に中年男が舌打ちのついでみたいに言った。

「構わねえよ、ここで」

「このたびは私どもの不手際で、清村様とお連れ様には、多大なご迷惑をおかけしまして、誠に申しわけございません。誤解を招くような不幸なトラブルであったと考えております――」

向こうは名刺を出すどころか名乗りもしなかったが、篠崎は勝手に相手の名を清村と決めつけて話しはじめた。否定しないからたぶんその通りなのだろう。

「いいよ、ごたくは。ちゃんと出すものを出してくれれば」

清村が煙草を床に放り捨て靴でひねりつぶした。絨毯が焦げる匂いがしたが、篠崎は愛想笑いを崩さない。

「ああ、失礼いたしました。気づきませんで、さく……いやスエマツ君」もったいぶった調子で、涼平の顔をのぞきこんでくる。「お客さまに灰皿を」

「違《ちげ》えよっ！」若いほうが吠える。「金だ、金出せよ」

中年のほうが黙れという具合に片手を差し上げ、篠崎の顔を見、それから神保と涼平を見る。誰がいちばん攻略しやすいかを見定めているように思えた。

「録音テープなんぞまわしてねえだろうな」

篠崎があわてて言った。

「は？テープですか？　あ、これはこれは申しわけありません。いますぐご用意いたします」

「違うつってんだろが！」

若い男がまたわめき、肩から体当たりをするようにテーブルへ身を乗り出す。清村は三人を見据えたまま片手でそれを制した。決められた役割分担をこなす息の合った動作に見えた。漫才のボケとツッコミみたいに。

「録《と》ったりしないほうがいいよ。俺はそういう姑息《こそく》なことは嫌いだからね。その場の雰囲気で心にもないことを喋っちまうってことは、誰だってあるだろ？　この間もいたよ、大切な商談だってえのに、何のつもりかこっそりテープに録音してさ、あげ足をとろうとしたやつ。そいつは数日後に消えちまったって噂だ。会社からも家からも」

清村は自分の言葉の効果を探すように、三人の顔を睨《ね》めまわす。涼平は懸命に無表情を装ったが、正直言って、びびっていた。どこまで本当なのかわからないが、目の前にいる男たちは、人の一人や二人殺していてもおかしくないように見える。

「……消えてしまった？」

篠崎が喉をつまらせた声を出すと、清村が満足そうに唇を片側だけ吊りあげて視線を篠崎に据えた。狙いを定めたらしい。名刺の部署も肩書もばらばらだが、どう見ても篠崎が上の立場の人間で、しかも御しやすそうだと考えたようだ。

「会社からも……それはそれは……」篠崎がまた喉をつまらせた。たぶん歓喜に喉をつまらせているのだ。本間の名刺に視線を落とし、目を輝かせて清村に問い返す。「消えたというからには、単なる一時的な失踪というわけではございませんでしょうね」

「さぁ、どうかな」清村が薄く笑う。

「永遠に会社から消えてなくなる可能性もなきにしもあらずと？」

「知らねえな、単なる噂だよ」

「この世から抹殺されたと解釈してようございますか。たいしたものだ。それに清村様が関与を？」

清村が椅子のひじ掛けを拳で叩いた。

「噂話だって言っただろ！　知り合いから聞いたんだよ」

塩辛声のキーが少し高くなった。

「なぁんだ」

本心からがっかりした様子で篠崎が言う。清村の目がすっと細まった。

「本当にテープは録ってないだろうな」

篠崎がスーツのポケットをひとつひとつ叩いて見せ、それから鯵《あじ》の干物のように上着を開いて見せた。涼平と神保も同じことをした。テープレコーダーは誰も持っていない。いまのところは。篠崎の従順な反応に清村は満足げにうなずき、余裕たっぷりのしぐさで足を組み直した。

「おい、あれを」

清村が顎をしゃくりあげる。サングラスの若い男がバッグからスクラッチカードを取り出して、デスクの上にぶちまけた。厚さ五センチほどの束が四つ。

「ちょうど千枚だ」

サングラスが椅子にふんぞり返る。あんまり体重をかけると脚が折れてしまうことを注意してやりたかった。篠崎が束のひとつに手を伸ばす。涼平も手にとってみた。確かにアルミフィルムの下にうっすらと文字が透けて見えている。こすりとられた部分は、もちろんすべて当たり。他も同じであることは見なくてもわかる。篠崎が哀しげなため息をついた。

「まったくもってお恥ずかしい不手際です。なんと、まぁ、見事に透けて見えておりますな。こういうこともあろうかと、ここにあらかじめ表記をしてあるわけですが」さりげなくカードの隅の小さな文字を指でさして読み上げた。「印刷ミス等に関しては、ご容赦ください」

「印刷ミス？　ご容赦？」中年男が片眉をつり上げた。隣の若い男に首をかたむけてみせる。

「そんなもの読んだか？」

若いほうが芝居じみたしぐさで首を振った。

「透けて見えるって、なんのことだい？」

篠崎が両手を揉みながら、上目遣いをした。

「今回のケースは事故でございまして。ご承知の通り、スクラッチカードの印刷に不備がありましたようです」

「知らねえよ、こっちはおたくの品物をうちの若い連中のまかない用にまとめ買いしただけだ。よく当たるってみんな驚いてたよ。なぁ、どっちだっていいじゃねえか。俺たちは正当な権利を主張してるだけなんだよ」

スクラッチカードを数えていた神保が、紙に書きつけをして篠崎に滑らせてきた。『837枚』と書いてある。篠崎はしばらくそのメモを眺めてから読み上げた。

「はっぴゃくさんじゅうなな枚、か」

遠慮がちな抗議の視線を清村に向ける。

「数え間違いだよ。だがね、事務所にはまだまだおたくの商品が山積みになってるからさ、キリのいいところで手を打ったほうがいいだろう。千枚でも八百三十七でも、そっちの計算した数でいいから。なにか問題あるかい、本間さん」

本間と呼ばれた篠崎が、きょとんとした顔をした。数秒間ぼんやりしてから、ようやく自分のことだと気づき、あわてて声を出す。

「あ、ああ、異論はございません。では、ただいま金額の計算を」

篠崎は保険のおばちゃんからもらった小さな手帳を取り出して顔の前に立て、ペンを走らせる。しかつめらしい顔で涼平に開いた手帳を向けてきた。

「スケマツ君、これで頼む」

数式など書かれていない。かわりに清村の似顔絵が描いてある。目玉を寄り目にした清村がふきだしで「十五万でいいよ」というセリフを吐いていた。

「ちょっと待て」

立ち上がった涼平を清村が呼び止める。不必要に大きな声だ。びびってることを悟られないように涼平はことさら背筋を伸ばして清村を見下ろす。

「なんでしょう？」

案外に普通の声が出せた。

「上着、脱いで行けや」

テープレコーダーを隠して持ちこむのを恐れているらしい。以前に録音テープで痛い目にあっているのだろうか、神経質すぎるほどの慎重さだ。言われた通りに上着を脱ぐ。「では、我も失礼して」これ幸いと篠崎と神保もスーツを脱ぎ捨てるのを、鼻の頭から汗をしたたらせた若い男が羨ましそうに眺めていた。

羽沢はすでに隣室でスタンバイしていて、相談室では宍戸が一人でぽつんと頬づえをついていた。外線電話が鳴り続けているが、今日はもう開店休業だ。

「どうですか？」

宍戸が尋ねてくる。涼平は首を縦に振り、それから横に振った。どうなるのかまったくわからない。

もったいをつけるために三分間待ってから戻った。部屋には険悪な沈黙が立ちこめている。首が左に向かない神保は、右端に座ってしまったために清村たちから顔をそむけているように見える。それが気に入らないらしく若い男が神保を睨み続けていた。清村は涼平が封筒以外何も持っていないことを確認するために、ホールドアップの姿勢を取らせた。

机の上に封筒を置く。厚さは五センチ以上だ。清村のひじ掛けに置いた手がぴくりと動いたが、自分では手を出そうとせず、サングラスへ声をかけた。「おう」

分け前がもらえるらしい。サングラスは喜びを隠そうともしない。封を切る指先がかすかに震えていた。中をのぞきこむと、いまにも涎《よだれ》をたらしそうだった顔が歪んだ。

「あんだぁ、こりゃ」

封筒の中の金は末松のポケットマネーだけ。厚みのほとんどは万札と同じぐらいの大きさの小箱だ。粗品と書かれた熨斗《のし》が巻かれている。涼平が答えた。

「謝罪の金です。心ばかりの品もおつけしました。タマちゃんのロゴ入りボールペン」

「じゅ、じゅ、十万しかねぇじゃねぇか！」

あれ？　篠崎に渡した時には確かに十五万あったはずなのだが。

「ふ、ふ、ふざけんじゃねぇぞ、おらぁ」サングラスが唇をトランペットの形にしてわめきはじめた。前歯が一本欠けている。目をそらさずによくよく顔を見ると、案外に間抜け面だ。

「こんなはした金じゃ足んねぇよぉぉ」

中身を放り捨てる。といっても投げつけたのは、粗品のほうだけで、札束はしっかり握りしめたままだ。篠崎が粗品贈答用の小箱を拾い上げて机に置いた。

「足りないとは？　何が足りないんでしょうか」

「て、て、て、てめえ」

いきりたつサングラスを肘でこづき、清村は篠崎に据えたままの目を細めた。

「ねえ、本間さん。あんた、俺たちをからかってるのかい。冗談もほどほどにしときなよ」

「めっそうもない。ちゃんと商品千個分の代金をご用意させていただきました。無駄にお買い上げいただいたお詫びの印として。ほとんどが袋麵でしょうから、まぁ、この程度かと。おクルマ代として多少色をつけましたです」

「だ、だ、出せよぉ」サングラスは怒りで舌がうまく回っていない。

「これだけです」

「お宅の前で騒ごうか。うちの外宣車でさ」清村は不敵な笑みを浮かべていった。

「騒ぐとな……はて、それは、恐喝と受け取ってよろしゅうございますか？」

「何言ってんだ、お前。誰がそんなこと言った？」

「そうですよね。そんなことしたら、禁固一年、罰金三十万円以上だ」

「ふ、ふ、ふ、ふざけやがって」

口の端に唾の泡をつけたサングラスに比べると、清村はあくまでも冷静に見えた。

「じゃあさ、半額ってことにしないか。二百五十万で手を打つよ。はした金でも手に入れないと事務所の人間たちに示しがつかないからな」

「人間たちって、何人いらっしゃるんですか。こちらのお若い方以外にもどなたかが?」

図星だったらしい。一瞬、清村の顔が強張《こわば》った。篠崎を睨みつけながら、大きな音をさせて舌打ちをする。それを合図にしたようにサングラスが椅子から身を起こし、両手でテーブルを叩いた。

「暑いんだよ、この部屋はよおっ」スーツをかなぐり捨てて、わざとらしく腕まくりをする。肘の上までめくりあげると、ちらりと刺青《いれずみ》が見えた。「暑いし、汚えし、俺らをなめてんのか、おらぁ」

テーブルを蹴りつけた。ほとんど口をつけていないティーカップがころげ落ち、篠崎のズボンを濡らしたが、篠崎の視線は清村に向いたまま動かない。

「中尾!」

清村が叱りつけた。もっとやれとけしかけているような叱り方だった。中尾と呼ばれた男がサングラスをむしりとった。

「おう、てめえら、おとなしくしていればつけ上がりやがって」

サングラスの下に隠れていたのは、どんぐりみたいな小さく丸っこい目だった。涼平より少し上かと思っていたのだが、素顔は宍戸の見立てどおり、まだ二十代前半といったところ。肘の上に見えている刺青は、色のついていない輪郭だけの筋彫りだった。得意気にさらけ出した龍の尻尾には鱗が半分しか描かれていない。途中で痛さに我慢できなくなったか、金が続かなかったかのどちらかだろう。篠崎の言うとおり、ただの半端もんだ。

お客さんが服装をゆるめたのだから、こっちも多少は構わないだろう。涼平も長袖シャツをゆっくりと腕まくりした。

「静かにしろ！」清村が中尾を叱る。まっすぐ前に目を据えたままだったから、篠崎を怒鳴りつけているように見えた。「悪いな、こいつは怒り出すと手がつけられないんだ。何をするかわからねえやつでさ。馬鹿野郎、カタギさんに見苦しいもん、お見せするんじゃねぇよ。怖がってらっしゃるだろが。ねえ、みなさ――」

その言葉が終わらないうちに篠崎は足もとに落ちたロイヤル・コペンハーゲンを踏み潰す。本間の悲鳴かと思う痛々しい音がした。篠崎の顔へ頭をねじこむように、清村がかしがせた首を近づけた。

「素人が妙な意地を張ると怪我するよ、本間さん」

「怪我？　それはわたくしが清村様たちの暴行によって怪我をするという意味で？」

「単なるものの たとえだよ、ちょっと言葉がすぎるんじゃないかな、ええ、本間さんよ」

清村はわざとらしく、本間を連呼する。篠崎も嬉々として連呼した。

「失礼しました。わたくし、本間としたことが。本間純一、言葉が過ぎたようです」

「本間さん、家族はいる？」

「息子が一人。わたくしに似たのでしょうか、出来が悪くて予備校に二年も通っております。妻が一人。これがまた不細工で……はて、それが何か？」

「ただの世間話だよ。住まいはどこさ。別に言いたくなければいいんだけどさ。調べればすぐにわかるだろうし」

「それにはおよびません。住所は埼玉県和光市——」もちろんほんものの本間の住まいだ。

「東武東上線の最寄り駅からバスで十五分。分不相応な一戸建てを建ててしまいましたものですから、月々のローンの支払いが大変で。趣味の悪い赤い屋根が目印でして。バス停からは——」

ほうっておけば地図まで描きかねない熱心さで篠崎が説明しはじめると、煙草を口から離したポーズのまま清村が固まってしまった。

「タクシーでお越しの際には、公民館前と言っていただければ。あ、できましたら、女房には手を出さんでくださいい。レイプの対象になるようなしろものじゃありませんし。何かなさるなら、わたくし、本間ひとりに。男、本間純一、逃げも隠れもいたしません。ご不満なら末松君の住所も教えちゃいますから」

「何かするなんて言ってねえだろ」

「するんでしょ」

期待をこめた口ぶりで言う。清村が口を滑らすのを待ち構えているのだ。

「しねえよ」

清村がまた舌打ち。本当にブロックサインになっているのかもしれない。再び中尾が椅子を蹴り倒す勢いで立ち上がった。

「暖房を停めろって言ってんだろが！」

「確かに蒸しますなぁ」篠崎がネクタイをゆるめ、スクラッチカードでへらへらと首筋をあおいだ。

「蒸しますな、じゃねえよ！」

中尾がわざとらしく音を立てて椅子に腰を落とす。あまり手荒く扱うと脚が折れてしまうのだが。もうちょっと楽しみたかったという顔で篠崎が目配せをしてくる。凉平が立ち上がり、部屋の隅のエアコンのスイッチを切った。確かに暑い。凉平は肘まで折ったシャツの袖をさらに折り、二の腕までめくり上げた。そのまま席に戻り、清村と中尾に声をかけた。

「失礼しました」

「失礼しましたじゃねえ、俺たちをなめ……」

中尾の小さな目が見開く。欠けた前歯を丸出しにしてぽかりと口を開け、凉平の腕を見つめていた。凉平は中尾の視線に気づかないふりをして、左肩を突き出すように髪をかきあげる。ついでに肩まで袖をめくり、ティンバーウルフを尖った耳まですべて晒《さら》け出した。目のところの赤色だけだが、こっちは色付きだ。

清村の目も丸くなっていた。凉平たちを威嚇《いかく》し続けていたふてぶてしい半眼の中で、目玉が落ち着きなく動いている。二人の視線の先をたどって凉平を振り返った篠崎もぽかりと口を開けていた。頭の隅に後悔がよぎったが、見せてしまったものはしかたない。こうなったら、とことんやってやる。凉平は全員の視線にそっぽを向き、肩を揉みほぐすしぐさを装ってティンバーウルフの頬のあたりをつまみ、中尾に向けて口をぱくぱくと動かしてやった。

中尾はもともと血色の悪い顔をさらに白くして、薄気味悪そうに涼平の顔を見、それから部屋を見まわす。自分が間違った場所に来てしまったのではないかという顔をしていた。

最初に言葉を取り戻したのは篠崎だった。

「これこれ、スケマツ君。お客さまが怖がっていらっしゃるじゃないか。失礼いたしました」

何事もなかったふうに言葉を続ける。「清村さんと中尾さんの事務所は、墨田区でしたっけ。どんなとこかな、二人だけの事務所って。今度、遊びに行かせてもらおうかなっ」

けけけけけけっと笑う。涼平のタトゥーを見ないふりをしていた清村が声を張り上げた。

「なぁ、金出せよ、あんたに一割やるよ。どうせ会社の金だろうが」

さっきまでの余裕たっぷりの声じゃなかった。完全にうわずっている。偉そうに組んでいる足が貧乏ゆすりをはじめた。篠崎が答えないとわかると、中尾がまたもや立ち上がった。落ち着きのないやつだ。

「出せ、早く出せ。出さねぇと――」どんな事情か知らないが、出さないと困るのは自分たちのようだ。駄々っ子みたいに床を踏み鳴らす。「こっちは命張ってんだ。おめえらみてえに、ぬくぬく会社にしがみついてるお気楽な身分とは違うんだよぉ！」

左へ向けないはずの神保の首が左へまわった。中尾の顔をとらえる。唇の端が震えていた。

「あんだよ、文句あるなら言ってみろ」

中尾がアッパーカットを狙うように顔を近づけ、口を歪ませて神保を威嚇した。もう清村は止めようとしない。中尾に続いて立ち上がろうとした。その瞬間だった。

「なめるな、チンピラがっ‼」

アンプをフルボリュームにしたような大音声がした。大きいうえにバスドラムをぶっ叩くのに似た重低音。これに比べれば清村の塩辛声など、ベースギターのチューニングだ。神保の声だ。初めて聞く神保の声だった。

脳天に竹刀を食らったように中尾の背筋がまっすぐ伸びる。立ち上がりかけた清村が大きくのけぞる。椅子が不吉な軋みを立てた。清村は口をぱくぱくさせて神保に反撃の舌鋒を浴びせようとしたが、果たせなかった。大きくのけぞった体はそのままかたむき続ける。椅子の脚が折れたのだ。両足を高々と上げて清村が床にころげ落ちた。

中尾が清村に向かって叫んだ「ヤスさんっ！」

「あれ、組長さんじゃなかったのか」

篠崎が小馬鹿にした声を出すと、清村を助け起こそうとしていた中尾が、目の中に血管を浮き上がらせて振り返った。

「て、て、てめえら、か、か、金を出さねえと、ただじゃすまねえぞ。住所調べて、手足の骨をへし折ってやっからな！」

涼平はすかさず粗品の箱を開けて見せた。

「あ、言うの忘れてました。粗品にはカセットテープレコーダーも用意させていただいてます。テープつきで」

篠崎がにんまり笑った。

「駄目じゃないかスケマツ君、スイッチが入っちゃってるぞ」

中尾が篠崎につかみかかろうとする。その前に神保の巨体が立ちはだかった。篠崎がテープレコーダーを抱えながら言う。

「いい話を聞かせてもらいました。これ恐喝の証拠としてあずからせてもらいますが、何か問題ありますか、ヤスさん」

「さ、最初から、しくんでやがったな」

ようやく立ち上がった清村がレコーダーをむしり取ろうとして手を伸ばす。そこへ篠崎が頬を突き出した。その瞬間、鎧戸の向こうでフラッシュが光った。

「な、な、な、なにをなさいます、ヤスさん」

篠崎が頬に手をあてがって非難する目で見上げる。清村が目をむいた。え？ 自分の拳を見つめる。鎧戸のすき間から羽沢の声が聞こえた。

「撮った、決定的瞬間！」

清村があんぐり口を開け、神保に睨まれた中尾が一歩あとずさったその時、

――社内のみなさまにお知らせします。

館内放送が聞こえはじめた。

――旧館二階、お客様相談室にて暴行事件が発生いたしました。みなさま、至急ご集合ください。繰り返します。

珠川食品では全体朝礼の時ぐらいしか社内放送は使われないし、そもそもこの旧館にはスピ

ーカーなどないのだが、もちろん二人組はそんなことは知らない。転げるように部屋を出ていった。ドアを閉めざま清村が捨てゼリフを吐く。

「覚えてろよ」

篠崎が清村に叫び返した。

「そっちこそ覚えてろ。逃げも隠れもしない、俺は本間だ。本間純一。覚えとけ。和光市南二丁目。最寄り駅からはバスが便利だぞ！」

男たちが出て行くと、隣の部屋でスタンバっていた羽沢と宍戸が顔を出した。羽沢はカメラを抱え、宍戸はカラオケ用携帯マイクを手にしている。

涼平は神保が差し出してきた大きな手にハイタッチした。

「一曲歌いましょうか。石川さゆり、天城越え、など」珍しく宍戸がハイテンションでカラオケマイクを振る。

「なんか興奮しちゃったな。アクション映画みたいだったよ」頬を染めた羽沢が涼平の肩を見て目を丸くした。「佐倉さん、いつの間に貼ったの、タトゥーシールなんか」

「ああ……さっきトイレで」

涼平はすみやかに腕まくりを下ろす。いいね、そのシール。どこで売ってるの？　のん気な声をかけてくる篠崎に尋ねた。

「本当に室長のところに行くつもりかな。だいじょうぶでしょうか？」

もちろん涼平は、本間の身を案じて言ったのだが、篠崎は違う意味にとったようだ。

「駄目だろなぁ。あいつらハッタリばっかりなんだもん。たぶん行かないよ。第一、ハンサムな俺と不細工な本間とじゃ、月のない晩にだって見分けついちゃうだろうし。まぁ、いいや、みんなご苦労さん。今日はぱーっと行こう」

末松からカツアゲした残りの五万円を、篠崎が扇子のように広げた。

「寿司でも食いに行こうよ」

10

三号艇がスタートで出遅れた。続いて二号艇もターンで失速。

「ああ、まただよ」

篠崎がゴールを待たずに舟券を握りつぶした。競艇は勝負が早い。競馬のG1レースぐらいしかギャンブルの経験のない涼平には、なんだかもの足りない気がするのだが、そこがいいのだと篠崎は言う。

「たいしたもんだ、佐倉君は。三回目とは思えないよ」

涼平の舟券を羨ましそうにのぞきこんでくる。篠崎にむりやり連れて来られるたびに、遊び半分で買うだけだが、もう何度もレースを当てている。ビギナーズラックというより、よくわからないから新聞の予想印を適当に組み合わせ、確率の高い二連複で買っているからだ。

「普通に予想すればいいじゃないですか。篠崎さんはわざとハズレ券を買ってるみたいだ」

篠崎が賭けるのは高倍率・高配当の三連単。しかも常に穴狙い。たまさか当たっても、配当金を次のレースの無謀な予想につぎこんで、競艇場の濁り水の中へ捨ててしまう。何のために予想紙を読んでいるのだろうか。わざとはずして、マゾヒスティックに敗北感を味わうのが好きなのじゃないかと思えるほどだ。

「だって、つまんないじゃない。一万買って、四万や五万の戻りなんて。郵便貯金やってるわけじゃないんだからさ」

十一月ともなると、競艇場の水も寒々として見える。時刻は午前十一時。朝一番で訪問謝罪に出かけた帰りだった。平日のこんな時間だというのに、競艇場には人があふれていた。スタンドの手すりにもたれた涼平たちの隣では、失業者風の初老男がワンカップ大関を片手にすでに顔を赤くしている。どこからかスルメイカの匂いが漂ってきた。

「なんか、こんなことしていると駄目になりそうですよ」

「そうかな。俺はいつも競艇場《ここ》に来ると、生きてるって実感にあふれちまうけど。ロマンが体にあふれちゃう。俺、ガキの頃は船乗りになりたくてさ」

それと競艇とはあまり関係ないような気がするが。

今日のクレーム客は単身赴任のサラリーマンだ。すぐに商品を取り替えろ。明日、出勤前に来い。来なければ消費者センターに訴える。昨日の午後、電話で一方的にまくしたてられた。篠崎が遠方へ謝罪に出かけて不在の時には、涼平が単独で「訪問」をこなすことも多くなったから、一人で行くつもりだったのだが、篠崎は心配だから一緒に行くと言う。たぶん行き先が小金井市で、多摩川競艇場方面だったからだろう。今日から競艇王チャレンジカップが始まると、篠崎は数日前から興奮していたのだ。

午前七時に先方宅に直行。慣れたとはいえ、朝っぱらから他人に罵声を浴びせられるのは楽じゃない。クレーム商品は発売されたばかりのチャーシュー生麺『ポルコ』。商品瑕疵ではない。妙な臭いがし、麺も変色し、かき回したらぐちゃぐちゃにちぎれてしまったというのだ。賞味期限に嘘の表示をしているに違いない、頭からそう決めつけている相手に新発売記念グッズを手渡し、『ポルコ』はまだ新製品で賞味期限を越えている商品はひとつもないことを納得してもらうまでがひと苦労だった。篠崎と一緒でよかった。涼平一人だったら、たぶん話が収まらなかっただろう。

結局、お詫びの品の瓶詰セットは受け取ってもらったが、『ポルコ』五食分と新発売記念グッズは突き返された。発売から三週間が経っているが、ポルコは絶望的に売れていない。理由はネーミング以前の問題のようだ。

「さ、会社へ戻りましょう」

払い戻し窓口で金を受け取って、篠崎を振り返った。千円しか賭けていないから、もうけは五千二百円。まぁ、金が目当てではないから、どうでもいいのだけれど。

先週の給料日で滞納していた家賃はなんとか完済した。ギターのローンも。おかげでもういつ会社を辞めてもいい身分だ。だが涼平はいまだに会社を辞めずにこうしている。

篠崎が涼平を拝むようにひとさし指を立てた。

「もう一レースだけ」

「だめですよ」

「第一レースで帰るなんて、チャックを開けただけで小便せずに便所から出るのと一緒だよ」

「何言ってるんです。最初からその約束でしょう」

「自分だけ勝ち逃げはずるいなぁ」

「ずるいもなにも、篠崎さん、さっきので財布からっぽでしょ」

「あ、そうか」

変なおっさんだ。競艇場に来ると、目の前の水面とボートの事しか頭になくなってしまう。つい数時間前、ひと晩明けてもポルコのまずさへの怒りが収まらない客に、カップ麺の製法から説き起こし、中華料理店の麺とは別種のジャンルの食べ物とお考えいただきたいと力説して、当社も懸命に努力をしておりますが、本格的な高級食材の味のわかる食通の方には、どうしても違和感を抱かせてしまううんぬんの口が曲がるようなお世辞の数々で相手を懐柔してしまった人間と同一人物とは思えない。

「どうせ昼飯を抜くか、シケモクで我慢するかで悩んでるんでしょ。焼きそばおごりますよ」

「ありがと」

篠崎が幼稚園児みたいにこくんとうなずく。篠崎の扱い方にはだいぶ慣れてきた。基本的に子どもをあやすのと一緒。ついこの間まで、毎晩辞表を書いては破り捨てていたのに、いつまでもぐずぐずと会社にいるのは、別にお客様相談室や篠崎を気に入りはじめたわけじゃない。なんとなく面倒なだけだ。涼平は自分に言い聞かせるように、そう考えている。

焼きそばを食いながら、ずっと気になっていたことを尋ねてみた。

「そういえば、篠崎さん、ピースケのぬいぐるみ、まだ机の上にありますけど、娘さんには会ってないんですか」

「うん、まだ……もう三カ月会ってない」

「離婚したわけじゃないんでしょ」

「ああ、でも時間の問題。後は俺の署名捺印《なついん》だけ。このあいだ離婚届けが郵送されてきた」

「競艇ばっかりしてるから？」

篠崎は首をかしげた。

「それだけならいいけど、他にもあるんだ、いろいろと。主に俺の側の問題なんだけどさ」

「謝っちまえばいいじゃないですか。篠崎さんは謝罪のプロなんだから」

「そんな単純な問題じゃないのよ。十五年も一緒に暮らした相手だよ。テクニックや小細工なんか通用しやしないよ」

いつもはあまり喋りたがらないのだが、焼きそばの借りを返すつもりなのか、珍しく篠崎は気前よくプライバシーを公開する。

「ごめんなさいですむなら、いくらでも頭を下げるけどさ、謝ったって何にも解決しないんだよね。俺自身が変わって、向こうも少し変わってくんないと。まぁ、佐倉には、まだわかんないだろうけど。一人の女と長く暮らすってのは、大変なんだよ」

いや、涼平にもわかると思う。三分の一ぐらいは。こっちだってリンコとは五年近く暮らした――いなくなってからの日数も入れて――のだ。

連絡があったら必ず知らせてくれると言っていたマキさんからは、その後、何の音沙汰もない。マキさんに教えてもらったリンコのほんの数人の女友だちやゲンゴロウの常連客にも話を聞いた。タカシにも電話してみた。「オランダじゃなぜかファッキン・イングリッシュのほうがよく通じる」なんて世間話をしただけで終わった。番地がわからないのにリンコが十八まで暮らした山梨の町まで行って探偵の真似事もした。昔、ポリボックスが出たことのある何軒かのライブハウスにも行ってみた。

アーカホリックはすでに潰れていて、コンビニエンス・ストアになってしまっていたが、オーナーだけは変わらない。白髪まじりの長い髪を切り、髭も剃ってしまった窪田さんは、リンコの行方どころか二人が一緒に暮らしていたことも知らなくて、並べていた弁当を落としそうになるほど驚いていた。「楽しかったよね、あの頃は」有線放送ではない自前のBGMでディープ・パープルを流した店の中で、窪田さんは何十年も昔の話をするようにそう言って、まだ四十いくつかであるはずなのに年寄りじみたため息をついていた。

一人の女と長く暮らすのは確かに大変だ。四年以上一緒だったのに、居場所も、リンコの気持ちも、まるでわからなかった。

篠崎はスタンドの手すりにもたれて、光がドット模様を描いているレース場の水面を眺め続けている。

「俺たちの仕事だってそうだよ。謝るのなんて発券所で舟券を買うのと同じでさ、ただのとば口なんだよ。本当に肝心なのは、そのあとどうするかだろ。うちの場合はただ臭いものにフタをするだけ。何も変わらない。変えようともしない。順番の変わらないボートレースを見てるようなもんだよ」

今日の篠崎はやけにセンチメンタルだ。

「僕らが書いてる報告書ってどこへ行ってるんです？」

「製造統括本部のシュレッダーの中」

「……え⁉」

「本間は得意満面で持って行ってるよ、自分の仕事が髪にくしを入れることだけじゃないってことをアピールするために。でも持って行く先が製造統括じゃどうしようもない。あっちにしたら自分たちのミスだもの。原因究明のためになんて言ってラインを止めたり、出荷停止になったりしたら、それこそ大騒ぎだ。誰もそんなことしやしない。溝口専務に報告を上げようものなら、クビが飛びかねないし。犯人に証拠品を返してあげちゃってるようなもんだよ」

知らなかった。

「……馬鹿みたいだな」

「うん、本当に馬鹿だよ。みんなそう思ってる。だけど変えられない。みんな、怖いんだよ。いままで手に入れたものが消えちまうのがさ」

そう言って握った舟券を片手でひらひらさせる。なんだかいつもの篠崎と様子が違う。

「手の中に握ってるものが、たいしたもんじゃないことを知ってるのに、手のひらを開くのが怖いんだ。全部こぼれ出ちまうのが。本当にたいしたもんじゃなかったってことを知っちゃうのをさ。誰も彼も、俺も」

「どうしたんです、篠崎さん。なんだか今日は別人みたいですよ」

「そうかな？　そうかもな。説教坊主みたいなことを言うようになっちまったら、もうおしまいだな。なんまいだぶつだ。潮時かもしんないね。なんもかんも」

「どういう……意味です」

「離婚届けに判、押しちゃおうかなって思ってる。そしたら会社ともおさらば。居る意味がないよ。いままでは無職になっちまったら完全にカミさんに愛想をつかされると思って、我慢してたんだもの」

「そんなこと言わないで、もう少し一緒にやりましょうよ」

「もう少しっていつまで？」

大真面目な顔で見つめ返されてしまった。返す言葉がなかった。もう少しなんて、いまの会社に片足しか突っこんでいない涼平の都合でしかない。篠崎には篠崎の事情があるというのに。

「次のレースで決めようかな」

さざ波がつくる光に目を細めながら、篠崎が水面に言葉を落とした。

「え？」

「そうとも、ぐずぐず悩んでいたってしかたない」灰皿がわりにしていた焼きそばの発泡スチロール皿をごみ箱に放りこんで涼平を振り返る。「よし、そうしよう。次の第二レースで決めるよ」

「決めるって？」

「次で当たれば、一から出直し。はずれたらもう少しがんばってみる」自分の言葉に自分でうなずいている。

「そんな単純なことで決めちゃっていいんですか」

「何でもいいんだよ、自分の背中を押してくれるきっかけが欲しいだけなんだから」

競艇場の水面を見つめたままの背中に、どんな言葉をかけたらいいのか迷っていると、篠崎がくるりと涼平を向き直り、ひとさし指を突き立ててきた。

「一万円貸して」

涼平が財布を取り出すと、篠崎がおあずけを食った腹ぺこ犬みたいに目を輝かせた。気のせいか目の隅が笑っている。なんだか最初から篠崎に騙されていたんじゃないかという気がしてきたが、一万円札を手渡す。篠崎は一目散に発券所へすっ飛んでいった。

第二レースも早々と展開は決した。賭けに勝ったのか負けたのか、篠崎は一から出直ししないことになり、涼平の貸した一万円は、競艇場の水中に没した。


その内線電話が鳴ったのは会社に戻ってすぐだった。いつものように鷹揚に受話器を握りしめた本間が目を丸くして、椅子から跳び上がった。丸い目をしたまま直立不動で涼平を呼ぶ。

「……佐倉君……君に電話だ」

受け取った受話器から流れてきたのは、若々しいバリトン。

——やぁ、久しぶりだね、佐倉君。

相手が名乗るまで誰だかわからなかった。驚いた。副社長だった。玉川政彰は旧知の人間の名を呼ぶように、佐倉君と呼びかけてきた。いつの間に名前を覚えてくれたのだろう。

「……どうも」普通に喋ろうとしているのに、つい言葉が詰まってしまう。平社員と副社長。どんな声を出せばいいのかわからなかった。

——ポルコのスクラッチカードの件、噂は耳に届いているよ。見事なトラブル処理だったようだね。

「いや、別に僕は、そのぉ、篠崎主任の指示に従ったまでで……」

高野ならこういう時は素直に褒められておけばいいんだと言うだろうが、涼平はそれほど素直じゃない。

——ああ、その人の話も聞いてる。佐倉君とその彼を見こんで頼みがあるんだ。二人にお願いしたい仕事がある。とりあえず君一人でいい。いまから僕の部屋に来てくれるかい。

受話器を置き、あやつり人形の手つきで上着をつかんだ。涼平が行く先を告げると、本間の首が斜めにかしいだまま固まってしまった。

「……副社長室……なぜ？」

かたむけた頭の中で、目だけが落ち着きなく動いている。なぜ自分の頭ごしに？　なぜお前が、と言いたげな目だ。

「わかりません」としか言えなかった。本当にわからない。

本社ビル最上階は、他のフロアとはまるで別世界だ。廊下に厚い絨毯が敷かれているから、思わず靴を脱ぎそうになる。造りは同じなのだが、下の階では単なるコピー室か荷物置き場になっている廊下のアルコーブには、子供の背丈ほどある巨大な有田焼の壺が置かれ、こんもりと生花が活けられていた。日頃、コストカットの名のもとに庶務課から備品に関して数々のこうるさいお達しがあるわりには、ずいぶんと贅沢だ。コピー用紙を裏まで使ったかどうかや、ボールペンの数をチェックする前に、あの壺を売るほうが先じゃなかろうか。月々の生花代を節約するだけで、何人の社員をリストラから救えるだろうか、などと思いながら涼平は右手のいちばん奥に進んだ。副社長室。中へ入るのは初めてだ。

ネクタイを絞り上げ、小さく咳払いしてから、ドアを開ける。

いきなりジャズのピアノソロが耳に飛びこんできた。目の前のカウンターでパソコンに向かっていた副社長秘書が顔をあげる。会社のお仕着せの制服ではなく、ジーンズショップの店員のようなラフなスタイルだ。ポニーテイルに結った髪ははちみつ色。小さなレンズの眼鏡を下へずらして涼平に微笑みかけてきた。身なりは質素だがきちんと化粧をしていて、篠崎のよく使う表現を借りれば——キンタマが縮み上がるほどの別嬪さんだ。

「副社長がお待ちです」

別嬪さんが、ネイルアートをほどこした紫色の爪で奥を指し示した。

もうひとつのドアをくぐり抜けて執務室に入る。室内は、中途採用社員数人の入社式の時、挨拶に行った社長室とはだいぶ趣を異にしていた。中央の応接セットは、体が沈みそうな本革張りのソファとデコラテーブルではなく、機能優先といった感じのイタリアンデザイン。会議をしていたのだろうか、テーブルの上には資料と書類がうずたかく積まれ、運びこまれているホワイトボードは走り書きされた文字や図式で埋まっていた。執務用デスクもシンプルなLの字形のワークデスクだ。デスクの上にはノートパソコンがひとつ。重役室というより、数人の仲間とベンチャービジネスに乗り出した起業家の作戦会議室のようだった。

玉川政彰は窓辺に立ち、携帯電話で話をしていた。涼平に気づくと、目だけで挨拶を寄こし、視線を応接チェアに向ける。携帯に耳をあてがいながら部屋の隅のホームバー風の一角に歩き、備え付けの冷蔵庫の中からエビアンのボトルを取り出した。自分が飲むのかと思ったら、涼平へ投げてくる。あわててキャッチした。

腰を下ろした涼平がミネラルウォーターに口をつけていいものかどうか判断しかねて手の中でころがしていると、長い電話を終えた政彰が涼平に微笑みかけてきた。

「待たせちゃってごめん。飲んでよ。他のにする？　缶コーヒーもあるけど？」

まるで友だちに対する口調でそう言って、自分もエビアンを手にして、テーブルの端に腰を落とした。ここへ来る途中、行ったばかりの小便にもう一度行くほど緊張していたのだが、急に肩の力が抜けた気がした。

「その椅子、座り心地があんまりよくないだろ」

「いえ、別に」そんなこと感じてる余裕すらない。

「わざとやっているんだ。座る人間にはいい迷惑だろうけど、会議が早く終わる」

とめない。

そういってエビアンをひと口飲んだ。

「新しい商品シリーズの企画会議をしていたものだから」

「また新商品⁉」

つい皮肉っぽい口調になってしまった。涼平は思わず片手で口を押さえたが、政彰は気にもとめない。

「ポルコは失敗しちまったな」寝不足なのか政彰の目がわずかに腫れていることに涼平は気づいた。政彰はつるりと顔をなぜ、屈託のない笑顔を見せた。「僕のミスだ。君のアドバイスに従っておけばよかったかもね」

ネーミングと商品企画以前の問題かもしれない、涼平がそう言おうとする前に政彰がぽつりと言う。

「一商品だけの問題じゃない。この会社自体の体質改善も必要だね。君も来る途中で見ただろ。有田焼の壺。うちの爺さんの私物だ。ああいうものを恥ずかしげもなく飾っておくセンスっていうのが問題だな。ぼくは変えようと思う。ここをね」

ここを、と言って、靴先で床を叩く。社長室のような分厚い絨毯は敷いていないから、いい音がした。何と答えようか涼平が言葉を探していると、政彰が気やすく肩を叩く口調で言った。

「佐倉君のとこのセクションに関しても、再評価しなくちゃって、僕は常々思っているんだ。うちの場合、リスクマネージメントシステムを基本から整備しないといけないとね」

疲れた顔に無理して張りつけたような笑顔を向けてくる。ボンボンの三代目なんてねたみ半分の偏見だったかもしれない。東京オリンピックあたりで思考停止したままの上層部より、この男のほうがずっとましな気がした。

「あの、で、僕は……僕と篠崎さんは何をすればいいのですか」

「ああ、そうだったよ」

政彰がぱちりと指を鳴らし、ホワイトボードの一点を指さした。走り書きでこんな文字が書かれている。

『タマガワ　行列のできる店シリーズ第一弾・げんこつ亭ネギミソラーメン』

「今度はこれをやってみようと思う。前回の失敗を踏まえて、もう少し地に足をつけてね。ラーメン店とタイアップして、名店の味を再現するんだ」

別に悪くはない。少なくとも妙なネーミングにはもう懲りているようだ。だが、新し物好きだと思っていた玉川副社長にしては、意外なほどオーソドックスな企画だった。有名ラーメン店とのタイアップ商品は、他の食品メーカーやコンビニエンスチェーンがすでに先行している手垢《てあか》のついた分野だ。政彰は涼平の心のうちを見透かすように言う。

「オリジナリティには欠けているよね。でもこのジャンルはこれからまだまだ伸びるだろうし、いま手をつけておかないと日本中の有名店のブランドとノウハウが他社に流れてしまう。やるならいまだと思うんだ。大手と違って小ロットで勝負しているうちだからこそ、可能なんだ。食品業界でも再び商品の細分化が始まっている。まだまだチャンスはこれからだと僕は睨んでいるんだ。君はどう思う？」

「……いいと思います。でも、僕に何ができるんでしょうか?」

つい卑屈な言葉が口をついてしまった。

「謝罪。いや、これじゃ何だか失礼な言い方だな。説得だ。ネゴシエーションを頼みたいんだ」

「誰に対してですか」

政彰はホワイトボードを叩いた。

「このラーメン店のオーナーだ。プロジェクトは試作品の段階まで進んでいるんだけれど、先方との行き違いがあって計画が頓挫してしまっていてね。困っているんだ。助けてくれないか。くわしいことはマーケティング室の野瀬君にレクチャーしてもらってくれ」

「お客様相談室の人間が行くべきことでしょうか……いえ、行くのは構わないのですけれど、いきなり我々が先方を訪ねても……プロジェクトの関係者ではありませんし」

「マーケティング室の人間じゃ駄目なんだ。オーナーと完全に関係がこじれてしまっていてね、誰が行っても門前払いなんだそうだ。だから君に来てもらった。それと、もうひとつ理由がある」

政彰がひとさし指を立ててウインクした。

「君たちの力を試してみたい。さっき話したリスクマネージメントに関わることなんだけれど、君と君の直属上司——えーと誰だっけ?」

「篠崎主任です。謝罪に関しては、プロ中のプロです」

「頼もしい。その人や君を中心にして、いまの相談室をトラブル解決の専門部署として機能させられないか。僕はそんなプランを持っている。アメリカではクレーム処理の専門家の地位は高いんだ。専門会社もあるし、社内にセクションを設ける場合も他のオフィスとは待遇を変える。ストレスの多い担当者のためにジャグジーやリラクゼーションルームまで用意するんだ。それだけ重要視しているってことだね。うちにもそんなスタッフが、いわばトラブルシューターが必要だと思うんだ。だから、ぜひ見せて欲しい、君たちの力を。僕が社内を説得できるように」

トラブルシューター。あい変わらずのネーミングセンスだが、お客様相談室よりずっと耳に心地よい。涼平はジャグジーを備えたオフィスを頭に思い浮かべてみた。悪くない。

「いつ行けばいいでしょうか」

「あまり時間がないんだ。できれば今日中。遅くとも明日までに結論が欲しい。頼めるかい」

エビアンをひと口飲んで、答えた。

「もちろんですとも」

涼平は入ってくる時よりずっと軽やかな足取りで部屋を辞した。チャンス到来。この会社で生き残る道が見つかるかもしれない。自分に、そして篠崎に。

カウンターの副社長秘書に、今度は涼平のほうから微笑みかけ、電話を借りて内線をかけた。本間は話の内容をしつこく聞きたがったが、時間がない。あらましだけ手短に伝えて、神保に電話を替わってもらった。

——あ？

清村興業の一件以来、神保は閉ざし続けていた口を開くようになったが、まだごく短い単語のみ。首が左にまわったのもあの時だけだ。相変わらず昼間は自己啓発本の書き写しを続けている。最近のお気に入りのフレーズは、『無に帰る』昨日もノート一ページを同じ言葉で埋めていた。完治までにはもう少し時間がかかりそうだ。

「お願いがあるんです。篠崎さんはそこにいますか？」

——お。

「篠崎さんを部屋から出さないようにしてください。それと金を貸してくれと言っても、誰も貸さないように。絶対に競艇場へ行っちまいますから。逃げないように見張りを頼みます」

——う。

なんだか幼稚園児に野良猫の世話を頼んでいるみたいだ。トラブルシューターなんて、副社長の買いかぶりかもしれない。

副社長直属のマーケティング室は、他のセクションより華やいで見えた。スタッフのほとんどが二、三十代。男性社員は皆、ソフトスーツにカラーシャツというこの会社では珍しい格好で、一般職だけの女性社員も派手めの私服。もしかしたら配属する前にファッションチェックがあるのかもしれない。

新プロジェクト『行列のできる店シリーズ』のブランドマネージャーは野瀬。小太りで、丸顔にカリスマ美容室でカットしてきましたと言わんばかりのヘア・スタイルを載せた、まだ三十そこそこの男だ。いま締めているレジメンタルよりラメ入りの蝶ネクタイが似合いそうな売れないコメディアン風の外見に似合わず、態度がでかい。

「お前が謝罪屋？　話は聞いてるよ、副社長から直接」

謝罪屋。社内ではこんな言われ方をしているらしい。自分が失敗した交渉の代打に誰かが立つことも、その誰かが自分より若い涼平であることも、気に食わないらしい。敵意むき出しの視線を飛ばしながら、いきなり言い訳を始めた。

「行くだけ無駄だと思うよ。どうしようもない親爺だから。こっちの言うこと、やることにいちいち文句をつけてくる。勘違いしてんだな。隠れた名店だなんてマスコミに持ち上げられて。ただのラーメン屋の親爺のくせに芸術家気取りだ。最初っから怒りっぱなしだよ。別にこっちは他の店でも全然構わないのに」

店の名は『げんこつ亭』。名前を聞いただけで先行きに不安を感じる。聞き覚えがある名だと思ったら、場所は新宿南口。入ったことはないが涼平もしばしば前を通りかかる、いつも人が並んでいるから最初は一等がよく出る宝くじ売り場があるのだと思いこんでいた店だ。

「なんで怒らせてしまったのか教えてくれませんか」

「なによ、それ。俺らのミスみたいな言い方だな」

「いちおう事情を知っておかないと」

「ただ頭下げに行くだけだろ。大げさだな」

いかにも人を怒らせるのが得意そうな男だった。一応はブランドマネージャーなんだから、交渉の時に高飛車に出るほどの馬鹿ではないだろうが、「ラーメン屋風情が偉そうに」という内心が野瀬の顔に書いてあったに違いない。

「何にでも文句をつけてくるんだぜ。いちいち覚えてないよ」ぶつぶつ言いながら野瀬は指を折った。「まず、最初に行った時だ。俺があの店のラーメンを食ったことがないっていうので、ねちねち言いはじめて。俺たちだってちゃんと手分けしてフィールドワークはやってるんだよ。俺なんてラーメン好きでもないのに、何十軒も食べ歩いたんだぜ。医者から塩分は控えろって言われているのにさ」

「……それを相手に言ったんですか」

「言ったさ。汁を全部飲めって言うから、塩分は止められてるってね。言わなきゃ、わからないんだもの」

馬鹿だ、こいつは。俺以上の大馬鹿。

「なだめすかして、とりあえずライセンスの仮契約は結んだんだ。向こうだって本当はのどから手が出るほど契約が欲しいんだ。一杯もラーメンをつくらないで金が入ってくるおいしい商売だもんな。やりたがってる店はいくらでもあるんだよ。それなのに、試作品を作って持っていったとたんに、またガタガタ言い出してさ。何回つくり直しても気に食わないって言うばかりだ。無理だよ。カップ麺なんだから、店で出してるのと同じになるわけないよ。発売日はもう決まっててラベルの印刷も発注するばっかりだってのに、いまのままなら発売はするなって、こうだぜ」

なんだか思っているより難しい仕事になりそうだ。正直に言えば涼平も、やたらに偉そうな食い物屋というのは好きになれない。おとなしくあいづちを打つことがわかりきっている相手に威張るヤツや、自分勝手な持論をふりかざすヤツは、どんな人間でも嫌いだ。愛想が悪いだけなら許せるが、人から金をとって飯を食わせて、なおかつ怒鳴りつけるような店は、どんなに味が良くたって二度と行かない。うまいもんもまずくなる。

広告代理店時代、接待で行った先の寿司屋の親爺があれこれ蘊蓄《うんちく》を語り、人の寿司の食い方にいちいち文句をつけ、おまかせをいいことに高いネタばかり握り、経費が心配になってきてカッパ巻きを頼んだ涼平に、お前みたいなのがうちに来るのは百年早い、などとふんぞり返りはじめた時には、大トロを店のダルマの眉毛に張りつけて、席を立ってやった。

「試作品を食べさせてもらえませんか」

「なぁ、もういいじゃないか、早く謝ってきてよ」

「そうは行きません」

謝罪の基本は、商品についてきちんとした知識を持つことだ。この二カ月でそのことは身にしみていた。

お客様相談室に戻ると、本間がにこやかな顔で涼平を出迎えた。

「ご苦労さん。じゃあ、行こうか」

そう言って上着に袖を通しはじめた。

「……あのぉ」

「話は道すがら聞くよ。そうだ、タクシーで行こう」

「いえ、あの……」

「君一人では荷が重いだろう。やはりここは私が――」

痛々しいほど張り切っている。皮肉を投げつけてきたら、鼻先で笑ってやろうと思っていたのに、できなくなってしまった。

「いやいや、今回は、やはり室長という肩書が必要だと僕は思うが」

そうだろう？　本間の目が訴えかけている。僕は重要な人間なんだろ？　会社は僕を必要としているんだろ？　一分の隙もなく整えられた頭髪がなんだか哀れに見えた。

本間も一緒だ。俺と同じ。本当の自分の居場所を探してあがいているのだ。そんなものがあるのかどうかもわからないのに。三人で行くわけにもいかない。本間も一緒だなんて言ったら、篠崎は絶対に席から動かないだろう。

「……いえ、副社長からは、篠崎さんと二人でという指示でした」

「え」本間が絶句した。

「あ」篠崎も違う意味で絶句した。露骨に顔をしかめ、自分に飛んできた涼平の言葉を払い落とそうとするように顔の前で手を振った。「だめだよ、俺、午後は予定があるもの」

どうせ多摩川の賞金王チャレンジカップだろう。

「そこをなんとか。副社長にも篠崎さんは謝罪のプロだって豪語しちまったし」

「買いかぶりだよ、佐倉くんたら。僕はただの謝り上手のナイスミドルさ」

「あ、そういえば俺、篠崎さんに一万円貸してあったっけ」

請求書のように冷やかな目を篠崎に投げかけてやった。篠崎から無期限の借用書みたいなお気楽な声が返ってくる。

「そうだったよ。残念だな、電車賃もないや」

「そのくらい貸しますから」


品川から山手線で新宿へ。いつも自宅に帰るのと同じルートだ。

時刻は午後二時半。げんこつ亭が開店するのは昼間だけで、夜は営業しない。思いどおりのスープが出来なかった日は休業。毎日、スープがなくなると同時に店が閉まるそうだ。いつもなら四時頃には閉まる。涼平は閉店まぎわの客が消える時間が、ちょうどいい訪問のタイミングではないかと考えていた。

渋谷駅で大量の客が車外に吐き出され、同じぐらいの数がまた吸いこまれてきた。新宿まで、あと三駅。涼平は膝の上に置いた拳を、力をこめて握りしめる。なにしろいつもの仕事とはわけが違う。新製品の命運を背負った副社長の勅命。しかも、お客様相談室がまったく新しいセクションに生まれ変われるチャンスかもしれないのだ。

「何にやにやしてるの？　向かいの姉ちゃんのパンツが見えるのかい？」

篠崎が涼平の顔をのぞきこんでくる。

「あ、いえ……ねぇ、篠崎さん。今回の場合はどうすればいいんですか」

「どうすればいいのかって？」

まだチャレンジカップに未練があるらしく、篠崎の腰はそわそわと落ち着きがない。

「いつもと違って、商品じゃなくて人間関係のトラブルでしょ。秘訣を教えてください」

「うーん、教えろって言ってもねえ。口で言うのは難しい。体で覚えないとなぁ」

篠崎が面倒くささそうに競艇新聞から顔を上げ、今朝も剃り忘れてきたらしい白髪まじりの髭がぽつぽつ伸びた顎をなぜた。体で覚えろと言うが、篠崎自身はどこで謝罪テクニックを覚えたのだろう。涼平には篠崎という手本がいるが、篠崎には誰もいなかったはずだ。

「まぁ、そうだな、他人がやったことで自分には無関係なんて顔で謝ると反感を買うし。といって全部自分の責任って顔するのもしらじらしいし。先方と一緒になって悪口を言ったりするのはもってのほか。身内をかばうのも禁物。適度な距離感が大切だな。そう、俺はね、こうしてるのよ」

篠崎はひとさし指を突き立て、それをひたいに押し当てた。

「誰かを頭の中で思い浮かべるといいんだ。代わりに謝らなくちゃしょうがない人間。腹は立つけど自分が謝ってやらなくちゃならない人間。そういうやつが何かやらかした時のことを想像して、代わりにドロをかぶるつもりになってみる。たとえそれがどろどろの泥でもさ。たとえば自分の親父が酔って物を壊した店に謝りに行くとか、喧嘩して怪我させた相手に詫びを入れるとか、借金こさえて雲隠れしてるのを取り立て屋にいい訳するとか。謝罪の言葉のあとに、心の中だけでそういう人間の名前をつけくわえると、案外、すんなり謝れるんだよ。本当にすいません——うちの馬鹿親父が——てな感じでさ」

ずいぶんリアルな譬《たと》え話だった。

「なるほど」

とは言ったものの、涼平の父親は酒が飲めないし、借金をこしらえることもない。ごく普通の親父だ。母親も。兄弟もいない。第一、親の不始末を謝るなんて、考えると結構腹が立つ。自分にどろどろの泥をかぶってやれるほど大切な人間がいるだろうか。涼平は首をかしげ、篠崎に聞いてみた。

「篠崎さんは、そういう時に誰を想像するんですか?」

「それは秘密のアッコちゃん」

「奥さんとか?」

「カミさん? あいつは何かしでかして俺が謝るなんてシチュエーションが想像できない女だからさ。いつも逆。俺のことで謝ってばかりだったから。向こうはもう俺のことで代わりに人に謝るのはごめんだろうよ」

「娘さん?」

「子どものことを親が謝るのは、日常茶飯事だもの。この場合は役に立たない」

「じゃあ……」そこまで言いかけて、質問を変えた。「篠崎さん、ご両親はご健在なんですか?」

「死んだよ。親父は十年前。おふくろはもっと前、俺がガキの頃」

それだけ言うと、篠崎は競艇新聞に顔を隠してしまった。


行列がなければ五歩で通りすぎてしまうような小さな店だ。昼飯時を過ぎた時間で、いまにも雨が降りそうな天気にもかかわらず、店の前にざっと数えただけで三十人は並んでいる。行列の頭ごしに見るかぎり店内も狭くて煤《すす》けていて、OLにも大人気――などという最近ふえているおしゃれなラーメン店風の清潔さや愛想の良さとは無縁だった。油で汚れた壁に値書きとともに「禁煙」「私語禁止」といった貼り紙が見えた。

行列に加わる。とりあえず客として入り、ラーメンを食べようと涼平は提案した。

「マーケティング室の野瀬さんは、この店のラーメンを食べたことがなくて、その時点で先方に不信感を持たせてしまったようなんです。だから、まず食いましょう。状況しだいでは、今日は食べるだけでおとなしく帰って、明日出直したほうがいいかもしれない」

「もう佐倉も一人前だな」篠崎が驚いた顔をし、気持ち悪いぐらいに感心してみせる。「俺がいなくてもきっと大丈夫だよ」

何だかひっかかる言い方だった。涼平は思わず背後の篠崎を振り返った。

「まさか篠崎さん……約束じゃないですか、もう少しがんばるって」

すでに後ろにも列ができている。篠崎は涼平から顔をそむけるように、ぼんやりと最後尾を眺めていた。

「ねぇ、もう少しがんばってくださいよ。もったいないです」面と向かって話すのが照れくさくて、前に並ぶ中年男の首筋のホクロを見つめて言葉を続けた。「俺、篠崎さんってけっこうすごい人だと思うんです……副社長が言ってました。うちの会社にクレーム処理専門のセクションをつくりたいって。俺はそれを聞いて、急にいまの仕事が案外とましな仕事で、けっこう面白いんじゃないかって思いはじめて……もしかしたら自分の居場所が見つかるかもしれない」

雨が降りはじめた。涼平はバッグを頭へ載せた。

「でも篠崎さん抜きじゃ、きっとうまくいかない。篠崎さんがトップにいて、神保さんがどしんと控えていて、俺がいて、羽沢が敬語を覚えて、宍戸がもうちょっと愛想がよくなって……なんだかいい感じですよ。そうそう、アメリカのそういうセクションには部屋にジャグジーがあるそうです。副社長はええかっこしいのところがあるから、本当につくってくれるかもしれない。やりましょうよ、一緒に」

篠崎はどんな顔をしているだろう。たぶんいつものとぼけた笑いを浮かべているだけだろう。涼平は頭に載せたバッグで顔を隠すようにして、ゆっくりと振り向いた。

学生風の男が気味悪そうな顔で涼平を見つめていた。涼平と視線が合うと、あわててそっぽを向いた。篠崎の姿はどこにもない。涼平は千円札の持ち合わせがなくて、大森駅の券売機の前で五千円を貸してしまったことを思い出した。

しまった、逃げられた。

なにが篠崎さんをトップにだ。やっぱりただの競艇狂いのダメ親爺だ。涼平の順番まであと十五人ほど。いまさら帰るわけにもいかないし、ダメ親爺の篠崎がいないと何もできないなんて悔しい。涼平は雨空に顔を上げ、しばらく雨に叩かれるままにした。やってやろうじゃないか。

「らっしゃいっ〜」

のれんをくぐり抜けた瞬間、威勢のいい声があがった。思いのほかに愛想がいい。カウンターの中にいるのは二人。五十歳がらみの一見サラリーマン風に見える銀髪の男が、どんぶりを客に差し出している。その隣で髭面の坊主頭が卓球の素振りよろしく黙々と湯きりざるを振っていた。銀髪が愛想よく挨拶をしたその口を、すぐにへの字に引き結んで、じろりと涼平を睨んできた。どうやらこの男が『げんこつ亭』の店主、光沢らしい。

水はセルフ。給仕係の店員はおらず、椅子はコの字形のカウンターに十席だけ。客は若い男が多く、誰もが無言で麺をすすり、スープを飲んでいる。涼平は七品のメニューの中から珠川食品が製品化を進めている「ネギミソラーメン」を頼む。

涼平の両隣が同時に空いた。続いて入ってきたのが若いカップルだとわかって、涼平は席をひとつずらす。銀髪がいきなりこちらを向き、いかにも人に命令し慣れた感じの、会社の管理職みたいな声をかけてきた。

「お客さん、勝手に椅子を移動しないでくれます」

篠崎の逃亡で上がってしまっていた涼平の頭の中の温度計がさらに上昇する。いかんいかん。

冷静にならなくちゃ。若いカップルは目を丸くしていたが、素直に銀髪の言葉に従った。

何人連れだろうと空いている席に順番に座るのが店のルールなのだろうが、こっちはたまったもんじゃない。カップルは涼平を間にはさんで話しはじめた。二人もこの店は初めてらしい。男が雑誌で仕入れたに違いない蘊蓄を披露しはじめると、

「私語禁止!」

また声が飛んだ。今度はカウンターのはす向かいに座っている常連らしい客からだった。カップルの男の方が体をすくませ、女がふてくされて頰をふくらませた。常連客らしき男は、しばらく二人を監視するふうに睨んでから顔をどんぶりに戻した。もったいぶったしぐさでレンゲにスープをすくいとり、うやうやしく押しいただくように喉へ流しこんで、深々とため息なんぞをついている。感じ悪いことこの上ない。

常連中の常連なのか、客の中にはお代わりを頼んだり、別のメニューを注文し直したりする人間もいる。光沢は黙ってその注文を受けるし、後ろの客からも文句は出ない。これが行列をよけいに長くしている原因のようだ。こういう店は大嫌いだった。これでまずかったら、怒るぞ、ほんとに。

「ネギミソ、お待ちっ」

涼平の前にどんぶりを置いた光沢が、立ち去ろうとする瞬間、くるりと振り向いた。ふんふん犬のように鼻をうごめかせてから、カップルの女の方に言う。

「お嬢さん、申しわけないけど、帰ってもらえますか」

割り箸を手にとろうとした涼平まで驚いた。カップルの男の方がびくりと体を震わせる。女の方がはるかに勇敢だった。

「なによ、いきなり。馬っ鹿じゃないの」

「うちは香水禁止なんですよ」

光沢がゆっくりかぶりを振って、壁の貼り紙を指さした。『私語禁止』『六歳未満お断り』『禁煙』『雑誌、新聞のながら読み禁止』といった小うるさい注意書きの数々の中に『香水禁止』という文字もある。確かに女の香水はかなり鼻についていたが、それを言ったらフランス料理店なんか香水の匂いだらけだ。女の右隣は壁なのだし、涼平が気にしてないんだからいいじゃないか。

「な、な、なによ、わたしお客さんなのに。なんでそんなに偉そうにするわけっ!」

女が目を三角にして叫ぶ。男のほうはおろおろとしているばかりだ。涼平はどんぶりを受け取るついでに言ってみた。

「俺、別にかまわないですけど」

光沢が言葉を詰まらせる。意外に気の小さい男かもしれない。目に落ち着きがなくなった。うなじをかき、後ろを振り向いて、ひたすら湯きりざるを振り続けている坊主頭に声をかけた。

「……親方」

坊主頭がゆっくり顔を上げる。涼平は誤解していた。げんこつ亭の店主光沢は、銀髪の男ではなく、彼よりひとまわり以上若そうな坊主頭のほうだった。本当の光沢が女と連れの男へ冷やかな視線を走らせる。そして坊主頭で髭面の男がいかにも出しそうな割れた低い声を出した。

「どうしても食いたいなら、裏口で食ってくれ。それが嫌なら家へ帰ってシャワーを浴びてから来てくれ。どっちも嫌なら――」そこで底意地の悪そうな顔をカウンターに突き出した。「帰れ。他のお客さんに迷惑だ」

下を向いてしまったカップルの男のかわりに涼平が露骨に顔をしかめると、光沢が睨んできた。

「あんたも帰るか?」

ただの客として来ていたなら、そうしていただろう。でも今日はそうはいかない。涼平の体内温度計は、しゅるしゅると下がっていった。まずい。しょっぱなから悪印象。

「こんな汚い店、こっちからお断りよ。二度と来るもんですか」

捨てゼリフを吐き捨てて女が席を立ち、男があわてて後を追う。カウンターの常連客から拍手と野次が飛んだが、光沢が無言で『私語禁止』の貼り紙に目を走らせたとたん、いっせいに静まって、全員がどんぶりに顔を戻した。不愉快で居心地が悪かった。ラーメン屋ではなく怪しげな新興宗教の集会に間違ってまぎれこんでしまった気分だ。

気を取り直してラーメンに向かう。スープは、札幌系に多いミルク色ではなく赤味噌を思わせる濃厚な色合いだ。厚切りのチャーシューが二枚。味付け玉子が丸ごと一個。メンマがひとかたまり。真ん中にはたっぷりの白髪ネギ。ラーメンは好きだが、このところ昼めしはタマちゃんのカップ麺ばかりだから、少々食傷気味だった。

いつもの習慣で調味料の瓶を探したが、どこにもない。うちのラーメンにはそんなもの入れるなということか。まわりの客はみな、それがマナーだと言わんばかりに、麺をすする前にレンゲでスープをひとさじすくい、うんうんとうなずいてみせる。けっ、涼平は心の中で毒づいて、麺から食ってやった。

最初のひとくち。思わずむせた。熱かったからじゃない。

うまかった。

こんなラーメンはいままでに食ったことがない。ほどよく縮れた中太の麺には、ラーメン特有の妙な臭みがなく、舌の上で躍り、するりと喉に入る。スープをすくってみた。これも絶品だ。何種類もブレンドされているらしい微妙な味噌の味。香ばしい焼きネギの香り。思わず鼻の穴をひろげて湯気を吸いこんだ。

いっきに半分ほど食べてしまった。スープをすくい、麺をすする。メンマを食い、また麺をすすり、スープを飲み、肉厚のチャーシューを嚙みちぎる。最後はどんぶりを両手で捧げ持ってスープをすべて飲み干す。気がついたら、常連客たちと同じことをしていた。

確かにこのラーメンを再現できれば売れるだろう。悔しいが、光沢の腕は確かだ。今日のところは退散して、明日また出直そうかと涼平が考えていると、ずんどうの中のスープを味見していた光沢が銀髪に呟いているのが聞こえた。

「だめだ、スープがうまくいかない。明日は休みだ」

もう、行くしかない。涼平は立ち上がった。

「まいど、またよろしくぅ～」光沢と銀髪が声を揃える。釣りを受け取っても立ち去ろうとしない涼平に、銀髪が訝しげな視線を送ってきた。

「あのぉ、お話が――」

光沢が口にチャックをするしぐさをし、『私語禁止』の貼り紙へ顎をしゃくる。

「私、珠川食品の者です」

もともと強張っている光沢の顔がさらに硬直する。一瞬、眉をつり上げたが、すぐに湯きりざるの素振りに戻ってしまった。光沢がこちらを見てはいないのを承知で、涼平は直立不動し、それから体を九十度に折り曲げた。

「このたびは、誠に申しわけありません――」

大きすぎない声で言い、篠崎に教えられた通り、心の中だけで、ある名前をつけ加えてみた。涼平が自分のことのように謝れる人間、自分がかわりに面倒事を背負いこんでも悔やまない存在。たとえそいつが犯罪を犯しても、かばって一緒に逃げようとするだろう女の名前だ。そんなやつ、やっぱりこの世に一人しかいない。

「もう一度、お話をさせていただきたくて、お邪魔しました」

下げた頭をあげる。光沢は涼平など見てはいなかった。完全無視。

「……あの」

次の客がのれんをくぐって入ってきた。光沢がようやく口を開く。

「帰れ」

「もう一度だけ、お話を――」

「話すことなんかねぇよ」

「そこをなんとか、お願いします」

光沢はそっぽをむき、涼平の背後の客に向けて声をあげた。

「らっしゃい〜」

とりつく島もない。涼平は再び頭を下げて同じセリフを繰り返したが、壁に向かって話しているのと同じだった。ぼんやり突っ立ったままの涼平に常連客が冷笑を投げかけてくる。涼平は思った。俺は何をやっているんだろう。抑えていた怒りが胃袋から喉へとせり上がってくる。誰に怒っているのかよくわからない怒りだった。傲慢そのものの光沢へなのか、光沢にへこへこしている常連客へなのか、珠川食品の野瀬や開発担当者たちへか、競艇場に遁走した篠崎にか、それとも、こんなところで突っ立って何に怒っているのかもわかっていない自分自身にか。

こうなったらヤケだ。涼平は椅子に腰を落とした。

「では、客としてもう少し居ることにします。もう一杯ください。モヤシミソラーメンを」

おい、いいかげんにしろよ。常連客の一人が声を荒らげる。光沢はあいかわらず横顔を見せたままで、涼平にというより、ずんどう鍋に話しかけるように言った。

「一人一杯までだ」

「さっき、おかわりしてた人がいたじゃないですか」

「あれは、わざわざ遠くから食べに来てくれたお客さんだよ。栃木や群馬、大阪から来てくれる人もいる。めったに来れないから食いだめしていくんだ。他のお客さんはそれを知ってるから、黙って食べさせてやってるんだ。お前は違うだろ」

「誰がそんなこと決めたんですか」

挑発する口調で言った。光沢がこちらを振り向く。清村興業よりよほど怖い顔だった。

「俺だよ」

「そういう貼り紙はないようですけど」

涼平がごてごてと但し書きを並べた壁に目を走らせると、光沢がカウンター越しに首を伸ばしてきた。試合前のボクサーのように涼平の鼻先に顔を近づけてくる。交渉は完全に決裂。トラブルシューターなど夢のまた夢。もう会社のことも仕事のこともどうでもいい。血が昇ってしまった涼平の頭の中には、「意地」という二文字しか残っていない。光沢を睨み返して、もう一度注文を繰り返す。

「モヤシミソ」

涼平から目をそらさずに光沢が背後へ声をかけた。

「シゲタさん、スープはあとどのくらい残ってる？」

銀髪が涼平には意味のわからない隠語で答える。顔に光沢の唾が飛んできた。

「モヤシミソ、入りましたぁぁ」

涼平と光沢のカウンターを隔てた争いをよそに、店には次々と客が入ってくる。光沢は涼平をわざとらしく眼中に入れない。麺を茹《ゆ》でる大鍋とスープの入ったずんどうをオーケストラの指揮者のようなまなざしで眺め、おもむろにかきまわしたり、湯きりざるを取り出して振ったりという作業を、不機嫌な顔のまま黙々と続ける。シゲタさんと呼ばれた銀髪は、光沢が差し出した麺とスープの上に具を並べて客に出す。よくよく見ていれば、光沢のほうがややこしい仕事を担当していることがわかる。二人が口を開くとしたら、客が入ってきた時の、「らっしゃい」とオーダーの確認、そして支払いがすんで店を出ていく時の「まいど、またよろしく」それだけだ。

モヤシミソラーメンもうまかった。スープをすべて飲み干して、どんぶりをカウンターに置いた。

「メンマミソをお願いします」

今度こそ無視されるかと思ったが、光沢がまた声を張り上げ、五分後にメンマミソが届く。三分で平らげて、四杯目にはワカメミソを頼んだ。店のメニューを右から順番に読んでいるだけだ。げんこつ亭が出しているのはすべてミソラーメンで、全七品。

ワカメミソを半分たいらげたあたりで、涼平の箸はペースダウンした。ふだんの涼平なら、ラーメンの三、四杯ぐらいなら苦にならないが、競艇場で食べた二皿の焼きそばと試食したタマちゃんの新ラーメンが消化しきっていない。もう暖簾《のれん》は下げられていて、満席が続いていた店内から客の姿は半分ほど消えている。残った何人かはもうとっくに食べ終わっているのに、席を立たずに事のなりゆきを見守っていた。

「ピリカラ高菜ミソを」

五杯目。「おおっ」客たちから声があがる。光沢がじろりと睨み、残っていた客に言った。

「そろそろお勘定、お願いします」

客たちが首を縮めて席を立つ。光沢が腰に手をあてて涼平を睨みおろしてきた。

「お前、そうやって腰を据えてれば、俺の気が変わるなんて思ってるんじゃないだろうな。無駄だぞ」

「とんれもない」

水を口に含みながら答えた。仕事のことなんか、とっくに頭の中からすっ飛んでいる。脳味噌の中までミソラーメンが詰まっている感じだ。

「うまいだろ、うちのラーメンは。わかったか、カップ麵なんぞにするのがどんなにおこがましいかってことが」

一度は商品化を承諾したくせに、よく言うよ。

「さぁ、まだよくわからないな。全部食べてみないと」

こうなったら全メニューを制覇してやる。そうして、光沢に言ってやるのだ。「わかりませんでしたよ」とはいえ、胃はもう限界に近いのに麵をすすり続けることができるのは、この店のラーメンの味が格別なためだ。それは認めざるを得なかった。他のラーメン屋だったら、とっくにギブアップしている。タマちゃんのカップ麵なら――いうまでもない。

涼平一人になったカウンターに光沢が新しいどんぶりを置く。俺はいったい何をやっているのだろう。光沢は涼平がこの店のラーメンを全部食って帰るつもりであることに、とっくに気づいていて、注文する前から次のメニューの準備を始めている。

六杯目は玉子ミソ。味付け玉子の二つ切りが四つも浮かんでいる。あれほど好もしかった味付け玉子が喉につかえてなかなか下に落ちようとしない。ひたいから脂汗が流れてきた。頭から「意地」の二文字が消えかけ、かわりに「限界」という文字が警戒ランプのように点滅を開始した。あきらめて帰ろうかと思いはじめた涼平の目の前に、頼む前から最後七品目のミソチャーシューメンが来る。涼平は目をむいた。

どんぶり全面を覆う巨大な焼き豚が五枚。厚さも焼き豚というよりまるで角煮。

「サービスだ」

光沢が意地の悪い目をして囁きかけてきた。本当に嫌なやつだ。涼平の闘争心に再び火がついた。脂まみれの口を、ほんの少しだけの水ですすぎ、箸をとった。頭の中はもう真っ白。体がラーメンスープのずんどうになった気分だった。

「ごちそう……さまでした」

チャーシューの最後のひとかけらをコップの水でむりやり流しこんでどんぶりを置くと、光沢が声をかけてきた。

「馬鹿だなお前」

「……よく言われます」

口を開けるのがつらい。光沢が無精風の短い髭を撫でて片方の唇をつり上げる。笑ったらしい。

「本当に馬鹿だ。俺はそういうやつは嫌いじゃない。その馬鹿に免じて許してやろう——」

意外な展開だった。ありがとうございます。そう言おうと思ったが、これ以上何か喋ったら、胃の中のものをすべて噴き出しそうだった。体も動かせず、目だけぱちくりさせて光沢を見返す。光沢の顔からはもう笑いが消えていた。

「なぁんて俺が言うとでも思ってるのか？　あ？　そういう暑苦しいことをすれば俺が感心すると思ったか。だから馬鹿だって言ったんだよ。俺は大嫌いなんだよ、そういう熱血気取りの馬鹿が。サラリーマン漫画の読みすぎみてえな野郎はな」

とことん性格が歪んでる。ここのラーメンが縮れ麵なのもそのせいだろうか。

「いへ、べつに……」ようやく声が出た。

「帰れ！　もう店じまいだ」

「は、はぁ……でも……」

「あ？」

「……吐きそう」

「馬鹿たれ、俺のせっかくつくったラーメンを戻してみろ。叩き殺すぞ」

全身から背脂みたいな汗が噴き出していた。少しでも動くと口からラーメンとスープが飛び出てくる気がしたが、光沢が視線でせき立ててくるから、とば口まで麵が詰まってしまった喉を慎重にゆるめ、ゆっくりと呼吸し、毎秒一センチの速度で体を動かした。カウンターに載せていた手を尻ポケットに移動させ、財布を抜き出すまでに三十秒かかった。

「五千二百五十円になります」

銀髪が手を差し出してくる。涼平の体はまたまた固まってしまった。

「……あのぉ」

光沢が怒鳴りつけてきた。「まだいたのかお前、さっさと帰れ」

「それがそのぉ……金が……」

篠崎に午前中に一万、ついさっき五千円を貸したことをすっかり忘れていた。財布には五千円札が一枚だけ。小銭入れには十円玉しかない。どうしても、あと百七十円足りなかった。

「カードじゃだめですか」

「あたりめえだ、馬鹿やろ。うちは現金商売、ツケも受けつけねえ」

「あと百七十円だけなんです。銀行で金を下ろしてきますから」

「逃げるつもりか？」

「じゃあ、どうしろと」

「警察に行くんだよ。無銭飲食だ」

嫌がらせとしか思えない。腹は立ったが、金がないのは事実だ。腹をゆすって胃の中身を下にふるい落としながら涼平は言ってみた。

「皿洗いで勘弁してもらえませんか」

銀髪中年紳士風のシゲタさんが、しきりに腰をさすっているのを見て、とっさに思いついたのだ。たった二人であれだけの人数をこなし、しかもこれから仕込みだか後片づけだかの仕事もあるのだ。光沢はともかく、五十すぎだろうシゲタさんの体力はもう限界に見えた。

「そうやって、俺と話すきっかけをつかもうってんじゃないだろうな。本当に金がないのか、あ？」

ゲップをしながら、財布を逆さに振ってみせる。光沢は腰をふらつかせてずんどうを流しに運んでいるシゲタさんと、積み上げられたどんぶりの山を見比べていた。口ではきついことを言っているが、光沢がシゲタさんの体を気づかっているのは、目線や言葉のはしばしでわかる。

涼平に不承不承という感じでうなずいた。

「言っておくが、俺に取り入るチャンスだなんて思ったら大間違いだからな」

とことんひねくれたやつだ。頼まれたって取り入ってなんかやるもんか。光沢がシゲタさんを振り返って、涼平への口調とは別人の優しげな声を出す。

「シゲタさん、今日はもういいよ。このところあんまり寝てないだろ」

どう見ても店主に見えるシゲタが帽子をとり、光沢にぺこりと頭を下げた。

「おとつい、若いのが辞めちまって。シゲタさんはここに来てまだ三カ月だから」

ひとり言なのかシゲタに言い訳しているのか涼平に語りかけているのかよくわからない口調で光沢が呟き、流しに山積みされたどんぶりを顎でさした。

これも光沢の嫌がらせかと思えるほど、洗う物はいろいろあった。レンゲ、コップ、湯きりざる、ふきん、調理器具。店が小さいわりにはやけに広い厨房の拭き掃除までさせられた。光沢はスープをかきまわし続けている。「やっぱり、だめだな、こりゃ」駄目だ駄目だといいながら、なおもひしゃくを持つ手を休めない。

すべてを終えたのは、一時間半後。おかげで胃の中の七杯のラーメンはだいぶ下へ落ちてくれたが、かわりに腰が悲鳴をあげはじめた。片手を背中にまわして叩きながら涼平は光沢に声をかける。

「終わりました」

さぁ、帰ろう。はずしたネクタイを拾い上げていると、光沢が厨房の奥を指さす。

「そこ出たところにテーブルがある。それを裏口に出しとけ」

まだこき使うつもりか。若い店員が辞めたという理由がわかるような気がした。百七十円を一時間半で割ると時給がいくらになるかを計算しながら、言われたとおりに簡易テーブルを運んだ。

裏口は両側をビルにはさまれた狭い路地になっている。出せと言われてもまともにテーブルを広げるスペースなどない。二脚のテーブルを壁に沿わせて置くことにする。厨房に戻ると、また仕事を命じられた。

「あ、あとこれ。テーブルの上に置いとけ」

手渡されたのは、『営業中』の札だ。裏口に置いてどうするつもりなのだろう。光沢はどんぶりの消えた流しの前にかがみこんでいる。

「なにをやってるんですか？」

答えない光沢の背中ごしにのぞきこんで、目を見張った。もやしのひげを一本一本とっているのだ。

「すごいですね。カット野菜なんかもあるだろうに」

「馬鹿たれ。もやしは石川産。カット野菜なんかで出回ってないやつじゃなきゃだめだ。あったって値段が高すぎる。うちの原価率、いくらだと思う。めちゃめちゃ高いんだよ。すぐそこのイタリア料理店の千五百円ランチと変わんないと思うよ。だからいくらお客さんが行列つくってくれたって、それほど儲けはない。店を始める時の借金もまだ返せてないし。だからコストダウンよ」

「正直言って、本当にうまかったです」

素直にそう言うと、光沢が胸をそり返らせた。

「あたりめえよ。うまいに決まってる。なんせスープにゃ昆布を三種類、味噌は四種類、全部産地まで足を運んで選んだのを使ってる。誰も褒めちゃくれねえし、気づきもしねえだろうけどな。そういうところをきちっとしとかねえと、こういう店は続かねえんだ」

「手伝いましょうか?」

気が遠くなるような作業だった。それにしても明日は休みだと言っていたのに、このもやしをどうするつもりだろう。光沢はもやしを涼平にまかせて、スープ鍋をかきまわしている。ひたいから汗が伝っていた。気に食わないやつだが、光沢が威張るのも無理はない気がしてきた。威張るだけのことはしている。

火をかけた巨大な二つのずんどうの一つでは、玉ねぎや長ねぎやにんにく、鳥の足や豚の骨《げん》肉《こつ》、その他もろもろの材料が煮えている。もう一方の煮干しや削り節だけを煮こんでいるずんどうの中身をひと口すすって光沢が顔をしかめた。

「ああ、やっぱしムロアジブシはいらんかったか。悪くはないんだけどな。ちょっとよけいなことにトライしすぎちまった」

「そのスープどうするんですか。もったいない」

「捨てねぇよ、失敗ってわけじゃない。いつものうちのメニューとしては出せねえだけだ」

光沢が二つのずんどうのスープを慎重な手つきで大鍋の中に混ぜ合わせる。もやしと細切りのチャーシューを投入し、大きな炊飯器から大量に炊いた米を取り出した。この店にご飯もののメニューはないはずだがと思って見ていると、鍋の中にご飯をぶちこんだ。雑炊だ。まかない料理にしてはずいぶん量が多い。いい匂いがした。やけにうまそうに見える。ついさっきまでメンマ一本を呑みこむのすら苦労していたのに、一人前ぐらいなら食べてみたくなるほどだ。

「どうするんです？」

質問には答えず、裏口を顎でしゃくる。

「ちょっと裏を見てきてみ。そろそろ客が集まってる頃だ」

裏口のドアを開けて驚いた。行列ができていた。狭い路地に十数人が押し合いへしあいしている。全員、労務者風。ほとんどが中高年の男だが、女も一人。みんなやけに厚着だ。先頭に並んでいた野球帽から白髪まじりの長髪を垂らした男が、涼平に声をかけてきた。

「新入りかい？　開店はまだ？」

厨房に戻って光沢に言った。

「あのぉ、集まってます……あの人たちは?」

「ああ、お客さんだよ」

「お客さん?」

「裏営業のお客さん。裏口に営業中の札を出せば、口コミですぐに集まってくる。みんなこの辺りのホームレスだ」

そういえば、ショッピングバッグを大切そうにぶら下げている人間が多かった。だが、みんな、こざっぱりした身なりだったし、ホームレスというとすぐに思い浮かべる臭いも気にならなかった。その事を口にすると、光沢がひしゃくを振って答える。

「認識不足だな。昔と違って最近のホームレスは、みんなこぎれいにしてるんだ。特に新宿や渋谷あたりではな。顔ぶれがずいぶん変わってるんだよ。リストラされた大手企業の社員とか、店を潰しちまった元オーナーだとか。女もふえたし、夫婦でホームレスしてる連中もいる。それに、うちの店に来る時には、ちゃんと体と髪を洗ってこいって言ってあるしな」

あきれた。裏の営業にまでルールがあるのか。

「さっきのシゲタさんも最初は裏のお客さんだったんだ。去年まで流通関係の、ほらこの間潰れちまった会社、あそこの部長だったんだ。どうしてもここで働かせて欲しいって言ってね。よしっ、どんぶり並べろ」

ほかほかと湯気を立て、うまそうな匂いを漂わせている雑炊を、裏口の簡易テーブルの上に並べた。

「ほら、お客さんにご挨拶」

涼平は光沢といっしょに声を張り上げた。

「らっしゃぁ〜い」

裏営業のほうもすべてセルフだから、どんぶりを並べる以外にすることはない。客たちの食べる様子へ、観察実験さながらの視線を向けている光沢へ声をかけてみた。

「つまり、炊《た》出《き》しのボランティアですか？」

「ボランティアじゃねえよ。タダにしてるのは、店には出せねえスープで金をとるわけにゃいかないからだ。今日の場合は、まぁ、試作スープのモニター調査だな。帰る前に感想を書いてもらってる。あの人たちには高級店の残飯を毎日食べてるグルメが多いからな。いま新宿のどの店がうまいかまずいかは、そこらへんの評論家より敏感だ」

いつの間にかテーブルの隅には、メモ用紙とボールペンが用意されていた。客たちはみな律儀にスープの感想を書いていく。中にはソムリエみたいに少しずつスープをすすり、そのたびに頷いたり首をひねったりしながらペンをとる人間もいた。誰もが無言。私語禁止であることは店の裏側でも同じらしい。光沢は声をひそめて言う。

「みんな、あったかい食い物に飢えてるんだ。廃棄弁当とかファーストフードの残り物とかは、冷たいんだよ。そろそろ寒くなってきたから、飯なんかこちこちになってる。ガスコンロ持ってるヤツは、冬は王様みたいなもんだよ」

「ずいぶんくわしいですね」

「ああ、俺もやったことがあるもん」

「ホームレスを？」

「うん、勤めてた建設会社が潰れちまって、なかなか次の就職先が見つからなくてさ」

アンケートを書きおわった客に光沢が声をかけていた。

「まいど、またよろしくぅ」

裏営業の客たちは、何も言わなくても、みな、どんぶりを裏口のドアの脇にきちんと重ね、割り箸は用意したポリバケツの中に捨てていく。いろいろうるさい光沢がルールを守らせているのだろう。日に焼けて髭を伸ばした人間が多いせいだろうか、哲学者を思わせる風貌の持ち主がめだつ。誰かに似ている、涼平はふとそう思った。

「ホームレスも大変だよ。俺がやってた頃は、路上の聖人なんて持ち上げるマスコミもあったけどさ、そんないいもんじゃない。縄張争いもあるし、イジメもあるしな。長く続けているうちに頭がいかれちまうやつもいる。よく一人でぶつぶつ言ってるホームレスがいるだろ。世間から逃避したついでに現実からも逃避しちまうんだな。でも、俺にとっちゃ、前にいた会社よりはましだったよ。とりあえずみんな横並びだし。いろいろ助けてもらったりもした。ボランティアなんておこがましいけど、ま、恩返しって感じではあるかな」

光沢が髭面を撫でて、にんまり笑った。

「一度ホームレスを経験すると、思うよ。少なくとも、まだこの国じゃ餓死することたあないってね。爆弾も飛んでこない。俺の勤めてた会社には、外国で橋を作ってて、地雷踏んづけて死んだヤツがいるもんね。ホームレスを卒業したあと、他のラーメン屋でしばらく修業して、この店を始める時も思ったよ。成功するかどうかは、五分五分以下だけど、まぁ、何をやろうが、死にゃあしないって。怖がることはねえ、新宿の地面にゃ地雷は埋まってないってな」

「俺も脱サラでもしようかな。今日の仕事も失敗しちまったし。俺がここで働かせてくださいって言ったら、オーケーしてくれますか」

「なめんじゃねえよ」光沢がまた怖い顔に戻ってしまった。「でも、だと。脱サラでも、だと。そんなこと言ってるうちは無理だ。死にゃあしなくても、死ぬほど辛《つら》いことはあるんだ。本気でそう思うなら、なんもかんも捨てて来い。できるのか、それが？」

「……できないと思います」

「もう帰れよ。会社のほうが居心地いいぜ。みんなで同じ服着て、言われたことだけやってればいいんだもんな。一度辞めればそれがどんなに楽なことかわかるよ。俺の勤めてた会社なんか、毎朝朝礼、毎日午後三時にはラジオ体操、運動会もあるし。学校卒業して、また学校に入り直したようなもんだ」

何も言い返せずに店内へ戻り、帰りかけた涼平に光沢のほうから声をかけてきた。

「本当に帰るのか？」

「ええ、まだ仕事がありますか？」

「お前の本業のほうは、どうすんの」

最初は言葉の意味がわからなかった。今日、自分がここへきた目的を思い出して、光沢を振り返った。

「ということは……オーケーしていただけるんですか？」

「やだ」

あっさりと光沢が言う。涼平が肩を落とし、仕事用ではない一礼をして背中を向けると、また声をかけてきた。

「――と言いたいところだが、やっぱりライセンス契約料は欲しいからな。いいよ、もう一度協力してやる。ただし条件つきでな」

本当に縮れ麵みたいにひねくれた男だ。

「条件？」

「ああ、お前のとこの試作品、スープはまあいい線いってる。香りもけっこう出てた。正直言って、カップ麵をなめちゃいけねぇって思ったほどだよ」先代の残り少ない遺産だ。「だけど致命的な欠陥があるな」

「どこです？」

「麵。小麦粉」

「小麦粉？」

「こっちだってカップ麵だから割り切って、だいぶ譲歩したのよ。具なんかハナから再現不可能ってのはわかってるから文句を言う気もない。でも麵は駄目だ。原料が悪すぎる。うちと同じ国産小麦を使えとは言わないけど、あんなひでえの使うことはねえだろ。小麦粉が悪すぎるから、添加物をごてごて入れて、ますます味を悪くしてる。まぁ、うちだって麺のつなぎにはカン水を使ってるんだ、混じりっけなしの自然食品をつくろうなんて思っちゃいないけどさ、あれはひどすぎる」

「そんなにひどいですか?」

確かに試作品はまずかったが、調理時間を聞かずにつくったから麺が伸びきってしまったせいだと思っていた。

「ひどいね。直そうと思えば直せるだろうに、それをしないってところに腹が立ってるのよ、俺は」

「申しわけありません」

「お前に謝られてもしょうがない」

「じゃあ、それさえクリアすれば?」

「クリアできればな」

「わかりました。もう一度、試作品を作り直します」

「お前が張り切ったってしょうがないだろ。もう一度、担当者を呼べ。いままでと違うやつな。いまのやつらは何べん言ったって駄目なんだから」

「来させます」

こんなこと言ってだいじょうぶだろうか、と思う前に言葉が口から飛び出してしまった。

「ちょっと待て」光沢がレジスターを開け、千円札を一枚放り投げてきた。「帰りの電車賃もねえんだろ。バイト代だ。二時間半で千百七十円。臨時雇いだからいいところだろ」

「申しわけありません」

するりと言葉が出て、自然に頭が下がった。ここ数カ月間の嘘の謝罪とはまったく違う。ごく自然に口が開き、体が動いたのだ。

「まいど」言い忘れてたというふうに、光沢が凉平の背中に声をかけてきた。「また、よろしくぅ」

店を出て凉平は千円札を握りしめた。家までは歩いても帰れるのだが、せっかくの厚意だ。新宿駅まで戻って会社へ帰るつもりだった。

麺。小麦粉。簡単なことだったんだ。原料の仕入れ先を担当しているのは、専務の忠犬ポチ部長が仕切っている購買部だが、玉川副社長じきじきに陣頭指揮をとっているプロジェクトだ、鶴のひと声で変えられるだろう。

成功だ。凉平はティンバーウルフを優しく撫でてやり、指を拳銃のかたちにする。そして、ビル街の向こうに頭をのぞかせている出来の悪い積み木細工みたいな夜の新宿都庁を撃ち抜いた。

ばん。

11

篠崎はいつもより早く、九時四十五分に職場に現れた。

「おはようっ」

涼平は全身で怒りを表明するために背中で篠崎の言葉をはねかえし、椅子に座るのを待ってから、ファック・ユーの表情をつくった顔をねじ曲げた。毎日、人から怒られてばかりいるのだ。たまには逆の立場になってみたいじゃないか。

「昨日は――」なぜ逃げたと言うつもりだったのだが、そのせりふは篠崎の言葉にすくいとられてしまった。

「ごめんよ、悪かった」

これ以上でもこれ以下でもない絶妙なタイミング。さすが謝罪のプロだ。

「げんこつ亭の店主と話しましたよ、一人でね」

語尾を皮肉っぽく強調して、篠崎に指を突きつけた。篠崎は胸を押さえる。銃弾を浴びたというくだらないジョークでごまかすつもりなら、もちろん笑ってなんかやるつもりはない。だが篠崎はポケットから財布を出しただけだった。一万円札を二枚抜き取って、突き出した涼平の手に握らせてくる。

「やったよ、最終レース。二三五の連単。見せてあげたかったよ、村浜のまくり差し」

本当に嬉しいらしい。目が上向きの三日月形になっていた。アウトからの村浜の怒濤のまくりについて熱く語りはじめた篠崎にもう一度指と言葉を突きつける。

「まくり差しなんかどうでもいいんです」

「わかってるって、いいよ。五千円は利息だから」

ちっともわかってない。

「あの時――行列に並んでた時、俺は真剣に話をしていたのに。篠崎さんがいなくなったことも知らずに――」

口では抗議を続けたが、手は万札を握りしめてしまった。涼平の言葉など耳に入らない様子の篠崎が「佐倉も昨日のレースには行くべきだったよ」と熱弁をふるうのを聞いているうちに、気のせいか一晩明けてもしつこく怒っている自分のほうが間違っているように思えてきた。あくまでも気のせいだとは思うが。

「で、ラーメン屋はどうなったの」

もう怒る気力もない。「結果オーライ。なんだかわからないうちにオーケーしてもらえました」

「さすがだ。佐倉ならジャグジーのあるオフィスも夢じゃないな」

「どこまで話を聞いてたんですか？」

篠崎が首をかしげた。「どこまでだっけ?」

反省レポートを手にして室長デスクへ行くと、中を開きもせずに本間が言った。「オーケーだ」なんだか薄気味悪い。本間は張りつけたような笑顔を涼平に向けてくる。

「昨日の件は首尾よく行ったのかね」

さりげなくという調子を装っていたが、副社長から直々に涼平へ声がかかった理由を知りたくてたまらない様子だった。

「はぁ、なんとかなりそうです」

「そうか……」反省レポートと涼平の顔を見比べて、もう一度、不気味な愛想笑いを寄こしてきた。「君の業務日誌はなかなかのものだ。ここでの仕事にも慣れたようだし、もう自己啓発でもないだろう。そろそろ他の人間に書いてもらおうか」

どうやら一夜にして、涼平は本間の処刑リストの筆頭からはずされたらしい。自分のかわりに誰が絞首刑台に引きずられるのだろう。そう考えると、ぜんぜん嬉しくはなかった。

玉川政彰は多忙をきわめているようだった。昨夜から電話をしているのだが、まったく連絡がつかない。今日も何度か電話を入れたが、常に副社長室で会議中。外からの連絡は受けつけないことになっていると秘書は言う。一刻も早くニュースを伝えたくて、会議が終わる時刻を尋ねたのだが、それもわからないの一点張り。結局、五分間だけという約束で会えることになったのは、その日の昼近くになってからだ。

重役室フロアを歩いていて、涼平は気づいた。廊下の途中の巨大な有田焼の壺と小山のようだった生花が消えている。そのかわりに小さなリトグラフがかけられていた。政彰の指示だろう。この会社を変えるという言葉は本気らしい。現社長は病院を退院したものの、持病の肝臓疾患による体調不良は相変わらずのようで、最近では週に二、三回しか会社には顔を出していない。このまま行けばそう遠くない将来、政彰が珠川食品の社長に就任するだろう。となると俺は？

涼平は想像してみた。もしかして社長の腹心として大出世か？　思わず本間や末松が自分にぺこぺこ頭を下げている光景を目に浮かべてしまった。エレベーターを降り、副社長室に向かう涼平の足どりは、いつの間にかスキップみたいに軽くなっていた。

「ども」

副社長秘書にもつい気やすい声をかけてしまう。事務的な横顔を見せつけられただけだったが、気にもならなかった。

副社長室は昨日と同じように、ほどよい乱雑さに満ちていた。玉川政彰は応接チェアに体をあずけ、ほぼ直角に首を折り曲げていた。疲労困憊《こんぱい》といった様子で、涼平が入ってきたことにも気づかない。涼平は開けたドアを軽くノックする。ようやく顔をあげた政彰は、睡眠不足で腫れた顔にむりやり絞り出したような微笑みを浮かべ、片手にぶらさげていたペリエの瓶を乾杯の手つきで持ち上げて見せた。

「や、君か」

「昨日、例の店に行ってきました」

政彰は手のひらで顔をぬぐい、応接チェアを硬い木製にしたことを後悔しているように腰に手をあててうめいた。

「なんだっけ？」

だいじょうぶだろうか。相当、疲れている。

「だいじょうぶですか？　お疲れのようですが」

「ああ、いや、なんてことはない」

「げんこつ亭の件です。なんとかもう一度、製品化に協力してくれることになりました」

「そうか、さすがだな。やっぱり君に頼んだのは間違いじゃなかった」

心底から感心した口調で言う。悪い気分じゃない。素直に称賛を受けたかった。なにしろ、いままでとは違って篠崎の力を頼らず、自分一人で問題を解決したのだ。

「ひとつだけ条件をつけられましたが」

「条件？」

「小麦粉を変えろと」

政彰が天井を振り仰ぎ、ぴしゃぴしゃと頬を叩きはじめた。「こ、む、ぎ、こ？」

「ええ、小麦の質が悪いと」

「小麦かぁ……」

政彰は眉をしかめ、ひたいに手を当てて思い悩む表情になった。原料の仕入れを牛耳《ぎゅうじ》っているのが、専務派のポチが率いる購買部だからだろうか。鶴のひと声とはいかないらしい。涼平はなだめる口調で言った。

「でも、問題はそれだけです。スープと具材に関してはオーケーだと言ってました。スープは褒めてもらったぐらいで。麺だけが駄目だと。製法ではなく素材に――」

涼平は口をつぐんだ。政彰が耳をふさぐように両手を後ろに組んだからだ。椅子の背に体をあずけて政彰が言う。

「なんでそうなるんだろう。変だよね。確かに技術提携は依頼したけれど、商品を出すのはあくまでもうちだよ。原料の仕入れ先にまで口出しするのは、本末転倒じゃないかな」

ちょっと語気を強めたが、涼平を糾弾する口調ではなく、本気で怒っているようでもない。レストランを予約していたのに彼女にすっぽかされたといった程度ののん気な憤慨のしかただった。

「……しかし小麦粉の仕入れ先を変更するだけです。特に問題はないのでは？」

珠川食品の資材の仕入れは一括管理されているわけではなく、商品ごと、あるいはプロジェクトごとの決裁だ。副社長なら仕入れ先を替えさせるのは難しいことじゃないと思っていたのだが。しかし政彰はまた眉根を寄せて、首をかしげた。

「おかしいよね。確かに有名店ほどの高級品は使えないけど、それは具材やスープ原料だって同じだ。麺にだけそんなにこだわるのは変だよ。何か裏があると思われてもしかたないよね。自分の使ってる業者へ便宜をはかりたいとか。ねぇ、そう思わないかい」

そう思わない？　あくまでも問いかけだが、同意以外の答えを拒否する響きがある言葉だ。事実、涼平は反論できなかった。そんなことは考えもしなかった。あの光沢がそんなことをする男だろうか。

「しかたない。このプロジェクトは諦めるしかないな。他の候補を当たろう。ありがとう。でも君の仕事は無駄じゃなかったよ。妙な店と提携することが回避できただけでも、君の手柄だ。ご苦労さん」

思いもしない展開だった。涼平は必死で説得を試みる。

「ですが副社長、店主は信頼できそうな人に見えましたが」

玉川副社長は涼平の言葉がまったく聞こえなかったかのように、同じせりふを繰り返した。声のトーンも同じ。笑顔も同じ。

「ご苦労さん」

ペリエをひと息で半分ほど飲み干して立ち上がる。もう涼平のほうは見ていない。帰っていということらしい。まだ言うべき言葉が残っている気がして涼平が突っ立っていると、最後のサービスという感じで、もう一度微笑んで見せた。

「そうだ、君には販促に戻ってもらおう。早いほうがいいな。今月中にはなんとかするよ」

え？　ジャグジー付きオフィスはどうしたんだろう。

「あの、トラブルシューターというお話は……」

トラブルシューター。聞かされている時には感じなかったが、口に出すと恥ずかしい言葉だ。

急に現実のものとは思えなくなってきた。政彰がそんな言葉は初めて聞いたというふうに首をかしげる。

「末松君には次の異動で倉庫管理のほうをやってもらうことになるからね。年功序列なんて発想は僕にはさらさらないから、君には近い将来、係長のポストを考えておくよ」

デスクへ歩きかけた政彰がペリエの瓶を倒してしまった。ぼんやり突っ立ったままだったから、涼平はハンカチを差し出す。そして初めて気づいた。真っ昼間だというのに、政彰がひどく酒臭いことに。

「ああ、すまないね。君には本当に期待しているよ、佐久間君」

「ありがとうございます」

もう副社長の顔は見ずに部屋を出た。秘書はパソコンを叩くのには向かないだろう長い爪で枝毛をつまんでいた。なんだか有能な秘書のコスプレを見ている気がした。廊下のアルコーブに飾られたリトグラフは、よく見るとアメリカの高名なアーティストの原画だった。有田焼の壺より高いかもしれない。

デスクへ戻って高野に電話を入れてみた。

——おう、佐倉か。最近、お前の噂をよく聞くよ。プロの謝罪屋とか社内の便利屋とかな。いいのか、相談室にすっかりなじんじまってるみたいだけど。

「いや、別に」

社内でのろくでもない評判を聞きたかったわけじゃない。購買部がどこから小麦粉を仕入れているかを知りたかったのだ。

――そうそう、おかしいんだよな、副社長がからんだプロジェクトは、みんな同じ仕入れ先なんだ。しかもいままでまったく付き合いがなかったところ。ちょっと待ってろよ。

しばらくキーボードを叩く音をさせてから、高野が言った。

――ここだな。東州製粉。聞いたことねえな。場所は埼玉だ。川口市。

礼を言って電話を切った。変だよ。おかしいよね？ そう思わないかい。玉川政彰の言葉を頭の中で繰り返してみた。確かに、おかしい。そして、おかしいのは副社長のほうだ。

「どうしたんですか、佐倉さん、怖い顔して」

宍戸が尋ねてくる。

「あ……いや別に、なんでもない」

そう、なんでもない。業者との癒着なんて珍しいことじゃない。頭の奥で自分と同じ声をした誰かが囁いている。賢く行こうぜ。利口になろうぜ。もうすぐ二十八だぞ。大人にならなくちゃ。このまま黙っていれば、このゴキブリハウスとはおさらば。遠からず係長の座が約束された販促に戻れる。げんこつ亭の光沢になんて謝ればいいのかわからなかったが、怒鳴られるのも、嫌味を言われるのも、この三カ月ですっかり慣れている。涼平は玉川政彰の不審な言動も、高野から聞いたことも忘れることにして、販促課の係長になった自分を思い描こうとした。倉庫番になった末松のところに引き継ぎの挨拶に行ってやろうか。さぞ、いい気分だろう。

東州製粉。埼玉県川口市元郷――。書きつけたメモを屑かごに捨てた。どこかから孤高の狼ティンバーウルフの遠吠えが聞こえた気がした。ティンバーウルフの吠え声は、なぜか人間の言葉だ。ちっちゃな男だね、リョウちゃん。

――おたくのチャーシューメンだけど、なんだかおかしな味がするのよ。匂いも変。製造年月日は確かなんでしょうね。

まただ。今日、六本目の苦情電話だった。現品を送り返していただければ商品をお取り替えします。いつもの習慣でそう言ってしまってから、涼平はもう一度『ポルコ』を送っても問題は何も解決しないことに気づいた。

「お客さま、申しわけありません、現在『ポルコ』は在庫切れでして。お詫びを兼ねまして替わりにタマちゃんラーメン一カ月分を送らせていただくということで、よろしいでしょうか

……あ、ありがとうございます。ではお手数ですが、ご住所とお名前を。ええっと、さいたま市南浦和――」

住所を聞いて気が変わった。電話の向こうに言った。

「今後のこともございます。やはり一度、お邪魔してお話を伺わせていただけますでしょうか」

電話を切り、昼食から戻ってきた篠崎に声をかけた。

「訪問謝罪に行こうと思うんですが」

「おお、行ってらっしゃい。どこ？」

「埼玉です」

デスクに足を投げ出して、食後の昼寝にとりかかろうとしていた篠崎が飛び起きた。

「俺も行くよ、埼玉方面には他に用事もあるし」

「戸田競艇場？」

「鋭くなったね、佐倉。もう一人前だよ」


最初は廃屋かと思った。東州製粉は向こう岸に東京が見える河川敷の近くにあった。周囲をボロボロのトタン塀に囲われたテニスコート四面分ぐらいの敷地に、サイロに似た棟が立つ製粉所と倉庫。どちらもかなり古びている。駐車スペースはがら空きで、オンボロトラックが一台だけ停まっていた。事務所らしきプレハブの建物には灯がともっているから人はいるのだろうけれど、敷地内に人けはない。

「どう見ても、倒産寸前にしか見えないな」篠崎が首をひねった。

「もしくは、もう倒産しているとか」

「じゅうぶんありえる」

さいたま市の苦情客は五十代の主婦で、涼平たちが「松」を差し出すと仏頂面が一転して愛想よくなった。篠崎は問題のポルコをもっともらしい顔で生麺のままかじって見せ、それから「奥さん、お湯をいただけますか」と重々しい声で依頼し、その場でつくって食べた。なんでもないということをアピールするパフォーマンスのようだったが、成功しなかった。篠崎が涼平だけに眉をへの字にした顔を向けてくる。涼平が残りを食べるはめになった。確かにまずかった。麺がぼそぼそとし、妙な後味が残る。製造中止・回収したほうがいいぐらいのものだ。

「ちょっと裏にまわってみようか」

篠崎が指をくいっと折り曲げて歩きだした。東州製粉の裏手は土手と隣接している。土手の上から敷地の中が見下ろせた。競艇場で使っているオペラグラスで眺めていた篠崎がぽつりと言う。

「ポルコがまずい原因がわかったよ」

「原因?」

「あれだよ」

二人の立つ場所のすぐ真下には、正門からは見えなかった廃棄物置き場がある。篠崎が指さしたのは、その周囲に積み上げられている大量の空袋だ。灰白色で、大きさもそっけなくロゴだけが入ったデザインも、セメント袋によく似ている。小麦粉の業務用パッケージだ。

「あの袋をよく見てみ。表にのれんがデザインされてる。商品名は『淡雪錦』。どう見たって、うどん用。中力粉だ」

「中力粉?」

「知らんの? うちに勤めてるのに? あ、そうか、佐倉君は中途入社だから現場研修してないんだっけ。俺たちは三カ月ぐらいラーメン工場に行かされたからな」

「中力粉だとまずいんですか？」

「まずいわけじゃない。うどんなんかをつくるぶんにはね。でも中華麺には向いてない。中華麺用の小麦粉は、普通、準強力粉か強力粉。少しぐらいなら中力粉をブレンドすることもあるけど、それは凝った手打ち麺の話だ。うちはそんな面倒なことはしない。たぶん、あの製粉会社はうどん屋やうどん麺のメーカーを相手に商売しててうまくいかなくなった。で、大量に余っちまった在庫を引き受けたのがうちってことだな」

「ポルコの麺はうどん粉で出来てるってことですか？」

「簡単に言えばそういうこと。まぁ、いくらなんでも百パーセントってことはないだろうけど……」そこまで言って篠崎がオペラグラスを持つ手を握り直した。「ありゃりゃりゃ、百パーセントじゃない。もっとひどいわ。末粉《すえこ》の袋もあるぞ」

「末粉って？」

「ほんとに、なんも知らないんだね。末粉ってのは、小麦の等級の一番下のやつだ。上級、一級、二級、三級、末粉……たとえカップ麺だろうが、中華麺に使うしろものじゃない」

「何に使うんです」

答えるかわりに篠崎はオペラグラスを差し出してくる。

「もうちょい右……少し下……そ、そこ」

うどん粉のパッケージとは違う、黄色い空袋の山だ。大きな文字でこう書かれていた。『家畜飼料』

「空袋があれだけあるってことは、袋から出して適当に混ぜてバラ出荷したってことだな。行き先は――」

　もちろん篠崎に聞くまでもない。珠川食品の工場だ。

「いくらなんでも……うちの人間だって気づくでしょ」

「そりゃあそうだよ。ハナからわかってて使ってるんだ。あんなのを麺に仕立て上げるんだから、増粘剤や改良剤だってはんぱなもんじゃないだろうな。リン酸塩、炭酸ナトリウム、炭酸カリウム、プロピレングリコールもかな。その他もろもろがばっちり入ってるはずだ。だからまずい。まずいうえに体に悪い。たぶんグルタミン酸ナトリウムなんて使い放題だ。あれは使用基準量がないから。うちもついに焼きがまわったかな。ただ同然で仕入れて製造コストを安くするつもりかいな？」

「経理の知り合いに聞いたら、そんなことはぜんぜんないとか。むしろいままでより高くなってるそうですよ」

「そら、妙だな」

「でも不思議だな。あの玉川副社長がケチなリベートを欲しがるとも思えない。騙されてるのかな」

「騙されてるのは、副社長じゃない。副社長が会社を騙してるんだよ。使わなくちゃならない何かの事情があるんだな。現場の人間はそれを知ってて、見て見ぬふりをしているんだ。購買部も工場も副社長がよほど怖いんだろ。いや、正確に言うとクビが怖いんだろうな」

いつかの高野のセリフを思い出した。人質。

「どうします」

「どうしますったって、俺にどうしろって言うのさ」

「わかりません」わからなかった。まったく。


締切り三分前に買った篠崎の最終レースの一点買いは珍しく的中した。ほくほく顔の篠崎は、涼平に豚汁をおごってくれ、上機嫌で話しかけてくる。

「ねぇ、今日は飲みに行こうか。由里ちゃんの歓迎会もずっと延期したままだし」

涼平はそれどころじゃなかった。篠崎はほうっておけばいいと言っていたけれど、さっきの家畜飼料用の空袋が頭にちらついて離れなかったのだ。

会社に戻ったのは六時すぎ。本間と神保はすでに退社していて、宍戸が身じろぎもせずに電話の前に座り、羽沢はパソコンのマウスをせわしなくクリックしていた。何のサイトを覗いているのだろう。「あん」「ううん」羽沢の指が動くたびにパソコンがせつなげな吐息を漏らしている。

「ねぇ、羽沢。頼みがあるんだけど。ちょっと調べてほしいことがあるんだ」

「ネットで？　佐倉さんも自分用のパソコン買いなよ。パソコンをちゃんと使いこなせないと、これからのビジネス社会を生きていけないよ。神保さんだって、もう少しそのへん自覚してれば……」

「神保さん？　神保さんがどうしたって」

「さっき室長に反省レポートを渡されてた」

新しいスケープゴートは神保だったのか。考えてみれば、いちばん可能性が高かった。

「……神保さん、どうしてた」

「何にも言わなかった……っていつもそうだけど。ずうっとメモを書いてた」

珠川食品剣道部は今年かぎりで廃部になることが正式に決まった。来月の実業団剣道大会にもすでに不参加を表明したそうだ。ぼんやりしていた涼平に羽沢が声をかけてくる。

「で、何を調べるの？」

「ああ、東州製粉っていう会社のこと」

「ホームページもつくってない小さな会社は無理だよ」

「うちと取り引きがあるんだ。2ちゃんねるで、噂になってたりしなかった？」

「どうかな。最近チェックしてないんだ。このところうちへのネット風説が急に減ったからね。あれだけ多かった副社長への個人攻撃も、先月からぴたりと止まっちゃった。例の会社のホームページとヒット数を争ってた告発サイトもいつの間にか消えてるんだ。何があったんだろうね」

隣で小さな声がした。

「トウシュウセイフン……」宍戸だった。呪文を唱えるように繰り返す「トウシュウセイフン」

「聞いたことあるの？」

元秘書課で製造部門とは無縁の宍戸が知っているとは意外だった。

「社長は加藤という人です」

知っているなんてもんじゃなかった。驚いて宍戸の顔を見返す。すぐにさらに驚くことになった。宍戸が知っていたのは社長の名だけじゃなかった。

「所在地は埼玉県川口市。創業は三十年ほど前で、現社長は二代目。従業員は五十名ほど。少し前の情報ですから、いまはもっと少ないはず。外食チェーンや製麺所に小口で製粉を卸している小さな会社です。経営は悪化している、というよりもう倒産寸前」

感情の見えない目を見開いて、いつもより低い声で宍戸は語り続ける。まるでイタコだ。何者かが憑衣《ひょうい》したかのようだった。

「なんで……そんなこと知ってるの？」

涼平の問いには答えず、宍戸は突然背後を振り返って指を突き出す。そしていきなり叫んだ。

「あの女のせいです！」

机の上のぬいぐるみを並べ替えていた篠崎が、椅子から跳び上がるほどの金切り声だった。本当に何者かが乗り移ってしまったのだろうか、宍戸の指さす先には壁しかない。涼平は篠崎と顔を見合わせた。宍戸の頭の中身が心配になってきたのだ。もう一度、宍戸がカン高い声を出した。

「みんな、あの女が悪いんです」

ようやくあの女というのが誰のことかわかった。宍戸が指を突きつけていたのは、ポルコの新発売告知ポスターだった。ポスターの中では等身大に近いサイズのキャンペーンガールが無意味な笑顔を振りまいている。篠崎がまんまるにした目を涼平に向けてきた。

「なんか、訳ありみたいだね」

「ええ、それもドロドロの」


カウンターの向こう側でおでん鍋が盛大に湯気を立てている。コップ酒をあおり、うええっとえずいてから篠崎が聞き返していた。

「ということは、つまり、キャンペーンガールの立花まいちゃんは、副社長のこれってこと」

篠崎が小指を立てて見せる。涼平より年下の宍戸には、その親爺くさいボディランゲージの意味がわからないようだったから、涼平が通訳した。

「愛人なの?」

涼平と篠崎の間に座る宍戸がこくりとうなずく。おでん屋のカウンターに三人で日光東照宮の三匹猿みたいに並んで座っていた。羽沢はまだ会社。酒よりネットのほうがよっぽど酔いしれることができるんだそうだ。

「モデルでもなんでもないんです。キャバクラ嬢。本名はまいじゃなくて、民代。二十三歳って社内資料のプロフィールに書いてるけど、あれも嘘。本当は二十七歳なんです」

ホステスで、素人のくせに芸名を使い、二十七歳であることを、宍戸は重大な犯罪を告発するように言う。そう言われれば、ポスターの中のへそ出しルックは、ずり下げショートパンツの上の肉が若干だぶついている感じで、少々無理がある気がする。明石町を知る涼平には、二十三と二十七の違いなどたいした差とは思えなかったのだが、宍戸は箸でつまんだちくわを震わせるほど怒っていた。

「四歳もごまかすなんて信じられない。私より年上のくせに。しかもあの女、バツ一で、子供がいるんですよ」

「で、その立花まいちゃんと——」宍戸に睨まれて篠崎が言い直した。「民代さんと今回の小麦粉とどういう関係があるの」

「あの女は東州製粉の社長の妹なんです」

篠崎がコップ酒を飲み干し、オペラグラスみたいにコップを片目に押し当てて、おでん鍋の中を眺めた。

「ようするに副社長はおねだりされたわけだ。私、モデルやってみたい、ほいほい。私の実家の小麦を買って、はいなはいなって具合にな。でもなんで小麦なんだ？　普通は宝石とか服とかマンションになるんじゃないの？」

「たぶんユスられてるんです。浮気をばらすとか、なんとか。もしかしたら副社長の会社と肩書を最初から知ってて、計算ずくで接近したのかも。あの女ならやりかねません」

「んじゃ兄を助けるために、体を張って……ええ話だねぇ、佐倉君」

「感心してる場合じゃないですよ」

「ひどい女……最低っ！」

「……ところで」涼平はさっきからずっと宍戸に聞きたいことがあった。

「……ところで」篠崎も言った。たぶん同じことを考えているはずだ。

質問をしたのは篠崎が先だった。

「由里ちゃん、なんでそんなにくわしいの？」

「……だって、調べたんですもの、私。探偵社を使って……副社長とあの女が会ってるところも、あの女が東州製粉の社長と会ってるところも写真に撮ってもらって」

「なんのために？」

宍戸が突然、つっぷして泣きだした。それが答えだった。そういうことか。宍戸も愛人。そして副社長が加藤民代にくら替えしたか、あるいは二股かけていたってところだ。

「なんか嫁さん一人ともめてる自分が馬鹿に思えてきた」篠崎がため息をついた。

「俺もですよ」

「お前は誰ともめとんの？」

「あ、いえ」

長い髪をカウンターに広げてしまった宍戸が春の夜の猫みたいなうめき声を出しはじめる。

「わたし、政彰さんに目を覚まして欲しかっただけなんです……だって、絶対騙されてるってわかってたんだもの……それなのに……私のほうを」

「どうしましょう、篠崎さん」

「こんな国ではなく、泣かせといてあげなさい」

「いや、宍戸じゃなくて、会社のこと」

篠崎は昼間と同じセリフを返してきた。

「俺にどうしろって言うのさ」

「腹が立つじゃないですか。社員はみんないつクビになるかってびくびくしてるのに、こんなめちゃめちゃなことをして――」

「ほっときゃいい。俺らには関係ない。うちのお坊っちゃまは、怖～い母ちゃんや嫁さんにさえ浮気がばれなけりゃ、会社なんてどうなったっていいと思ってるんだろ」

しゃっくりとともに、突然、宍戸が顔をあげた。目がとろりと宙を泳いでいる。そう言えばもうほとんど飲み干している宍戸のチューハイのジョッキは四杯目だ。

「政彰さんが悪いんじゃない、あの女のせいよ」

「由里ちゃん、いい加減に目を覚ましなよ。あんなしょうもない男の、どこがいいの」

篠崎が宍戸の肩を叩いたものかどうか、左手を宙に浮かせている。言葉のセクハラは得意なくせに、生身の女にはからきし意気地がない。

「スーツはマルコアザリ。シャツとコロンはジバンシィ。リュックはカジュアルに見えるけれど、ビネィデルのだから八万円以上。ブリーフはピエール・カルダン。時計はフランク・ミューラー。総額はカジュアルにしてる時でも平均三百万円以上。あんな人、他にはいないもの」

篠崎は自分の三足千円より高くはないだろう靴下を眺めてしみじみと言う。

「そういうのって、違うんじゃないかい」

「……見かけだけじゃない。性格だって……政彰さん、そんなに悪い人じゃないんです。いつも虚勢を張ってるけど、本当は気が弱くて一人じゃ何もできない人なんです……世間知らずでお人よしだから、すぐ人に騙されちゃう。だからあんな馬鹿な女にひっかかっちゃって。かわいそうな人なの」

「由里ちゃんがそう思うなら、それでもいいけど……」篠崎がコップ酒をあおってから、ため息を吐き出した。「そんな人間が会社の上に立っちゃだめだよ」

涼平も三分の一ほど残っていた酒を一気に飲み干した。

「なんか一生懸命働いてるのが馬鹿みたいだな。わかんなくなってきましたよ、会社っていったい何なんでしょう」

答えを期待せずに呟いただけだったのだが、篠崎から返事が戻ってきた。

「おでん鍋といっしょだよ」

「え？」

篠崎が酒のお代わりを注文するついでに、空のコップで目の前のおでん鍋をさした。

「ほら、狭いとこでぐつぐつぐつぐつ煮詰まってさ、部長だ課長だ役員だなんて言ったって、しょせん鍋の中で昆布とちくわが、どっちが偉いかなんて言い合ってるようなもんだ。考えてみ、このおでん屋じゃ牛スジが一番高くて偉そうだけど、他の食い物屋へ行けば使っちゃもらえない。こんにゃくはここじゃ安物だけど、味噌田楽の店にいけば堂々のエリートだよ」

なんだかよくわからない譬えだった。どうせこの場で思いついただけの言葉に違いないのだけれど、とりあえずうなずいた。

「ちくわぶは言ってみれば専門職。天職を見つけたやつだな。よそには行けないけれど、おでんの中では存在感を示すことができる。似ていても、ちくわはよそにも転職が可能だ。そう考えてみれば、簡単だろ。お前がこのじゃがいもだとする。おでんの中なら、ただの平社員だ。でも肉じゃがの皿の中なら共同経営者だよ。じゃがバタなら押しも押されぬ社長。社員はバターと塩だけだけれどな」

「なるほどね」げんこつ亭の光沢はじゃがバタなわけだ。いまの俺はなんだろう。鍋の底でいじけてるシラタキか？

「会社の序列なんて、たいした順番じゃないんだよ。一歩外に出たら、ころりと変わっちまうかもしれない。でも、子供の時から一生懸命に競争して、ようやく手に入れた順番だからね、そこからこぼれ落ちたくないんだな」

カウンターに置かれた新しい酒をひと口すすってから篠崎は首を振った。

「みんな、何が怖いんだろな……人のことは言えない。俺もだよ……俺は何が怖いんだろう」

そう言って、いつか競艇場でそうしたように、自分が握りしめているものが何かを確かめるふうに、手のひらを眺めた。つられて涼平も自分の手を眺めてしまった。確かめるまでもない。幸か不幸か、涼平の手のひらは空っぽだ。まだ何も握ってはいない。

うお。篠崎が胸を押さえた。携帯にマナーモードで連絡が入ったらしい。篠崎が店の外に出て行き、宍戸と二人きりで取り残されると、店内の客たちが好奇の視線を投げかけてきた。あの男、女を泣かしてるぜ。別れ話かしら。悪いやつだな。たぶんそんな言葉を囁きかわしているのだろう。違うってば。

戻ってきた篠崎は様子が妙だった。いつものとんでもない酒量から考えれば、まだ酔うほど飲んではいないはずなのに、足取りがふらついている。赤く染まりはじめていた顔が真っ白になっていた。

「どうしたんです」

「羽沢からだ」

それだけ言うと新しい冷や酒のコップを手に取った。だが、口はつけずに手の中でくるくるとまわしはじめた。涼平はもう一度、声をかける。

「ちょっと、篠崎さん、いったいどうしたんです?」

「……神保がね」

「神保さん?」

「………死んだって」

神保が死んだ――どうせお得意のつまらない親爺ギャグだろうと思って、涼平はオチを考えてみた。チンポが縮んだ?　インポで萎んだ?

嫌だな、篠崎さん、つまらない冗談を――そう言いかけて口をつぐんだ。いつもは誰も笑わない自分のジョークに自分だけで笑うはずの篠崎が、頬をゆるませるどころか、ひきつらせていたからだ。見開いたままの目が壁しかない前方をぼんやり見つめている。

「……なぜ?」それだけ言うのがせいいっぱいだった。ついさっきまで、ほんの数時間前まであんなに元気だったのに。

「心不全。表向きはな。どうやら、自殺らしい」

椅子を蹴り倒す勢いで立ち上がった涼平の袖を篠崎がつかむ。強引に座らせて空になっていた涼平のコップに、自分の酒をどぼどぼと注いだ。

「酒飲んでる場合じゃないでしょ!」

「他に何ができる。羽沢の馬鹿は病院の名前も聞いてない。どこへ行って何をしろって言うんだよ」

篠崎が珍しく本気で怒った声を出す。酔って正体をなくしていたとばかり思っていた宍戸が、また泣きじゃくりはじめた。

「神保さん、知ってたんです、今回のこと……購買部で小麦粉の調達をしていたから……告発しようとして飛ばされたんです」

涼平は目をしばたたいた。篠崎もだった。ろれつはまわっていなかったけれど、酔ってでまかせを喋っているとも思えない。

「あの人が——政彰さんが、購買部の課長に指示を出してたのを聞いちゃったんです。あいつをなんとかしろって。八月の半ば頃。あの頃からあの女に脅かされてたんだと思います……きっと本間室長にも何か命令したんです……わたしと同じ……室長が私に急に冷たくなったのも、たぶん政彰さんから何か言われて……」

「なんとまぁ」

「ひどいや」

しばらく言葉を失ってしまい、涼平はおでんが煮える音だけを聞いていた。

「馬鹿だな……何も死ぬこたないのに」

ぽつりと篠崎が言った。

「おでん鍋を飛び出しちまえば、いいだけの話なのに」

篠崎の横顔に涼平は言った。

「泣かないでくださいよ、篠崎さん」

「馬鹿言うなよ。四十面下げて泣くわけないだろ……辛子《からし》が効きすぎたんだ。この辛子、すごい効くから」

篠崎はいきなり割り箸を辛子の容器につっこみ、たっぷり塗りたくる。そして口にくわえてしまった。

「うおっ、よく効く」

篠崎が人目をはばかることなく目をこすり、洟《はな》をすすり上げる。涼平も篠崎の真似をした。

「……ほんとだ、すごく効くな。目にしみる」

ひたすら辛子を舐め続ける涼平と篠崎を、泣きやんだ宍戸が不思議そうに眺めていた。

12

「ええ、賞味期限は確かです。……はい、おっしゃる通り。商品づくりに問題があったと思われます」

涼平が素直にそう言うと、相手の声がトーンダウンした。今日、十四本目の苦情電話。ここ半月の間にお客様相談室へかかってくる電話はまたまた増えた。半数以上がポルコの味に関して。この電話もそうだった。タマちゃんラーメンのファンで、たまたま見かけたポルコを食べてみたら、おそろしくまずかったそうだ。品質劣化した商品を買ってしまったと思いこんでいるらしい。怒っているというより体に害がないか心配していた。まさかポルコが粗悪小麦でつくられているからだ、などとはいえない。

「ポルコは素材、製法ともタマちゃんラーメンとは少々異なっておりまして。正直に申しまして、昔からのお客さまには、お口にあわない場合もしばしば……はい、商品づくりに関しましては、以後いっそう精進いたしますので……」

立ち上がり、少しだけ間をとってから、涼平は受話器を握ったまま深々と頭を下げた。

「申しわけございません」

羽沢が呆れ顔で見上げてくる。商品のうまいまずいは本人の感覚の問題だから、いちいち謝っていたらきりがない。相談室でも味に関するクレームは「謝罪しない、返品は受けつけない」のが基本姿勢なのだが、そんなことはおクビにも出さない。第一、本当にこちらが悪いのだ。電話を切って椅子に背中を預け、ため息をついていると、篠崎が声をかけてきた。

「佐倉はもう電話をとらなくていいよ。羽沢や由里ちゃんにももっと練習させないと。お前がいなくなっちゃったら、困るのは俺なんだから」

「わかってます」

わかっているけれど、つい電話の音に体が反応してしまう。パブロフの犬だ。少し前まではコール音が鳴るだけで胃が縮まったものだが、いつの間にかすっかり慣れて、相手がちっとも怒っておらず、用件が単なる問い合わせだとわかると拍子抜けしてしまうほどだ。せっかく篠崎から必殺テクニックの数々を教わったのに、もうすぐ苦情電話を受けることがなくなるのかと思うと、なんだか損をした気分ですらある。別に寂しくはないけれど。

凉平が販売促進課への再異動を知らされたのは、神保の葬式の翌週だった。

社員が死んでも会社は動き続ける。神保の実家、茨城で行われた葬式の間じゅう、意外なほど小柄だった父親と、神保に遺伝子のすべてを譲り渡したらしい大柄で顔立ちもよく似た母親は、自分たちの人生も途絶えてしまったような憔悴《しょうすい》ぶりだったが、会社にとっては、工場のベルトコンベアからビスが一本飛んだようなものなんだろう。製造ライン一部停止。新しいビスに交換。ライン再開。異常なし。

ここ数年の珠川食品はリストラにつぐリストラで、支店が消滅したり、工場が閉鎖されたり、セクションが統廃合を繰り返したりしていて、社員の配置替えはひんぱんに行われているから、時期はずれの異動は別に珍しくない。高野からの情報によると、末松は物流管理課——高野の言葉をそのまま借りれば倉庫番——にまわされるそうだ。涼平にとっては逆転ホームランみたいな人事だったが、ちっとも嬉しいとは思わなかった。末松がラインからはじけ飛び、涼平がそのかわりにねじこまれただけだ。新しいビスに交換。ライン再開。異常なし。

会社、辞めようかな。葬式の帰りの電車の中で、思わず呟いたら、

「やめときな。辞めるのを、ってことだよ。いま辞めたって、なんも変わんないよ。会社もお前も」

片手で数珠《じゅず》をころがしていた篠崎から、そんな言葉が返ってきた。

「誰一人、喜びも悲しみもしないし、怒りもしない。そんなのつまんないじゃない。足跡とは言わないけど、引っ掻き傷ぐらいは残さないと」

「……篠崎さんは、少しは寂しがってくれるかと」

「甘いね。販売促進に戻れるかもしれないんだろ。お前がいなくなって、新しいやつが来たら、三日で忘れちゃうね。俺、ドライだから」

まだ目を赤くしたままの篠崎はそう言った。

時刻は午後四時すぎ。そろそろ相談室は店じまいだ。筆まめの神保が結局、一ページも書くことがなかった反省レポートを室長デスクの上から持ち出そうとすると、本間が声をかけてき

た。

「でも、いちばんたくさん電話を受けたのは、俺ですし」

「君はもういいよ」

この際だから、反省ノートを本来の業務日誌——なんの役に立つのかはわからないけれど——にしてしまおうと思って依然として書き続けている。ささやかな引っ掻き傷のつもりで。

だが本間は皮肉としか受け取っていないようだ。

「もう君には必要ないだろう。いくら反省してもらったって、どうせここからはいなくなるんだからね」

涼平に異動を告げた時、本間はむりやり笑おうとして、頬がひきつっていた。神保の死に少しは自責の念があるのだろうか、このところの本間はもともと胃の弱そうな細い顔が、さらに尖り、得意の嫌みも精彩をかいている。神保の葬式にも体調を崩したとかで出席せず、実際その後の二日間も会社を休んでいた。本間のいない間、ダージリンは篠崎特製の大量のアイスティーに化けたのだが、そのことにも文句を言わなかった。

本間は次の標的を探してデスクへぐるりと首をめぐらせた。涼平がいなくなればたった三人になってしまう室員たちが首を縮める。本間のカマキリの複眼じみた目が一点に止まり、すいっと細まろうとした瞬間、電話が鳴った。宍戸がほっとしたように電話をとり、短く応対してから篠崎に声をかけた。

「ヨシノというお客さまからです」

明石町だ。普段なら居留守を使おうとする篠崎がすかさず受話器を取った。

「はっ、伺わせていただきます。いますぐ。スタッフ全員を引き連れて」

「なんで僕まで行かなくちゃならないのさ」

地下鉄駅の階段を昇りはじめると、羽沢が会社を出る時と同じセリフをまた口にした。

「お前を助けたんだろが。ああでもしなくちゃ、反省レポートがまわってきてたとこだぞ」

篠崎が指を突きつける。羽沢が大きな顔の前で、ぽってりした小さな手を振った。

「僕はだいじょうぶだよ」

「だいじょうぶなもんかい。お前のパパさんのスーパー、潰れそうだって話じゃないか」

不況による流通戦争激化の中で、生き残れない会社と店舗がバタバタ討ち死にしはじめている。次は羽沢の父親が商品部《バイヤー》の部長をしている流通チェーンが危ない、というニュースは数週間前から業界新聞の目玉のひとつになっていた。

「平気だって言ってたよ、父さんは倒産しないって」

自分の言葉が駄洒落になっているのに気づいて、羽沢は能天気にひひひと笑う。

「たとえ会社が残っても、大リストラがあるらしいじゃないの。お前のパパさんの世代は人が余ってるからな。かなりの確率で、これだ。となるとうちの会社はお前を置いておくメリットが何もない。お前も、これだ」

篠崎が手刀で首をかき切るしぐさを二度繰り返す。

「そんなことないよ、僕はネット情報にくわしいし」

「馬鹿たれ。いくらうちが人材不足でも、あの程度のことができる人間は掃いて捨てるほどいる。お前が会社に残りたいのなら、道はひとぉつ」

羽沢にひとさし指を突きつけた。

「何さ」

「おでん鍋のちくわぶになることだ」

「意味わかんないよ」

羽沢が助けを求める目を凉平に向けてくる。凉平もアドバイスしてやった。

「もち入りきんちゃくもいいぞ」

「……変な人たち」羽沢が呟く。こいつに言われたくない。

「ちょうどいい機会だ。引き継ぎしとこう。佐倉がいなくなったら、お前が俺と一緒に行くことになるんだからさ。早めに慣れておかないと」

「慣れる？　いったい何に？」

篠崎は答えない。口を尖らせていた羽沢が警戒する表情になった。

「アカシチョウってどんなヒト？　そういえば僕、声も聞いたことないな」

まだ二十三歳のくせに腹の突き出た羽沢は、地上口への階段を昇りきっただけで夏の犬みたいにあえいでいる。

「ちょっと気難しい年配のご婦人なんだ」

涼平が控えめに感想を述べると、さらに大きなあえぎ声を出した。

「やだな年配。特に女のネンパイは」

「向こうだって嫌だろうよ」篠崎も不安そうに羽沢を見つめた。「こんなの連れてって怒り出さなけりゃいいんだけど。こいつの不細工が原因で、株主総会が混乱することにもなりかねん」

「なんか言った？」

篠崎が羽沢の大きな頭をこづいた。

「なんかおっしゃいましたか、だろ。ひとつ言っとく、先方では絶対にその偉そうな口のきき方はするな。まともな言葉を喋れないんだったら、ずっと口を結んでろ。明石町の機嫌をそこねてみい、反省レポートどころの話じゃない。下手すれば、俺たち三人ともクビだ」

前回は駅からかなり歩いた気がしていたのだが、二度目の今回は明石町の邸宅までの道のりをあっけないほど短く感じた。羽沢と篠崎のぼやきを交互に聞いているうちに、すぐ見覚えのある黒い板塀が見えてきた。木戸を抜け玄関の前に立つ。屋敷の中から、この間と同じように三味線の音《ね》が聴こえた。

今日は都々逸ののどかな音色じゃなかった。歌もなし。激しくバチを叩きつける音だけが続く4ビートのインストルメンタル。津軽じょんがら節だ。羽沢が目をむいた。

「ここ……恐山《おそれざん》？」

篠崎がインターホンを押したが返事はない。かわりにカチリと錠が解ける音がした。古風な玄関だが引き戸がオートロックになっているのだ。勝手に入れということらしい。篠崎がそろそろと格子戸を開けると、じょんがら節の狂おしい旋律がいっそう大きくなった。

篠崎を先頭にして回り廊下を進む。もう日が沈み、完璧に手入れされた日本庭園には薄墨を流したような夕闇がたちこめている。薄暗がりになった廊下の先、奥座敷にぽつりと灯がともっていた。ふと、涼平は逢魔が時という言葉を思い出した。三味線の音色は三人をせき立てるようにますます激しくなっている。

「……まずいな。今日はご機嫌ななめだ」

篠崎の背中が緊張していた。

羽沢が心細そうな声を出す。「もう帰ろうよ。なんだか怖いよ、ここ」

「幼稚園児かお前は」

障子の前で揃って正座をし、篠崎が部屋の中に声をかけた。「珠川食品でございます」

じょんがら節の音色がゆっくりとフェイドアウトし、ほどなく静まり返る。静寂の重さに胸が押し潰されはじめた頃に、ようやく明石町の声がした。

「お入り」

篠崎、涼平、羽沢の順番に正座したまま、部屋の中ににじり入る。なんだかアヒルの行進みたいだ。篠崎が深々と頭を下げる。隣に座った涼平もならい、羽沢の頭を押さえつけて同じことをさせた。

明石町の着物は前回にもまして派手だった。色と柄だけ見ればまるで振り袖。古風なアップに結い上げた髪が二筋三筋ほつれて真っ白な顔にかかっている様子は、時代劇に出てくる遊女を想像させた。ちゃぶ台には七勺とっくりが三本。今日はすでに二本が横倒しになっていて、明石町は片ひじをついてちゃぶ台にしなだれかかっている。畳の上に置かれた行灯《あんどん》風の照明スタンドを引き寄せ、ほのかな光の上に顔をかざした。

明石町は小鳥が果実をついばむように、これ以上でもこれ以下でもない速度と角度でおちょこをあおり、三人の顔を眺めまわした。だが、いっこうに口を開こうとはしない。沈黙に耐えきれずに篠崎が声をあげた。

「吉野さま、今日のご用向きは何でございましょう」

紅梅が開花するように明石町の唇が動いた。「たくわん」

「ははっ、たくわん」

羽沢が鼻から息を噴き出した。たくわんごときで頭を下げている篠崎を小馬鹿にしているのだろう。涼平は後ろに手をまわして、羽沢の背中をこづいた。

「何よぉ」

あ、この馬鹿。ガキっぽい声を上げた羽沢へ、白い蛇が鎌首をもたげるように明石町が顔を向けてきた。前回は気づかなかったが、あまり目が良くないらしい。長い睫毛《まつげ》をしばたたかせて羽沢に注いだ目をすいっと細くする。

「ちょいと、あんた」

明石町が手招きする。いつか見た古い映画の化け猫のしぐさにそっくりだった。羽沢はぼんやりと明石町を見返しているだけだ。篠崎が目で「さからうな」と合図をしてきたから、正座した羽沢の体を前へ押しやった。明石町はしばらく無言で羽沢のカボチャ頭を眺めてから、鼻から一世紀近く生きているとは思えない艶《つや》めいた声を漏らす。

「ふぅん」

篠崎が細く息を吐き出した。とりあえず怒ってはいないようだ。

「弊社のたくわんに、何か問題がございましたでしょうか」

「政さんがいないと、本当にだめだねぇ」

「ははっ」

「お台所に小鉢があるから取っておいで」

明石町が涼平に顔を向けてきたから、すみやかに立ち上がった。相変わらず住まいの中は完璧に整っていた。だが、廊下を鏡のように磨くのだってかなりの手間だろうに、屋敷の中には明石町以外の誰かがいる気配はない。

台所には灯がついていた。食卓の上にふきんをかけた盆が載っている。のぞいてみると、小鉢がふたつ。また食べ比べをさせられるらしい。

蛍光灯の容赦のない光が、この間は気づかなかったことを気づかせてくれた。食器棚には来客用の高価そうな器が整然と並んでいるが、長く使われた様子がなかった。洗い物置き場には小さな茶碗と汁椀がぽつんと置かれている。冷蔵庫の扉にマグネットでメモが張りつけてあった。『お夕食はタッパ①、朝食はタッパ②の中です。お洗濯物は――』通いの家政婦が書いたものだろうか。長いメモはこんな一文で結ばれていた。『病院は金曜十時。お迎えに上がります。お薬は忘れずに飲んでください』篠崎が言う背中に甲羅が生えた魔物が、ただの孤独な年寄りに思えた。

凉平が戻っても、明石町は部屋を出たときと同じ、膝をしどけなく崩し、わずかに体をかしがせた姿勢のままだった。変温動物のようにほとんど動いていない。篠崎も同様に背筋を伸ばした姿勢を崩していないが、こちらは落ち着きなく上半身を揺らしたり、座した両足をもじもじさせたりしている。羽沢はもう足を痺《しび》れさせていて、あぐらをかこうとして篠崎に太ももを叩かれていた。

「このたくわんは、なんだい」

明石町が二つの小鉢の蓋をとり、謎かけをしかけるように言う。篠崎が二種類のたくわんを覗きこんで首をかしげた。

「失礼します」

かわりに凉平が小鉢に手を伸ばした。色の薄いほうのたくわんを箸でつまみ、手のひらに受けてひと口かじった。昼飯に自社製品を食い続けたのはダテじゃない。こっちが珠川食品のたくわんだ。

「うちの自然健康食品シリーズの『ヘルシーたくわん』です」

「そうだよ。このたくわんのどこがヘルシーなんだい」

再び篠崎の顔に視線を戻した明石町は、往年の女優のブロマイド写真風の角度まで、ゆっくりと小首をかしげた。

「……えー、あのぉ」

「甘草《かんぞう》を使ってるじゃないか」

「はぁ……甘草」冬に近い季節だと言うのに、篠崎のひたいからは汗が噴き出している。「ですが、吉野様、甘草は漢方にも使われる素材でして――」

「確かにそうだけれどね、漬物に使うもんじゃないよ。かえって体に毒だ。あんたらだってわかってるんだろ。お手軽に甘味が出るし、天然物ならなんでもいいって、誰もが思いこんでいるからね。そこにつけこんでいるとしか思えないよ」

「ははっ、面目ございません」

「こっちのを食べてごらんな」

明石町がもう一つの小鉢を突き出してくる。珠川のヘルシーたくわんに比べると、少し黄色味が強い。

「妙なクスリは使っていない。この甘味と色は、赤ざらめやみかんやリンゴや柿の皮なんかと一緒に漬け込んで出てくるんだ。どうだい、全然違う味だろ」

明石町手製のたくわんを口に含む。香りはほのかで、歯ごたえもいい。確かに珠川食品のヘルシーたくわんとは味が違う。違うのだけれど――。

羽沢が小さな声で「まず」と呟いた。正直言って涼平も同感だった。ヘルシーたくわんの方がうまく感じる。生まれた時から化学添加物のわかりやすい味に慣れ親しんできたせいかもしれない。いや、それだけじゃない。たぶん明石町は、ご自慢のお手製レシピの何かを間違えているのだ。塩と砂糖を間違えるとか、匙加減《さじ》の分量を忘れてしまったとか、たぶんそんなごく簡単なミス。

涼平は前回はまともに目を見ることもできなかった、目の前の老女をまっすぐ見つめ返した。たっぷり叩いた白粉《おしろい》でも、長い睫毛《まつげ》や赤い紅でも、体の動きだけはごまかすことができない。小さなとっくりを一升瓶であるかのように大義そうに持ち上げるしぐさが、ただの老婆のそれでしかないことに気づいた。

神妙な面持ちでたくわんを齧っていた篠崎が口ごもる。

「しかし、そのぉ……どこも……」

「どこもやっているって言いたいんだろ。法律でも禁じられてないって。よそがやっていればいいってのかい？　政さんがいた時は、そんなことはなかったのにねぇ。気概ってものがないね」

明石町の言葉に篠崎がまた這いつくばるかと思ったら、意外にも喉から絞り出すように言葉を返した。

「お言葉ですが……吉野様、昨今では自然そのものであるはずの大根や果実の皮にも農薬が含まれておりますので……よしんば無農薬で育てようと思いましても薬を使って育てた家畜の堆肥ではどうにも……そもそも、どこもかしこも土壌自体がすでに薬品漬けになっております……まったくの健康食品など、もうどこにもないのです」

明石町がしゃっくりをした。篠崎は齧りかけの明石町のたくわんを眺めて、悲しげに首を振る。

「一億何千万すべての人間が、本物だけを食べて生きていける世の中ではないのです、吉野様。お気持ちはしかと受け止めますが、残念ながら、気概だけでは会社が潰れてしまいます。気概だけでは生きにくい世の中になったのでございます」

篠崎が妙な味がする明石町のたくわんをうまそうに齧った。

「おいしゅうございますな、このたくわん」

明石町は何も言い返さなかった。そのかわり立てかけた三味線をぺぺんと爪弾いた。

「長生きしすぎたかねぇ、私は」

また明石町が小鳥の水飲みのようにおちょこに口をつけた。長いつけ睫毛にふちどられた黒目がちの瞳が、ぴたりと羽沢のところでとまる。さっきから羽沢に関してひとこと言いたくてしかたがないという顔をしていたのだ。

「ところで、この子は――」

「申しわけございません」篠崎が這いつくばり、ハンカチでひたいの汗をぬぐった。「お気に召さないようであれば、すぐにチェンジいたします」

篠崎には目もくれず、羽沢へ向けて顎を上げた。

「あんた、眼鏡をとってごらん」

涼平が脇腹をつつくと、羽沢がしぶしぶ眼鏡をはずす。

「ふぅ〜ん。面白い顔だわね」

鼻から息を吐いた。篠崎がまたまた平伏する。「申しわけありません」

「波乱の相だよ。こういう顔は、稀有《けう》の立身出世を果たすか、世間を騒がすことをしでかすか、どっちかだね。政さんの若い頃に似ているよ」

どっちかと言うと涼平は後者だと思うが、どうやら明石町は羽沢を気に入ったらしい。

「時に和雄さんの病気、少しはよくなったのかい」

「いえ、現在もまだ自宅療養の状態でして。このままですと後継問題が取り沙汰されるやも」

「後継って、清ちゃんのことかい？　いま専務だろ。あの子は駄目だよ。すぐ苦労話をしたがるだろ。そういうのにかぎって、たいした苦労はしていないんだよ。本当に辛かったことは、口にするのも嫌なものさ。政さんがよくこぼしてたもの。二人で荷車を牽く時、後ろを押させるとあいつはとたんに手を抜くって。まさか、マー坊かい？」

「マー坊？」

「政彰だよ。小さい時分にはよく政さんに連れられてここに来たものさ。女の子みたいに可愛い子でね。賢かったし。でも、マー坊はもっと駄目だ」

「駄目ですか？」

明石町は玉川政彰を軽く吹き飛ばすように、酒の匂いのする息を吐いた。

「あの子は駄目。ちっちゃい時から、こまっちゃくれて見栄っ張りで飽きっぽくて。どうしても欲しいって言うからオモチャ屋に連れてってオモチャを買ってやるだろ。その帰り道に、他の子供が違うものを持ってるのを見ると、ぽいっと捨てちまうんだ。で、今度はあれが欲しいって言い出す。叱れば、すぐ泣くし。節子が甘やかしたからねぇ。あたしはよく注意したんだけど。マー坊は人の上に立つ器じゃない。貸家と金釘で書く三代目とは、よく言ったもんだよ。マー坊にまかせたら、もう次はないね。銀行が人を送りこんでくるよ」

先代のお妾さんとはいえ、専務も副社長も子ども扱いだ。篠崎がしばらく口ごもってから、意を決したという調子で明石町に尋ねた。

「……立ち入ったことをお聞きしますが、吉野様は……そのぉ、副社長とはどういうご関係なので?」

質問には答えず、明石町はゆっくり盃をかたむけてから、篠崎に半眼を向けた。

「聞きたいかい?」

よけいなことは聞くなと言っているようにも聞こえた。

「あ、いえ……」篠崎が縮みあがった。

「聞きたいな」羽沢がぼそりと言う。あ、馬鹿。篠崎がひざを叩く。

明石町がため息をついた。長い長いため息だった。

「他言は無用だよ」

それから涼平に首を振り向けてきた。

「お台所からぐい呑みを人数分とお酒をもっておいで。瓶ごとでいいよ。長い話になるからね」

本当に長い話だった。

話ははるか時空を遡《さかのぼ》り、昭和初期から始まった。明石町が先代玉川政次と知り合ったのは、昭和十三年。政次翁はまだ二十代の初め。兵役を終え、満州から戻ってきたばかりの頃だったという。食品問屋で働いていた経験とツテだけを頼りに玉川漬物を起こそうかという時期だったそうだ。

「まだ若かったよねぇ。意気軒昂だったよ。満州で思いついたんだそうだ、これからは保存食の時代が来るって。若いって言っても、あの頃は二十《はたち》をちょっとでも超えれば、もう一人前の男だったよ。私を呼んだお座敷にも投資家さんたちと来ててね。お金がないのにはったりをかけようって算段だったんだね。懐かしいねぇ。あれはあの人が数えで二十三、あたしが――」

篠崎がひざを乗り出したが、そこで明石町は盃をかたむけて、言葉のかわりに小さく息を漏らしただけだった。羽沢は酒が弱いようだ。ぐい呑み三杯で顔を真っ赤にし、四杯目で畳に寝そべってしまった。篠崎が叩いてもまるで目を覚まそうとしない。

「構わないよ、寝かしといておあげ」

明石町はかたわらにあったかいまきを羽沢に掛け、ていねいに襟元まで覆ってやっている。まるで子どもを扱う母親のようだった――いや、祖母と言ったほうがいいか。

「玉川漬物は当たったよ。でもね、缶詰にも手を伸ばそうとして工場を建てようとした矢先に政さんがまた応召《おうしよう》されてね。南方へ行っちまった。まぁ、どうせ建てても空襲で焼けちまっただろうけれど。節子が生まれたばかりだったのに」

「節子？　社長夫人の？……ということは？」

「節子は私の子だよ。本妻さんに子供ができなくて、養女って形で、取られちまったんだ。だからマー坊は私の孫。政さんはずっと私と正式な夫婦になってくれてたんだけど、実業家の嫁に置屋の女なんぞと、ずいぶん周りから反対されてね。それで身を引いたんだよ。夫婦になれなくたって、ずっと私のところに通ってくれていたしね。ようやく一緒に暮らせるようになったのが、五年前だよ。本妻さんが亡くなった時さ。政さんは私のために会長を辞めてくれたんだよ、まだまだ和雄さんは頼りないけれど、もう二人とも人生の残りが少ないから、ずっと二人っきりで過ごそうって言ってくれて」

そうだったのか。妻を亡くして経営への情熱を失ったとか、長野の山奥で隠遁生活をしているなんて、玉川ファミリーに近い誰かがスキャンダルになるのを恐れて流した情報に違いない。

「ここにいらしたのですか？　七年前から出入りしておりますのに、気づきませなんだ」

「気づかないのも道理さ。あの人が居る間は、あんたを呼びゃあしなかったもの」

篠崎がいまにもふすまが開いて先代が顔を出すのではないかというふうに、縮めた首を隣室へ向けた。

「もうここにはいないよ。考えてみれば、あの人が一つ所におとなしくしてるわけがないんだ。一緒に暮らしはじめて半年もたったら、もうだめさ。和雄じゃだめだ、このままじゃ珠川はだめだ、一から出直して新商品をつくるんだなんて言い出して。一緒に全国の中華そばの店をめぐる旅に出ないかっていうのさ。八十の人間の言葉じゃないよ。一緒にって言われたって、あたしはもう足がいけないよ。なにしろ、もうあたしは、きゅ――」

篠崎も涼平も全身を耳にした。明石町は一瞬口を押さえ、あわてず騒がず言葉のつぎ穂を足した。

「急に言われたってねぇ。だから、一人でお行きよ、でも必ず帰ってきておくれって、そう言って送り出したんだ。それが四年前。それっきり、ぷっつり連絡がなくてね」

「ご心配でしょう」涼平は言った。いつどこで行き倒れになってもおかしくない年だ。だが、明石町の心配は別のことにあるようだった。

「心配だよ。妙な女にひっかかって、その女の家にころがりこんじゃいまいかとね。なにしろ浮気者だから。ちょっと惚《ぼ》けも始まっていたから、この家とあたしのことを忘れちまったんじゃないかと考えたりね。だから探しているんだよ」

まだ終わっていない百年の恋。美しくもあり、物悲しくもあり、空恐ろしくもあった。

明石町がずりずりと隣の部屋へ続くふすまへにじり寄る。ナマケモノの陸上歩行かと思うほどの動きだった。顔だけ見ていると忘れてしまうが、なにしろ「きゅ――」のつく年齢なのだ。

明石町がゆっくりとふすまを引き開ける。驚いた。

枕をふたつ並べた布団が敷いてあるわけじゃなかった。八畳ほどの畳の間いっぱいにぎっしり、表紙を上にしたタウンページが並んでいる。まるで黄色い絨毯のようだった。

「重いからねえ、電話帳は。本棚に片づけて置きたいけれど、あたしには難儀だからこうして寝かせて置いてあるんだ」

一番手前の列の札幌地区北部版という文字が読めた。二列目あたりは東北地方だ。真ん中少し手前にずらりと並んでいるのが東京の各地域のもの。奥のほうの表紙の文字は読めないが、たぶん九州や沖縄のものだろう。全国のタウンページが揃っているのだ。

「NTTの株もいくらか持っているからね、頼んで取り寄せたんだ。この本を見て、中華そばのお店に電話をかけているんだよ」

涼平は喉ぼとけを上下させてから尋ねた。

「……全部ですか」

「そりゃあそうさ、どこに寄るか知れないんだもの。全部にかけなくちゃ意味がないじゃないか」

床の間の脇に貼ってある日本地図に目を走らせた。

「もしかして、あの地図は?」

「そうだよ、いままでにかけ終わった場所のしるし」

北海道から中部地方までびっしり小さな簪《かんざし》が指してある。いちばん西は滋賀県だった。

「この電話帳の番号すべてを、一人で?」

つまらないことを聞くな、というふうに明石町がかすかに眉根を寄せる。

「あたり前じゃないか。こんなこと人には頼めないよ。政さんと私のことだもの」

あっけにとられて地図を見つめていた篠崎がため息と一緒に言葉を吐き出した。

「もう日本の半分だ」

「半分じゃないよ。一回目は終わった、どこにもいなかった。でもその後に立ち寄ることだってあるだろ。いま二回目だよ」

篠崎が言うべきか言うまいか、戸惑う様子を見せてから口を開いた。

「しかし吉野様、店主もいちいち客の顔など覚えていないのでは？」

「いいや、あの人が狙いをつけたお店があれば、わかるはずなのさ。初めて即席麺をつくろうとした時もそうだった。あれは向島にあった中華そばの店を手本にしてつくったんだよ。政さんは、ここしかないって言って、毎日通いつめた。で、店のご主人に頼みこんだんだ。厨房を見せてくれって。普通は見せないよ。でも、三カ月毎日三杯食べられちゃあ、教えないわけにもいかなくなったんだろうねぇ」

七杯食べたといったって、たった一日だけの涼平など、まだまだ甘いようだ。

「宿屋なんかにあたるより、よほど確実だよ」

「先代は行かれる場所について何かおっしゃっていませんでしたか。お探しになっているラーメンについて話されたことは？」

明石町がゆっくり首を振る。

「先代が求めておられたラーメンの種類はなんだったのでございましょうな。いろいろあります……醬油、味噌、塩、豚骨」

「トンコツ？」明石町が童女のような声をあげて首をかしげる。

「……吉野様、最近のラーメンの事情をご存じで？」

「知るわけないだろう。私はああいうもの食べないもの。あたしがおそばと言えば、臼挽きの十割り蕎麦だよ」

「札幌ラーメンとか、博多の豚骨ラーメンなどはご存じで?」

「さっぽろラーメン? はて、聞いたことがあるようなないような」

篠崎が、ああやっぱりという顔をし、気の毒そうな声を出した。

「札幌、博多、喜多方、和歌山、熊本……この辺りが現在のところラーメンで名を馳せている土地でございまして。そこを重点的にお調べになってみては」

明石町が小さくしゃっくりをした。

「……早く教えてよ」

篠崎が昨今のラーメン事情について講釈するのを、明石町は雛鳥みたいに目をぱちくりさせて聞いていた。こと食べ物に関するかぎり、明石町は現代の事情にまったく疎い。よくこれでとんでもない金額の株を動かしたりできるものだと思うほど。ラーメンを――彼女が言うところの支那そばを――食べたのは一度だけ。幻のオリンピックの年だそうだ。

「政さんにどうしてもって言われて。思えばあの時かもね。あの人がいまの商売を思いついたのは。あの頃はオリンピックを当てこんであちこちに洋食や中華の店がいくつもできたんだよ。見たかったねぇ、この目で前畑が表彰台に立つところを。戦争がなければねぇ……」

涼平はずっとモスクワオリンピックのことだと思って聞いていたのだが、とんでもない。戦火が世界中で燃え上がり、ついに開催されることのなかった一九四〇年の幻の東京オリンピックのことだった。リンコの六十年代なんて目じゃなかった。明石町の体内時計は太平洋戦争前後で止まってしまっている。

「吉野様、いまはパソコンと申す便利な道具がございます。インターネットはご存じで」

「当たり前だよ。ＩＴバブルは弾けちまったけれど、ＩＴ関連株はやっぱり無視できないからねぇ」

「ネットを使って探してみるという手もございます。先代ほどの方ですから、あちらこちらで噂になっておるやもしれません」

「そうなんだろうけれど、やり方がわからないんだよ。会社のことはわかっても機械のことはてんでわからない。パソコンもあるにはあるのだけれど、すっかり箪笥《たんす》の肥やしになってしまっていてね」

涼平に部屋の隅の桐箪笥を開けてくれと明石町が言う。何かの比喩ではなく、引き出しの中に本当にノートパソコンが何台も入っていた。

「やって見ておくれ」

そう言われても、急に立ち上げることはできない。少なくとも機械に弱い涼平や篠崎では。

篠崎が眠りこけている羽沢の頭を、すいかの熟れ具合を確かめる調子で叩いた。

「今日連れてまいりました羽沢は、こう見えてコンピュータに関してはなかなかのものでございまして。もし吉野さまさえご迷惑でなければ――」いつの間にか篠崎の口調は、悪徳商人越後屋風になっていた。「本日はこちらに置いておきますので、お好きにお使いください」

明石町はちっとも迷惑そうじゃなかった。羽沢の寝顔を見て、ふいっと桃色の煙を思わせる吐息をついた。

「この子を？」

「ええ、もうご存分に」

明石町の目が妖しく光った。

「いいのかい？」

「煮るとなり焼くとなり……」

越後屋篠崎が含み笑いをした。

「そうかい、じゃあ、この子が起きたら、やってもらおうかしらね、いろいろと」

「どうぞどうぞ」

屋敷の外が騒がしくなった。突然の激しい雨だ。遠くで季節はずれの雷の音までしはじめた。羽沢の身に異変が起こる前触れだろうか。

「雨でございますなぁ」

「玄関に傘が置いてある。好きなのを持っておいき」

それだけ言うと、明石町は篠崎と涼平にふくよかな横顔を見せつけて、おちょこをかたむけた。もう二人には用がなさそうだ。

篠崎はゆっくりと一礼し、ふすまを閉める。閉めたとたん、足音を忍ばせたすり足で廊下を滑るように逃げた。ずんずん早足になる。その後を追いながら涼平は声をかけた。

「だいじょうぶでしょうか」

「先代の行方探し？　さぁ、運次第だな」

「いや、羽沢」

「ま、とって食われることはなかろ」玄関の戸を閉めた篠崎は自信なさげにそう言ってから、小さな声でつけ加えた。「つまみ食いはともかくな」

13

明日からの異動に備えて、涼平はデスクの整理と残務処理をはじめた。とはいえ、たいしてすべきことはない。この二カ月で集めた商品資料は宍戸に譲り渡すことにした。

「ありがとう。がんばってください」宍戸が九十センチ余の胸の前で小さくガッツポーズをする。「そうそう、佐倉さん、お願いがあるんですけれど。副社長に会ったら、これを渡してもらいたいんです」

販売促進課は、来年四月からマーケティング室と統合され、新しいセクション、情報戦略室——副社長の命名だろう。あい変わらずのネーミングセンスだ——に生まれ変わるそうだ。涼平が配属されるのは、そのための準備室。玉川副社長直轄の部署だから、確かに会う機会がふえるかもしれない。会いたくもないけれど。

宍戸が引き出しの奥から取り出したのは、B5サイズのクッション封筒だ。重くはないが、けっこう厚みがある。

「何？」

涼平が問いかけると、左右に視線を走らせ、近くに誰もいないことを確かめてから、封をしていない口の部分をぱくぱくと開閉させた。涼平にだけは見せてもいい、ということらしい。

紙製の簡易フォトアルバムが何冊か、それとネガフィルムだった。目で同意を求めてからページをくってみる。すべて宍戸と玉川政彰のツーショット写真だった。背景はゴルフ場だったり、レストランだったり、どう見ても外国としか思えない場所もある。どうりで玉川副社長は海外出張が多いわけだ。

「うおっ」何ページかめくったところで涼平は目をむき、あわててアルバムを閉じた。二人がベッドの中にいた。宍戸が平然とした顔で囁きかけてくる。

「だいじょうぶですよ。過激なのはみんな向こうが持ってっちゃったから、そこにはないもの」

じゅうぶん過激だった。篠崎なら一枚千円で買うと言うだろう。

「俺なんかに見せちゃっていいの？」

「ええ、ぜんぜん構わない。私は会社の人全員に公表したいぐらい。見て欲しくないのは、私じゃなくて、あちらのほうでしょう」

「でも、なんでこれを？」

「この間、副社長から電話がかかってきたんです。妙に優しくて、また会いたいって。でも話をしているうちに、わかったんです。写真を返して欲しいってことだって。急に怖くなっちゃったみたい、私がこういう写真を持ってることが。たぶんあの女とも――」宍戸は室内に無用のお愛想を振りまいている立花まいとは目を合わせないようにして、ポルコのポスターを仰ぎ見た。「写真をいろいろ撮っちゃって、それを材料に脅されているんじゃないかしら。副社長、写真が大好きだから。撮るんじゃなくて撮られるのが」

いつかの夜のように玉川政彰を、政彰さんともあの人とも呼ばない。かたくなに副社長と呼び続けていた。涼平に話しているというより、自分自身に語りかけているのかもしれない。

「もうどうでもよくなっちゃった。あの女と一緒にされたくないから、ネガ付きで返しちゃおうって思って」

涼平はこまごました女の子っぽい小物を配してテリトリーを主張しはじめている宍戸のデスクに視線を落とした。

「会社は辞めない？」

「ええ、意地でも」

明石町の家へ宍戸も連れて行かなかったことを、篠崎はずいぶん悔やんでいた。あの翌日、反省レポートがまさかと思っていた宍戸のデスクに載っていたからだ。本間の意向というより、もっと上からの指示のようだった。反省レポートを中断してしまえば、かえって神保を追いつめた元凶であることを認めたことになるからだろう。涼平は宍戸のデスクに視線を落とした。いまいましい黒表紙のノートは、ペーパーウエイトがわりのくまのプーさんのコーヒーカップの尻に敷かれている。

「あんなの、適当に書いとけばいいんだ。どうせ室長だってろくに読んじゃいないんだから。まともな字でたくさん書いてあればいいんだ。俺はだいぶ前から山内さんの昔の反省文を丸写しにしてるんだけど、全然、気づいてないよ」

「そうします」

「女性客は羽沢にまわせばいい、はりきってるから」

涼平は親指を立てて、パソコンの中に埋没している羽沢の頭を指さした。

明石町の邸へ置きざりにしてしまったあの日から、羽沢は変わった。パソコンにへばりついているのは同じだが、いままでは自分のネットサーフィンの片手間だったネット風説監視の仕事に熱意を燃やすようになった。慣れない敬語を危なっかしく使いながら、電話応対もこなしている。何より見かけが変わった。中途半端に長かった七三の髪は、整髪料で固めたオールバックになり、誰の見立てなのだろうか、子供服みたいなオーダーメイドのアイビースーツはクラシックなタイプのダブルに、額縁みたいに太かったセルフレーム眼鏡は細い銀縁のロイドタイプになった。似合わないのは以前と同じだけれど。

あの翌朝、勝手に帰ってしまったことを謝ったのだが、前の日と同じ服で一時間遅刻して現れた羽沢は、怒るどころか「うひひ」と薄気味悪く笑った。何があったのかと聞いても答えず、時おりぼんやり宙を見つめて、思い出し笑いをするだけだ。

今日も朝から忙しげにパソコンで検索をしているのは、ロリコンサイトではなく、こむずかしげな株式ページだ。第一、もう羽沢はロリコンではないらしい。時おり思い出し笑いをしながら「やっぱり女は年上だね、佐倉さん」などとほざき、宍戸にまだまだ小娘だな、と言いたげな視線を走らせたりしている。あの晩、何があったのかは明白だが、涼平はあまり想像をしないことにしている。

「そっちこそ、がんばって」

涼平が言うと、宍戸がまた自分の体を抱きしめるみたいに小さくガッツポーズをした。

引き出しの中から神保に借りたままのネクタイピンが出てきた。交差した竹刀に「永遠」と書かれた珠川食品剣道部のメモリアルグッズだ。涼平が何度も書いてもらった神保のメモも、そのままとっておくことにする。神保の死が会社の過失であることの証拠品のひとつとして。神保の両親は労災の申し立てをするつもりはないと言っていたが、気が変わるかもしれない。

この二カ月あまりで書いた大量の報告書のコピーをめくる。すべてただの紙屑だ。ゴミ箱にぶちこもうかどうか迷っていると、後ろから肩を叩かれた。本間が立っていた。

何か怒りを買うようなことをしたっけ。条件反射で一瞬身構えたが、本間は意外なセリフを口にした。

「いろいろありがとう」

神保の死が堪《こた》えているのだろうか、本間の目の下には濃い隈《くま》ができていた。心の乱れを示すかのように、ご自慢の一糸乱れぬ整髪が少しばかりおろそかになっている。

「君にはいろいろ教えられた気がするよ」

最初は新手の嫌みかと思ったのだが、どうやらそうではないらしい。大真面目な顔で本間が言葉を続ける。

「佐倉くんの処遇については、僕にも反省すべき点があった気がする。いま頃、こんなことを言っても遅いのかもしれないが。ほんとうに、ありがとう。私も過去には市場調査の仕事をしたことのある人間だ。新しい部署で何か困ったことがあったら、いつでも相談に乗るよ」

本間が手を伸ばしてきた。握手をしようということらしい。涼平がぼんやり差し出された手を見つめていると、本間がすがりつくような声を出した。

「副社長によろしく伝えてくれたまえ」

卑屈な上目づかいで涼平の顔をうかがってくる。この男も篠崎の言うところの、不細工な女房と出来の悪い息子と住宅ローンを人質にとられて、おでん鍋の中であがいている一人なんだろう。涼平は本間の手にネクタイピンを握らせた。

「神保さんのです。返し忘れてた。室長、葬式に行かれなかったでしょ。お線香を上げにいく時に、持って行ってくれませんか。そして、いまの言葉は、ぜんぶ神保さんに」

涼平がそう言うと、本間の手が焼けた石を握ってしまったようにびくりと震えた。

ロッカーの中に女持ちの傘が一本。明石町から借りたものだ。これも返さなくちゃ。手にとろうとした時、電話が鳴った。このところお客様相談室には内線電話がよくかかる。たいていは涼平あて。なんのつもりか知らないが、副社長は名店シリーズのスタッフの一人に涼平を抜《ばっ》擢《てき》したのだ。来週の会議に向けてすでにその準備作業が始まっていて、マーケティング室から頻繁に連絡が来る。電話はやはりマーケティング室の新しい室長、小田桐からだった。

初代室長の村島はすでに群馬工場へ飛ばされてしまったそうだ。新商品プロジェクト「行列のできる店シリーズ」の当初のブランドマネージャー野瀬も降板。現在は小田桐がブランドマネージャーを兼ねている。

「試作品ができたんだよ、佐倉選手。一発、ミーティングいっとく？　日にちもないしさ」

小田桐はLLサイズのアイビールックの体育会系風。副社長の大学の後輩だそうだ。体格に似合わず軽いノリの男で、柔道や野球というよりテニスやホッケーといった横文字系を思わせるスポーツマンタイプ。頭の中まで筋肉質なんだろうと思う。

「いますぐ、こっちへ来てくれる？」

涼平の都合も聞かずに電話が切れた。

部屋を出て廊下を歩きはじめてすぐ、旧館の二階廊下の左手、第二研究所の扉が開いていることに気づいた。お客様相談室に来て以来、ここのドアが開いているのを見たのは初めてだった。中をのぞいてみる。

古い学校の理科実験室と調理実習室を足して二で割ったような部屋だ。中央の大きな机に大量の書類が山脈をつくっていて、その山の谷間に四角い顔が見えた。篠崎だ。めったに見られない真剣な表情をしている。涼平に気づくとインディアンみたいに片手をあげて挨拶を寄こしてきた。

「おう」

「朝からいないから、競艇場かと思ってました。何してるんですか？」

「ま、ちょっとした個人的な調査をね」

篠崎はふにゃりと笑って、涼平の質問をはぐらかす。

「この部屋はさ、先代が個人的な研究に使っていたらしいんだよ。会長になってからもしばらくはここへ通ってたらしい。俺が相談室に来た時にはもう閉鎖されてたけどね。見なよ、昔の資料やメモ書きがそのまま残ってるんだ。何か手がかりはないかと思ってさ」

「先代の行方の手がかり？」

「まぁ、そういうことになるかな。引退する前に先代がどんなラーメンの研究をしていたのかがわかれば、どこに消えたのかのヒントになると思ってね。本場中国じゃないことを祈るよ」

「なぜ？　明石町のために？」

「いや、俺のため。先代を見つけてあてがっておけば、明石町もおとなしくなるはずだ。しばらくは呼びつけられる心配がなくなるだろ」

そうじゃないはずだ。篠崎は今回の一件で何かしようとしているのだ。

「室長がよく文句を言いませんね」

「古い苦情客のリストを調べてるって言ったら、あっさり信じたよ。いまはそれどころじゃないみたいだし。神保の自殺の責任論が出てるらしいよ。ま、かわいそうなやつだよ。本人はこの番人のつもりなんだろうけど、実際は俺たちと一緒。リストラ候補の一人なんだもの」

「何か見つかりました？」

「なんだかね、塩ラーメンが臭いんだよな。一番新しい日付けのメモを見るとさ。何を研究してたか他人にわからないように暗号みたいな言葉ばかりで書いてあるんだけど、スープは野菜と昆布をたっぷり使ったあっさり系を研究していたみたいだし。塩の製法なんかもメモしてある。塩ラーメンがメインの店はまだまだ少ないから、見つかる可能性は少し高くなったかな。まぁ、砂漠の中でパチンコ玉を探すぐらいの確率が、ゴルフボールを見つけるのに変わったぐらいのものだけどね」

「手伝いましょうか？」

「どこかに出かける途中じゃないの」

「別にいいんですよ、どうせたいした仕事じゃないみたいだ」

「そりゃいかん。行っておいで。俺とつるんで妙なことをしてると、本間があることないこと人事にチクるぞ。あいつはお前が妬《ねた》ましくてしようがないみたいだし、自分に渡されそうな引導を、代わりに受け取らせるやつがいないか、必死で探しているところだから」

「構いませんよ」

「やめな。せっかくここから出られるんだから。仮出所目前に監獄で暴れることはない」

「皮肉としか聞こえないんですけど」

憮然《ぶぜん》として言いかえすと、篠崎は顔の前で手を振る。

「いやいや、本当にそう思う。いままでお客様相談室から脱獄して、まともに職場へ復帰した人間は一人もいないんだからさ。アルカトラズからの脱獄。お前がそうなれば、他のみんなも、これから来るやつも、いつか違う職場に戻れるかもしれないっていう可能性が信じられる。そう思えるだけでいいんだよ。だから、お前は戻らなくちゃだめなのさ。クリント・イーストウッドか、大脱走のジェームズ・コバーンてとこだな」

篠崎の言うみんなの中には、篠崎自身が入っていないのではないかという気がした。

「どうしちゃったんです。篠崎さんがまともな事を言いはじめると、なんだか俺、心配になるんですよ」

「ひどい言われ方だな。俺が直属上司ってことを忘れてない？」

「まさか離婚届け出しちゃったとか。それとも会社に辞表を？」

「とんでもない。もうちょっと頑張ることに決めたよ。失業したら、今度こそ終わりだからね。もうクミに会えなくなっちまう」

「クミ？　奥さんですか」

「いや、娘。今度、中学生」

「やっぱ手伝います」

涼平の胸ポケットで携帯が鳴った。たぶん焦《じ》れた小田桐の督促だろう。

「いいから、ほら、早く行きな」

篠崎に押し出されるようにして部屋を出た。自分だけが抜け出したつもりだったのに、なんだか自分だけがどこからも抜け出せていない気がした。

『タマガワ行列のできる店シリーズ』第一弾は、げんこつ亭のネギミソラートメンから急遽《きようきよ》、同じ味噌系である『北海屋のみそラーメン』に変更された。小田桐は商品説明もせず、いきなりこう切り出した。

「ネーミング案を出して欲しいんだ。来週の会議までに。ロゴデザインがらみで。ほら、うちのロゴってドン臭いじゃん。いつまでもタマちゃんのイラストでもないだろうって、玉川さんが言うわけよ。いままで頼んでたデザイン会社や代理店は気に入らないんだと。一流どころじゃないとだめだって。そこで佐倉選手の出番だ。お前、元一流どころだろ」

なるほど、ようやくわかった。副社長は俺ではなく、俺の大手代理店出身というブランドが気に入っていただけだったのか。俺の前の会社での仕事がただの制作進行で、直接クリエイティブにはかかわっていないことを知っているのだろうか。

「でも僕はアートディレクターじゃないし。ロゴがらみと言っても……」

「フンイキだよ、ただの雰囲気。安心しろ、お前にデザイナーをやれって言ってるわけじゃないんだ。玉川さんは、いままでみたいに手書き書類でネーミング案を見せるやり方が気に入らないらしくてさ。普通に見せるんじゃ芸がないから、場を盛り上げるために何か目新しいことしてくれればいいのよ。だって、ネーミングっていったって、実際にはさぁ」小馬鹿にした目を涼平に向け、わざとらしく含み笑いをする。「わかるだろ。お前のやることってあんまりないんだ」

わかってる。小田桐の言うとおりだ。今回のプロジェクトにネーミングもへったくれもない。唯一無二のセールスポイントは店とそのメニューなのだから、今回の商品の名前は『北海屋のみそラーメン』それ以外にはあり得ない。

「アホらしいけどさ、いちおうネーミング考えましたって段取りを踏まないと、話が進まないじゃん。遊んでたわけじゃないってことを証明しなくちゃなんないんだよ。ま、せいぜいたくさん考えてよ、捨て案を。あ、そうは言っても、玉川さんは結構気難しいところがあるからさ、あんまり余計なことはするなよ。ちゃんと形式だけ整えてくれりゃあ、それでいいから。プレゼンの演出をかっこよくしてくれればいいのよ。お前のプレゼンのやり方はいいって玉川さんが言ってた。中身はともかくな。形式よ、形式」

小田桐が差し出してきた資料は手提《てさ》げ袋二つ分もあった。旧館へ戻る途中で放り捨てようかと思った。最近の涼平は一日に何回も頭の中で辞表を叩きつける自分を想像している。実際に夜中に辞表を書いたりもしているのだが、実行には移せなかった。俺は何を怖がっているのだろうか。リンコの言うとおりだ。偉そうにタトゥーを入れたって、中身は変わらない。俺はただのチキンハートだ。

第二研究所をのぞいたが、机の上で開いていた何冊かのノートとともに、篠崎の姿も消えていた。

デスクの上に形式だけの資料が詰まった紙袋をどさりと置き、形式だけの報告を本間にし、形式だけの仕事を始めた。

資料の多くは、少し前の珠川食品なら考えられないほど膨大な量のマーケティング調査データと分析。小田桐は案外に細かい性格のようだ。ただし、ほぼすべてがそこらへんの本屋で手に入る雑誌や専門誌からの引用コピーだ。なんでこんなものが必要なのかと思うものまで混じっている。

「男女別・年齢別の即席麵購買比較」「三十代、四十代主婦層の消費傾向」「商品細分化戦略の現況」「ご当人ラーメンブームの検証」「スーパー・CVS戦争」「食品消費動向トレンド・ウォッチング」「効率的なネーミング戦略」

読んでいるうちにめまいがしてきた。

「有益」「効率的」「合理化」「競争を勝ち抜く」「他社に先駆ける」――

自分だけ得すればそれでいいのか？

「マーケティング戦略」「販売戦術」「ビジネス戦力」「流通戦争」――

戦争反対、ラブ＆ピース。

「主婦のニーズ」「若者のニーズ」「OLのニーズ」「サラリーマンのニーズ」――

ニーズ、ニーズ、ニーズ。ニーズばっかり。少しは我慢しろ。

もういいや。

涼平は資料を閉じて席を立った。有益でも合理的でもないことがしたくなったのだ。時代のトレンドも、消費者のニーズも、他者を蹴落《けお》とす戦略もない場所へ行くことに決めた。

退社時間にはまだ時間があったが、適当な言い訳をつけて相談室を出た。空は晴れていたけれど、片手には傘をぶら下げて。

品川駅の山手線ホームでいつもとは反対側へ立った。有楽町の駅で地下鉄に乗り換え、駅を降りた時には、街からは陽光が消えていた。傘などを持つにはふさわしくない夜で、東京の空には珍しく星がそこここに瞬《またた》いている。涼平はめざす場所まで傘を振りながら歩く。自分の突然の思いつきに気分は高揚していた。

木戸を抜け、飛び石を三段跳びの勢いで歩き、玄関のチャイムを鳴らす。長い間《ま》ののち、インターホンから、明石町の戸惑った声が聞こえてきた。

「……はて、今日は何の用事で呼んだのだっけ？」

いきなり訪ねてきた涼平より自分の記憶力を疑る口調だった。

「突然、申しわけありません。勝手に来てしまいました」

そこで待っていろと言われたきり、十分以上玄関の前に立っていただろう。ようやく現れた明石町は、あわてて身づくろいをした様子で、化粧も衣裳もいつもほど完璧とはいえなかった。片手をしっかり胸の前で組んで、着物の上にはおったショールを寒そうにかきあわせている。もう一方の手には杖を握っていた。

「これをお返しに」

「ああ、いつでもよかったのに」涼平が傘を差し出すと、明石町の硬い表情が少しだけほころんだ。「この間の眼鏡の子は、元気かい」

「ええ、おっしゃっていた通りです。エネルギーが別の方向に変わると、力を発揮するタイプみたいだ」

篠崎と仕事で来ていた時には、きちんと視線を合わせることもできなかったのに、今日は違う。近所のお婆さんと立ち話をしている感じだった。

「どうしたね？　ただ傘を返しにきたわけじゃないだろう」

「お願いがあってきたんです」

明石町が見上げてくる。顔がふっくらしているから大柄に見えたけれど、玄関の戸の向こうからのぞいている明石町の古風に結った髪は、涼平の肩の下にあった。

「あの子みたいにして欲しい？」

涼平はぶるぶると首を振る。

「電話帳を貸して欲しいんです」

「篠さんのさしがねかい？　あたしを手助けするつもりなら、遠慮しとくよ。これはあたし自身のことなんだから」

「いえ、申しわけないですが、そうではなくて僕の個人的なことに使いたいんです」

どう説明しようかと考えていると、明石町がはるか下方から涼平の顔をのぞきこんできた。黒目がちの瞳が涼平の中身を透かし見るようにすぼまる。人間を百年近く続けていると、人の心が読めるようになるのかもしれない。明石町は事情は何も聞かず、すべてを理解したというふうにうなずいて、ぽつりと言った。

「根気がいるよ。ムダ骨を承知でやらなくちゃ」

「わかってます」

「お入り」

杖を引き、セシウム原子が定義している現代の時の流れを無視した悠長な足取りで歩く明石町の後をついていく。手を引こうとしたが断られた。明石町は十畳の和室の向こうの、自分の小さな図書館のふすまを開けて涼平を振り返った。

「手前の半分はもう使わないから、いくつでもいい、持っておいき。どこからいくかい」

少し考えてから、涼平は答えた。

「北海道から」

14

十一月の最後の週。一階ロビー、『お客様の声は、神様のひと言』の額縁の下の巨大な掲示板に、またもや大量の人事異動通知が貼られた。もう珠川食品では月ごとの恒例行事のようなものだが、涼平にとっていつもとは違うのは、びっしり並んだ通知書の中に自分の名前も加わっていることだった。

佐倉涼平　販売促進課（情報戦略室準備室）へ異動

準備室といってもまだ名前だけ。デスクは当分の間、販促課に置かれる。本社ビル二階の営業部フロアの片隅の販促課は、数カ月前と同じく二列に八人分のデスクが並ぶ配置のままだったが、末松の真向かい側だった涼平のデスクは反対側の端に変わっていた。

異動の日の朝、涼平が挨拶をすると、かつての同僚たちは死亡宣告を受けた人間が生き返ってきたとでもいった驚きと戸惑いの顔で出迎えた。年下の安田は涼平の顔を見るなり、「お勤め、ご苦労さんでした」そんな軽口を叩いてヤーさん風の短髪の頭を下げた。

挨拶をしないわけにもいかない。末松のデスクに近づくと、磁石の反作用のように立ち上がり、涼平にそっぽを向いたまま「僕、外出ね」涼平じゃない誰かに声をかけて出て行ってしまった。めちゃめちゃ感じ悪い。

販促課に戻っても、課内の仕事の引き継ぎがあったわけではないし、新しい仕事を命じられることもなかった。涼平はずっと新製品決裁会議の準備にかかりっきりだ。副社長の提案で今回の会議にプロジェクターが使用されることになったのが、忙しさに拍車をかけている。

提案するネーミング案、ラベルデザイン試案、図表関係はすべてスライドにする。しかもスライドを作成するのはパソコン。パネルのほうがよほど楽だ。「広告代理店ぽくやってよ、副社長は古いやり方は嫌いだから。会議だって、もっとセンスよく演出しなくちゃ」小田桐はそう言うが、たぶん副社長はドラマの見すぎだ。いまでも――少なくとも涼平が在籍していた今年の初めまで――広告のプレゼンテーションはパネル形式が主流で、プロジェクターを使うことのほうがまれなのだ。

お前は大脱走のジェームズ・コバーン、と篠崎は言うけれど、ここはここで捕虜収容所のような気がしてきた。もし、この会社で働きたい場所があるとしたら、ここじゃない。末松の圧力のためか、安田以外は小学生のイジメみたいに誰も口をきいてくれない販促課のデスクで涼平はため息ばかりついている。

毎晩、夜遅く家に帰り着くと、今度は全国のライブハウスに電話をかけまくる。明石町から借りたタウンページはすでに北海道を制覇し、東北地方を南下していた。

ライブハウスと名のつく店は思っていた以上に多い。札幌の北部版だけで二十四軒あった。しかも名前だけでは、ピアノの弾き語りの店なのか、名のあるジャズバンドを招くような店なのか、東池袋アーカホリックみたいなアマチュアにも開放している店なのか、わからない場合が多い。『琥珀の城』なんて名前の店でリンコが歌っているはずなど絶対にないと思いながら、もしやと考えて、やはり番号をプッシュしてしまう。

「そちらに宮野リンコは出ていませんか？」「宮野リンコの出演予定は？」「リンコというミュージシャンがそこで歌ったことはないですか？」

たいていが夜から深夜までの営業だから、電話はかなりの確率でつながる。誰も出ないところはたぶんもう潰れているのだろうけれど、それでも最低三回はかけ直す。だが、いままでのところ答えはすべてノー。たいていの店でこう言われる。「そんなミュージシャンは聞いたこともない」

リンコは自分を知っているライブハウスで歌わせてもらっている——マキさんの言葉を涼平は当然のように聞いていた。リンコならそうやって暮らしていくこともできるだろうって。でも何百回もライブハウスに電話をかけ続けて、気づいた。現実はそんなに甘いもんじゃない。誰も宮野リンコを知らないか、忘れてしまっている。たぶん涼平が思っているより——そしてリンコ自身が思っているより、そんな店は少ないんじゃないだろうか。

正直に言ってライブハウスに電話し続けることに果たしてどれだけの意味があるのか、涼平にはわからなくなってきているのだが、それでも毎晩、どこの店も営業時間を終え、電話が沈黙してしまう時刻まで続けた。効率のいい方法とは思えないし、この先にたいして希望があるとも思えなかったが、そうせずにはいられなかった。

会議を翌日に控えた夜も、涼平は販促課のデスクに縛りつけられたままで、こんなことをしているより、家に帰って受話器を握っているほうがどれだけましだろうと考えながら、いっこうに片づかない仕事の山に毒づいていた。

企画書を書きながら、明日、朝一番でスライドの追加を頼んでも間に合うかどうかを考え、すでにデザイン会社から受け取ったラベルとロゴタイプの試案に、若干の手直しをすべきかどうかを悩み……すべきことが次々にうじゃうじゃとわき出てくる。データをパソコンに入力してスライド化しているのは、マーケティング室の入社二年目の女子社員だ。どう考えても明日の朝一で彼女に新たなスライドの修正を頼む必要がありそうだったが、仕事を追加するたびに涼平へ向けてくる仏頂面を思い出すだけでげんなりした。

そうだ、相談室に行こう。販促課のパソコンでは無理だが、羽沢の妙なソフトてんこもりのパソコンを借りれば、写真を取りこんだりグラフを手直ししたりすることができる。最近はカラーの報告書をつくると意気ごんで、スキャナーも用意しているのだ。営業部フロアからもほとんど人けが消えている時刻だったが、羽沢はまだいるかもしれない。信じられないが最近の羽沢は社内でも有数の働き者なのだ。いや、やつがいなくてもだいじょうぶ。この一週間のプレゼン作業で涼平も少しはパソコンのグラフィック機能を理解するようになった。このくらいの修正なら一人でもなんとかなりそうだった。

本社ビルの窓から外をのぞいてみた。やっぱり羽沢は残っている。旧館の二階に灯がともっていた。涼平は営業部のフロアを抜け出した。

一週間ぶりの旧館だ。夜遅く反省レポートを書き終えて帰る時には気にならなかったが、就業時間とともに灯を消されてしまう廊下は、部外者として入っていくと、懐中電灯を持ってくるべきだったかと思わせるほど暗い。まるで廃墟を歩いているようだ。

お客様相談室のドアを開ける。最初は誰もいないのかと思った。

椅子を並べてベッド替わりにして、誰かが眠っている。

羽沢じゃない。篠崎だった。こんな時間になぜ篠崎がいるのか不思議だったが、すぐにその理由がわかった。机の上には書きかけの反省レポートが開いたままになっていた。ついに篠崎が標的になったのだ。

宍戸に写真を返して欲しい副社長が、またまた新たな指示を出したのだろうか。篠崎が妙な行動をしていることを本間に感づかれたのかもしれない。まるでババ抜きのカードだ。

篠崎は会社に残ることをあきらめていないようだった。どうせ書いているふりだけだろうと思ったら、今日の分のレポートがもう何枚も書かれていた。

十二月四日（火）

私、篠崎薫は、本日、出勤時間に十七分遅刻いたしました。数日前より目覚まし時計の設置場所を二カ所に増設し万全を期したのですが、今朝もはかばかしい成果を得ることはできませんでした。毎回の失態を鑑みますに、たび重なる過失の要因として、まず現在自宅に私以外の誰も居住していないことが挙げられ、且つまた毎夜、帰宅した後なかなか寝つくことができず深酒を重ねていることも一因と考えられ——

頭とはらわたが同時に熱くなった。目玉の奥もだ。酷《ひど》すぎる。四十過ぎの人間に書かせる文章じゃない。

篠崎のデスクの真ん中には、何かのおまじないみたいに、ヒヨコのピーちゃんのぬいぐるみが置かれていた。篠崎はよく眠っている。涼平はずり落ちているふとんがわりの上着をかけ直してやった。

自分が何を怖がっているのか、篠崎はその何かを知っている。なぜかそれが羨ましかった。勝手知ったるなんとかだ。羽沢のパソコンのパスワードは暗記している。フロッピーを入れはしたが、もう仕事をする気はまるでなくなっていた。グラフィック機能ではなく、ネットの画面を呼び出す。そして検索の入力欄に文字を打ちこんだ。

『宮野リンコ』

出て来たリストは、以前、羽沢に見せられたものと同じだ。何年も前の音楽情報サイト。昔のファンたちのホームページ。もう廃盤になってしまったCDの紹介。切手ほどのサイズで掲載されたCDジャケットの中で、寂しそうに微笑んでいるリンコをしばらく見つめ続けた。

ファンが主宰するチャットのひとつを開いて見た。

『リンコのハスキーボイス最高！　あれに比べたら〇〇〇〇なんか学芸会』

『サニーデイズ。いい曲でした。私の中では、いままで聴いた曲のベストスリーにランクイン』

『ウー君（元彼）との思い出の曲はリンコのSUNNY-DAYS』

『リンコの歌を聞いて、もう一度学校に行くことに決めた』

ほんの少しだけの文章を何べんも読み返した。結局、プロになっても何も残らなかったってリンコは言っていたけれど、こうして忘れないでいてくれる人たちもいる。これでいいじゃないか。ねぇ、リンコ。これだけでもうじゅうぶんだよ。

涼平にはわかっていた。リンコだってずっと肩ひじ張ってたんだ。一度失ってしまった自分の居場所を探してたんだ。それなのに俺は妬《ねた》んだり、茶化《ちゃか》したり、昔のことをほじくり返したり。いまの自分じゃない本当の自分なんて、いまのここじゃない本当の居場所なんて、探す必要はどこにもないことに気づいていなかったんだ。

どのくらいそうしていただろう。たいして数があるわけじゃない宮野リンコの検索リストの最後のページだった。こんなタイトルが目に止まった。

『リンコ・ギャラリー』

開いてみた。

書き文字をそのまま使ったタイトルの字に見覚えがあった。「リ」が「ソ」みたいで、「ヤ」が「カ」みたいに読める、ひとつひとつの字が勝手に踊り跳ねているような文字。リンコの字だ。

信じられない。リンコ自身のホームページだった。ただしリンコの近況を知る手がかりはまるでなかった。タイトル以外に文字はほとんどない。リンコのイラスト・ギャラリーだ。

画廊に飾るように何点も並べたイラストも見慣れたものだった。アーカホリックのフライヤーや知り合いのバンドのポスターなんかに描いていたのと同じだ。何を描いているのか本人にもよくわかっていない色もタッチも不条理な、広告イラストには絶対に使えないっていつも涼平が小馬鹿にしていた絵。

けっして万人向けとは言えない奇妙な絵の中に、ひとつだけ他とはまったく違うものがあった。

描かれているのは部屋だ。リキテックスを油絵具のように塗り重ねるタッチは同じだが、なぜかこれだけはやけにリアルで、しかも細密に描かれている。

椅子とテーブルと棚がいくつかと観葉植物が置かれたシンプルな部屋。絵柄にはなんの工夫もない。まるで「お部屋の想像画を書きましょう」なんて図工の宿題を出された少女の絵みたいだ。最初は原始絵画みたいな他の絵に比べて、リンコらしくないと思っていたのだが、だんだんこっちが本物のリンコじゃないかと思えてきた。ひとつひとつをていねいに描いてあるのが、リンコの願望をストレートに表している気がしたのだ。見てはならない精神分析の絵を眺めているような、自分の知らないリンコの心の中をのぞいているような、うしろめたさを感じた。

窓から海が見える。海岸には棕櫚《しゅろ》の木。沖へパドリングしているサーファーまで描いている。いつかリンコに話した、冬でもサーフィンのできる南の海だ。

壁や棚に並んでいるのは、涼平がいまも一人で暮らしている部屋にあるものばかりだ。二人の本を並べた本棚。CDラック。リンコが置いていってしまったガラクタみたいな骨董品。ステレオコンポの上にはヘッドホンと赤いイヤーマフ。涼平のギブソンのギターも置かれていた。

二つだけ部屋にはなくなったのに描かれているものがある。ひとつは涼平のパソコン。もうひとつは――それだけ遠近法を無視して大きく描かれていた。

服だ。部屋の家具よりも大きく描いてあるそれは、ギターの頭金の足しにするために、リサイクルショップへタダ同然で売っぱらっちまったエアフォース・ジャケットだった。

涼平はモニター画面にそっと触れた。そして、すべてを理解した。なんでリンコがあんなに怒ったのか。自分が何を謝ればいいのかを。なぜオーブントースターの使い方すらろくに知らないリンコがホームページなんかを立ち上げたのかも。涼平がいまだに手を焼いているややこしい機能のあれこれを使いこなしたこのホームページを、あのリンコが、どのくらいの時間をかけてつくったんだろう。想像もつかなかった。

そんなことだったのか。なんだよ、俺と変わらないじゃないか。ちっちゃい女だな、リンコ。アーカホリックの女王が聞いて呆れるよ。まるで果実のタネを集めてしまいこむハムスターじゃないか。俺にはお似合いだ。

書き込みのページを開いてみた。地味なホームページだし、リンコが元ミュージシャンであることには触れていないから、いままでに訪れている人間はそう多くない。きっとリンコはここで涼平を待っていたんだ。いや、待ってなんかいない。あいつは涼平と同じように、意地っ張りで、ひねくれ者で、負けるのが大嫌いだから、ここへ詫びを入れろと言っているんだ。

やっと見つけた。画面を抱きしめそうになった。まだ間に合うといいのだけれど。

涼平は書き込みをした。たった一行。とりあえず必要事項だけを。

「んが」

パーティションの向こうで篠崎が短くいびきをかいた。そしてその時、涼平は決意した。これから自分がどうすべきかを。

携帯を取り出してプッシュする。このところ週に何度も行っている場所なのに、電話をかけるのは初めてだった。

——おう、お前か。今日はどうした。食いに来なかったじゃないか。

げんこつ亭の光沢がガラガラ声で言う。店は夕方に閉まっても、この時間ならまだ光沢が翌日の仕込みをしていることはわかっていた。

「最近忙しくて、昼はなかなか抜け出せないんです。明日は行きますよ」

——なんか用？　俺、いま手が離せなくてさ。

「ねえ、光沢さん、もし俺が雇ってくれと言ったら、オーケーしてくれます？」

——駄目だよ、言ったろう。中途半端な考えのやつは雇わねえ。

プロジェクトが結局中止になったことを謝罪に行った日から今日まで、げんこつ亭には三日にあげず通いつめている。何回か裏営業の仕事を手伝ったりもしたから、光沢の性格はだいぶ読めていた。涼平は言葉の続きを待った。

——と言いたいところだけど、シゲタさんは腰痛でダウン寸前だからな。まぁ、面接ぐらいはしてやるよ。だけどわかってるだろ、もし雇ったとしても皿洗いからだぞ。

「わかってます」

電話を切り、それから羽沢のパソコンのグラフィック機能を呼び出した。

夜の中央公園には、会社を出て終電間ぎわの電車を新宿で降り、まっすぐにやってきた。手には途中のコンビニで買ってきた夕飯の弁当と缶コーヒー。もう十二時を過ぎている。遅すぎる時間だとはわかっていたけれど、どうしても彼に会いたかった。会える保証はまったくなかったけれど、涼平には、なんの根拠もない確信があった。きっと彼は来てくれるに違いない。なんてったって涼平の神様なのだ。

ウォーター広場のベンチに座ってしばらく周囲を見まわしてみた。彼の姿はどこにもない。やっぱり神様にはゴスペル・ソングが必要なのだ。涼平はハミングした。

ジョン・レノンの『イマジン』。

ギターはないからベンチの背板がパーカッションがわり。知らず知らず声が大きくなっていった。近くのベンチに座ってもぞもぞしているカップルは、しょうもない酔っぱらいだと思っているらしく、こちらを振り返りもしない。

どのくらいそうしていただろう。風が冷たくなってきた公園より暖かいホテルに行くことを決断したらしいカップルの姿が消えてすぐだった。

公園の外灯の下へふんわり舞い降りるように彼が現れた。まるで最初からそこにいたかのようだった。旧知の友といった感じで、軽く手をあげて涼平に挨拶を投げかけてくれ、ゆっくりと歩み寄ってくる。もう十二月だというのにコートの下は今日もサリー風の服。寒そうに腕を折りたたんでいる。涼平も片手をあげて応えた。

「どうも、おひさしぶりです」

月明かりの下でジョンが鷹揚にうなずく。

「もう一曲、歌っていいですか。あなたが来るまでとっておいたんだ。最後の一曲です」

ジョンは仏像じみた笑いを浮かべて、涼平の目の前の地べたにあぐらをかく。長い足を優雅に折り曲げ、座禅のように微動だにしない。地べたに座りこむのに少しもためらいのない、手慣れた見事なあぐらだった。

涼平はベンチを叩く。三、二、一。そして歌った。

今度は鼻歌ではなく、きちんと歌詞をつけて。宮野リンコのデビュー曲、そして最後の曲、『サニーデイズ』だ。ジョンが眠るように目を閉じた。アカペラで歌うとよくわかる。自分には音楽の才能なんてないってことが。音楽で飯を食っていくなんて、いまの自分が好きになれないことへの、ただの言い訳だったたってことが。

歌い終わるとジョンが拍手をしてくれた。ゆっくりとした拍手。サビの部分と同じ正確な四分の四拍子だった。涼平はジョンに問いかける。

「大切な人とひさしぶりに会うんです。でも、最初にどんな言葉をかけたらいいのかわからない。あなたなら何と言いますか？」

ご神託に触れる気分で言葉を待つ。ジョンは目を閉じたまま口を開いた。

「ひさしぶりの人なら――」

そう言ったきり、居眠りをしているのかと疑いたくなるほど長い間を置いてから、ぱちりと目を開ける。

「やっぱり、ひさしぶりだね」

「それだとぶっ飛ばされかねない。いろいろ謝りたいことがあって。いろいろ言いたいこともあるんです。ひさしぶりに会う大切な人に、これからも大切にしたいって伝えるための、ひと言なんです。何と言えばいいんでしょう」

涼平はリンコと自分のことを話した。手短に話すつもりだったのに、最初に出会った時のことから、マキさんやマサヤにも話していないことまで。自分自身に語りかけるように。涼平の長い話をジョンは辛抱強く聞いてくれた。涼平が自分の長広舌に気づいて言葉を切ろうとすると、急ぐ必要なんかどこにもないよ、と言っているような微笑を浮かべて、続きを催促する表情をした。

ジョンが再びまぶたを閉じる。初めからすべてを理解しているのではないかと思うほど、重重しくあいづちを打ち続けたが、涼平が話し終えても、ひと言も言葉を発しなかった。ただゆっくり微笑み続けているだけだ。

「よけいなことは何も言わないほうがいい？」

涼平が問いかけると、ようやくまぶたを開き、眠そうな目をこすって、照れた笑顔を浮かべた。レノン風の丸眼鏡の片側のレンズにこの間まではなかったひびが入っている。彼の前歯がまるっきりないことに初めて気づいた。

ジョンが涼平の顔の前に、いいミュージシャンになれそうな長く細いひとさし指を突き出す。ひと言だけという意味だろうか。

耳を貸せというふうに、その指を曲げた。第一関節だけ折るギタリスト並みのフィンガーテクニックで。

ジョンに顔を近づけると、全身からハムスターの巣箱みたいな臭いがし、髪からはしばらく洗髪をしていないのがわかる異臭がしたが、まったく気にならなかった。ジョンが耳もとで囁く。涼平は大きくうなずいた。

「そうか、そう言えばいいのか。それだけでいいんだ」

月明かりの下でジョンが小さくうなずき返す。

「いろいろありがとうございます。あなたには感謝しているんです」

涼平は言った。本当に心からそう思った。本当に。ジョンが困ったような顔でゆっくり微笑んだ。

「こんなもので失礼ですけれど、もしよかったら、これを」

コンビニ弁当を差し出した。感謝の気持ちを示せるものは他に何も持っていない。涼平はジョンが伸ばしてきた爪に垢のつまった手を握りしめた。

握手だ。自分の神様に。神様はコンビニ弁当のほうが気になっているみたいだったけれど。

15

二度目だからだろうか。三カ月ぶりの役員会議室は、前回よりずいぶん小さく見すぼらしく感じた。集まったほぼ同じ顔ぶれもだ。ふぬけた顔でぼんやりと書類を眺めたり、ひそひそと内緒話をしたり、メモ帳に落書きをしたり。確かに光沢の言うとおりだ。集まった男たちからスーツとネクタイをとって学生服を着せれば、先生のお出ましを待つ教室とさほど変わらない。

会議室が違う部屋に思えてしまうのは、様子が一変しているせいでもあった。ホワイトボードが立てられていた奥の壁に、今回は液晶スクリーンが設置されている。そして取締役も部長も課長も誰も彼もが突っ立っていた。場内に椅子がないのだ。会議を否応なく迅速化するための副社長の発案だそうだ。なんだか立食パーティーといった雰囲気だが、皆一様に不愉快そうで、テーブルの中央にはローストビーフや生ハムではなく、新製品の試作品が置かれているところが決定的に違う。

涼平自身も倍近い年齢の人間たちに尻尾をまるめて挟みこんでいた前回とは違う。左肩に手を触れるまでもなかった。涼平のティンバーウルフはさっきから歯をむき出してうなり続けている。肩じゃない体のどこか奥のところで。誰からも話しかけられず挨拶もされない涼平は、部屋の隅の壁に背中をあずけて、リングへ上がるボクサーのように首を回して骨を鳴らした。

小田桐はマーケティング室のスタッフに粘着気質丸出しでこまごまと指示を出し、プロジェクターをセッティングさせている。作業が終わると、自分だけがこの会議に出席できることが誇らしくてたまらない様子で、鼻高々で部下を追い払っていた。

今回は販売促進戦略もマーケティング室が立案しているのだが、販促課の課長の座をまだ降りたわけではない末松も立場上、出席している。あい変わらず涼平のことは完全に無視。声をかけても返事はない。ここへ来る時もわざと時間をずらしてやってきた。

会議開始一分前。部屋の外で出番を見はからっていたかのように溝口専務が現れた。自分の登場と同時に開催が宣言されることを望んでいたようだったが、そうはいかなかった。今日も玉川政彰が遅刻していたからだ。

「はじめよう」

専務が重々しく周囲に言葉を投げかけたが、誰もが聞こえないふりをしている。側近の購買部長の星もだ。もう側近とは呼べないのかもしれない。椅子を排除した会議は、議事進行の迅速化だけでなく、社内の人間関係を赤裸々にしてしまう効果があるようだ。椅子があった頃のように専務は長テーブルの左隅あたりに陣取ったが、周囲数メートルには虫よけスプレーを振りまいたように誰も寄りつかない。末松は涼平からは遠く離れた場所で、人事担当役員の塚田常務にへこへこ頭を下げていた。

「はじめるぞ」

専務が自慢の低音を張り上げて、同じセリフを繰り返した。場内に一瞬、緊張が走る。が、やはり誰からも反応はない。涼平は隣に立っている小田桐に声をかけた。

「はじめましょうか？」

小田桐が睨みつけてきた。「馬鹿言うんじゃねえよ」

専務がみるみる顔を赤くした瞬間、ドアが開き、破裂寸前の風船に針を刺すように玉川政彰の声がした。

「ごめんごめん、遅くなっちまった。さぁ、はじめようか」

全員の安堵のため息が聞こえるようだった。

議事進行役は前回と同じく商品開発部長の秋津だ。

「本日は『タマガワ行列のできる名店シリーズ』第一弾の商品企画変更にともないまして、改めて企画意図および新製品の概要を——」

確かに椅子のない会議は進行が早くなる。腰痛持ちらしい秋津は、背中をさすりながらせかせかとした口調で、前回涼平が出席した時には十分近く時間をかけていた前置きをたった二分で終わらせた。続いて説明に立った研究開発部長も、いつもと勝手が違うのか今回は自慢話はいっさいなく、あっさり話を終えた。自慢すべき点がなかったせいかもしれない。

次は今日の主役とも言うべきブランドマネージャーの小田桐の番だ。小田桐が液晶プロジェクターと繋いだパソコンを起動させ、スクリーンに画像を映し出すと、ＩＴと縁遠い出席者たちから小さなどよめきが上がった。小田桐がご褒美を期待する猟犬のまなざしを玉川政彰へ送り、政彰はドッグフードのかわりに小さなウインクを投げ与えていた。

小田桐はマイクを片手にスクリーンの脇に立つ。パソコンを操作しているのは、もう一方の手に握ったリモコン式のマウスだ。次々とフルカラーのグラフやチャートを映し出して前回のポルコがけっして失敗ではなかったと力説し、その先駆的な着想を成熟させ、発展させた結果である今回の新製品がもたらすであろう大きな成果を大胆に予測して見せた。

「──というわけで、ポルコに関しては、数字に見えない部分で一定の評価ができると考えます。つまり従来とは違う新たな購買層の開拓、当社の商品への新しいイメージの構築。今回の名店シリーズに関しましても──」

小田桐のプレゼンターとしての能力はなかなかのものだった。堂々とした押し出し。よく通るよどみない声。そして分をわきまえた紋切り型のセリフの羅列。結婚式の司会者にはぴったりだろう。

「これによりまして、市場シェアは今期末までに概算で──」

政彰のご神託に従っただけだろうけれど、具体的な数字は挙げないほうがいいと思う。ブランドマネージャーとしての寿命を縮めるだけだ。

三十代で体育会系、会議中に立ち続けているどころか、ヒンズースクワットをし続けることだってできるだろう小田桐の演説の前段が終わる頃には、高齢の取締役や部課長たちは例外なく、なぜ自分はこうして立ったままでいなければならないのかという疑問と苦悶を浮かべた表情になっていた。

「では、今回のマーケティング戦略、販売促進戦略の具体的な説明に入る前に、新製品のネーミング案について触れたいと思います」

友人を代表して歌をお願いします、と言っている感じで、小田桐がマイクとリモートマウスを涼平に寄こしてくる。

涼平は軽く息を吐き出し、体をぶるりと震わせた。びびったわけじゃない。武者震いだ。本当に。吐き出した空気を取り返すように息を吸いこんでから声を出した。

「では、ネーミング案をご提案します。その前に――」

小さなブーイング。涼平が以前の会議で末松と揉めた若造であることを覚えている人間たちが鼻を鳴らしたのだ。溝口専務は無表情のまま。涼平のことをまったく覚えていないらしい。

「つまらん、ごたくはいいぞ」小さくなってしまった存在感を取り戻そうとするように専務が大声をあげる。涼平は専務をまっすぐ見つめ返して言った。

「簡単な背景の説明です。すぐにすみますから」

マイクはありがたい。ヒラ社員涼平の平静な声が、専務の恫喝に近いよく響く地声にあっさり勝利した。

涼平は話しはじめた。できるだけ手短に、そして慎重に。今回のプレゼンテーションの核心に触れるまで、全員の耳をちゃんと釘付けにしておきたかったからだ。

「――有名店とのタイアップ製品の場合、ネーミングに関してできることはそう多くありません。すべきことがあるとすればシリーズ名を添えるかどうかの検討、あるいは多少のアレンジぐらいでしょうか。ネーミングの主役は当然ながら、店名、あるいはメニュー名です。今回の場合は『北海屋』。ですからこの北海屋について、いろいろ調べてみました」

リモートマウスを操作して、最初のスライドを映し出した。

二×一・六メートルのスクリーンいっぱいに、大量の雑誌と本。扇形にして表紙を見せたり、背表紙をこちらに向けて積み上げたりしているのを俯瞰《ふかん》で撮っている。すべて最近、数えきれないほど出ているラーメンに関するカタログ雑誌、ムック、ガイドブックのたぐい。小田桐に渡された資料の山の中から見つけたイメージ写真だ。

「ラーメン店に関する書籍のたぐいを手に入るかぎりチェックしてみましたが、川崎市緑区にある北海屋に関する記事はまったくありませんでした。ですからシリーズ名として、有名店の味、行列のできるうんぬんは適切でないのではないかと――」

涼平の言葉を苛立たしげに遮ったのは、購買部長の星だ。

「さっき小田桐君から説明があったじゃないか。これからの将来性を買った、他社の手垢のついていない有望な店だと。同じ説明はいらんよ」

前回は溝口専務に寄り添うように座っていたのに、今回はずいぶん離れた場所にいる。やっぱりな。原料の仕入れを牛耳っているこいつは政彰とグルだ。副社長派に寝返っていたんだ。

「同じではありません。まったく違います。北海屋には行列など出来ない。私は店に何度か通いましたが、昼のピーク時でも待たずに入れる。普通の店です。味もとりたててうまいとは思えない」

何を言い出すんだ、という顔で小田桐が涼平を睨みつけ、それから玉川政彰を振り返る。政彰は悠然と笑みを浮かべているだけだ。「一流代理店のプレゼン手法のひとつだよ。逆説的な説得術じゃないの」などとのん気に構えているのかもしれない。いや、どう見ても今日も二日酔いらしい腫れぼったい顔をしているから、おおかた涼平の言葉をちゃんと聞いていなかったのだろう。

「もういいよ、お題目は。ネーミング案とやらを見せたまえ。見なくてもわかるがね」

塚田常務が苛立った声をあげる。こいつもか。たぶん、もはや溝口専務派もしくは中立派は、テーブルの右手に陣取った玉川政彰の周囲を取り囲んでいる圧倒的多数以外のほんの数人だろう。涼平はマイクを握り直して少し声を大きくした。

インディーズとも呼んでもらえなかった、今はなきアマチュアバンド『ポリボックス』のメンバーは、ボーカルのリンコも含めてみんな喋りが下手だったから、MCはほとんど入れなかった。でも今日だけは喋らせてもらう。なんせラストステージだ。

「わかりました。本題に入ります。副社長からロゴマークの原案を兼ねた提案をという指示がありましたので、ご参考までにパッケージデザインを試作してみました。いまお見せします」

テレビのリモコン装置によく似たリモートマウスのボタンを押した。スクリーンに涼平がデザイン会社に依頼してつくったラベルの見本が大写しになる。原案ラフだがかなり丁寧につくりこんであった。

ラベルには実際の北海屋のみそラーメンの俯瞰写真を使っている。

少量の豆ばかり目立つしなびたもやし。できあいの加工品をそのまま使った色の薄いしなちく。茹ですぎて黄身が黒くなった玉子。パサついたチャーシュー。撮影が下手なわけじゃない。この店の手抜き仕事とラーメンの味がそのまま写真に出ているのだ。そこに赤い文字で店名とメニュー名が添えてある。昨日の夜、自分で一カ所だけ訂正した。最初のほんの数秒間は、誰も気づかなかったようだ。一瞬の間の後、会議テーブルの向こう側でけたたましい笑い声があがった。末松だ。

「おいおい誤植だよ。とんでもない間違いだ。今回は君に全面的に任せちゃったからなぁ。見本でよかったよ」

鬼の首をとったように末松がスクリーンを指さして笑い続ける。ヒステリックな笑い方だった。

「はははははははははっ、笑っちゃうよね。俺の時と同じ。うはははは。同じ同じ」

一同がざわめきはじめた。困惑の声と怒りの声。末松と同じように何人かは失笑を漏らしている。スクリーンに映るラベルの文字は、こうなっていた。

『北海屋のくそラーメン』

末松がまだ笑っている。しゃっくりをしながら笑い、そしてカン高い声で喋り続けた。

「いつもそうなんだ。予算をぜんぜん回してくれないから、まともな印刷所が使えない。あんな予算じゃ、いつだって、いい加減な外注先のやっつけ仕事ばっかりだ。だから馬鹿馬鹿しいミスばかりする。俺のせいじゃない。俺は悪くない。見ろ見ろ、こいつだって」

「末松、静かにしろ」

涼平より先に末松へ罵声が飛んだ。末松は目をぎらつかせ、唇の端に唾液の泡をつくってわめき続けた。壊れたお喋り人形みたいに。

「見ろ見ろ見ろ。俺は悪くない。なんで俺が責任を。なんで俺ばっかり。見ろ見ろ見ろ見ろ見ろ」

わめきながら床に体を投げ出して、背泳ぎをしているみたいに手足をばたばたさせはじめた。

「末松、狂ったかっ」

重役の一人が怒鳴った。体育会系小田桐が末松を取り押さえる。騒ぎが小康状態になったところで、涼平は声を張り上げた。

「誤植じゃありません。見てのとおりです。今回のネーミングはこれしかない」

なにかの手違いでもなく見間違いでもないことを全員にわからせるために、声に出して読み上げた。

「北海屋のくそラーメン」

会議室が揺れたかと思った。今度は涼平へ向けていっせいに声が飛んでくる。口々に叫ぶから、何を言っているのかよくわからない。きれぎれの言葉の断片だけが耳に届いた。

「なんだあいつは」「おいなんとか」「頭がいかれ」「末松はほんとに」「販促はみんなきちが」

涼平はマイクを握ってテーブルの上へ駆け登った。自分でも驚くほどいい靴音がした。

一瞬、場内が静まり、数秒遅れでまた罵《ののし》り声と怒号が会議室を飛び交う。

涼平はリンコがステージでよくモニタースピーカーにそうしていたように、プロジェクターに片足をかけて、自分に非難の矢を射かけてくる数十の目を睨み返した。

MCは苦手でも、いったん歌になってしまえば、リンコの舌はなめらかになった。インストルメンタルのパートになった時、客席へ向かっていつもこう叫び返すのだ。みんな、まだまだだよ。次、いくぞっ。そうだよ、いくぞ。怖いものなんて何もない。リンコさえいれば。

「くそだから、くそと言ったまでだ、何が悪い！」

涼平の大声に、場内のざわめきが吹き飛んだ。

小田桐が末松を振り捨てて、涼平の足に手をかけて引きずり下ろそうとする。手は届かなかった。俺のせいじゃない。俺のせいじゃない。壊れたお喋り人形の末松がうわ言のように同じセリフを繰り返しながら、小田桐にへばりついたからだ。立ったままの会議に疲れ果てている小田桐以外の中高年の連中は、口々に涼平をなじりはしても、体を張って止める体力も気力もないようだった。

「ちょっと待ってよ、どういう意味だい？　説明してごらんよ」

玉川政彰がただひとり余裕の笑みを浮かべている。でも目は笑っていない。言えるものなら言ってみろというわけだ。

「説明？　副社長に説明はいらないでしょう。よくご存じのはずだ」

今日の会議にリモートマウスなんてものが用意されているのは、涼平にとって思うツボだった。会議テーブルの上に立ったまま、ワイヤレスマイクと一緒に握ったマウスのボタンを押した。次の写真がスクリーンに映る。ポルコのキャンペーンのポスターに使われた写真だ。

「こちらは、みなさんご存じのキャンペーンガール、立花まい。本名加藤民代です」

どんどんいかなくちゃ。邪魔が入る前に。

スクリーンの映像を「東州製粉」に切り替える。三秒ほどで今度は立花まいこと加藤民代と東州製粉の社長、加藤健一が喫茶店で話をしている映像。探偵社が隠しカメラで撮ったもので、人相が鮮明に映っているわけじゃない。だからスライドにキャプションも入れておいた。

写真はすべて宍戸から預かったアルバムに一緒に入っていたものだ。お客様相談室を異動になってから玉川政彰と顔を合わせたのは今日が初めてだ。返す機会なんてなかった。ごめんよ、宍戸、約束を守れなくて。でも、いまから少しずつ返してやるから。次は加藤健一が東州製粉の正門に入っていく写真。次は——。

副社長の茶坊主たちが口々に何か言いたてたが、その声は溝口専務の重低音にかき消された。

「何が言いたいんだ、君は」

いつもと同じ不機嫌そうな声だったが、語尾が期待にうわずっている。ほんの少し前まで専務の周りには古参の数人の社員しかいなかったのに、いつの間にかその人数が増えていた。副社長のかたわらにいたはずの購買部長の星がちゃっかり専務の横に移動している。塚田常務は、中間あたりでうろうろしていた。

「おい、いい加減にしろ！」

ようやく末松を振りほどいた小田桐がテーブルの下からつかみかかってくる。涼平はその攻撃をかわして、新しいスライドをスクリーンに映し出した。今度はチャート表。グラフィック機能には慣れていないから、つくるのにはずいぶん苦労した。昨日、中央公園からまた会社に戻って、朝までかけてつくった苦心作だ。

「これが、今回の新製品が企画されるまでの簡単なフローチャートです」

副社長↓立花まい（加藤民代）↓東州製粉（代表取締役社長加藤健一・民代実兄）↓北海屋（加藤健一・共同出資）

「北海屋は東州製粉がまだ羽振りのよかった頃に出資し、チェーン店化をはかろうとしていた店舗です。経営者は加藤健一の昔なじみ」

伸びてきた小田桐の太い腕を蹴り飛ばして、テーブルの中央まで歩いた。目を丸くして見上げてくるオヤジたちの顔を、ぐるりと見返した。政彰はまだ薄笑いを浮かべている。度胸がすわっているからじゃない。王様だから家来の前で屁をこいてもウンコをしても平気なのだ。どうせこの場にいる連中は多かれ少なかれ知ってることだと居直っているのだろう。じゃあ、もう一枚見せてやろう。みんな、まだまだだよ。次、行くぞ。

「なぜこのような図式が成り立つのでしょう。それは、次の写真を見ればわかる——」

リモートマウスのボタンを押した。最後の一枚。

探偵社の隠し撮りよりはるかに鮮明なスナップ写真だ。ホテルらしい部屋。ベッドの上の男と女は裸だ。一人はシャッターコードを握り、裸体にガーターベルトとストッキングをつけただけのもう一人は、カメラ目線の笑顔でピースサインをつくっている。

全員が息を吞んだ。ガーターベルトをつけているのは玉川政彰のほうだ。肝心な部分を黒く塗りつぶしてやったのは、最後の誠意だ。こちらに半身を向け、長い髪で横顔を隠しているのは立花まいではなく宍戸なのだが、人相はわからないし、髪形も似ていなくはない。どうせ政彰はどの女にも似たようなことをしていたのだろうから、同じことだ。

これでもまだ余裕の表情を浮かべていたら、褒めてやろうかと思っていたのだが、涼平が振り向いた時には、政彰の顔から有能で育ちのいい青年実業家の仮面が剝がれ落ちていた。目をふくらませてスクリーンを見つめ、唇を震わせている。震える唇を駄々をこねる小学生みたいに突き出していた。

「な、な、なんだ。これは」

両手の拳を握りしめてばたばたと足を踏み鳴らしはじめた。本当にまるでガキ。

虚勢を張ってるけど、本当は気が弱い人なんです――宍戸の観察眼はやっぱり的確だ。いったん守勢にまわると突然腰が砕けちまうタイプ。

「偽物だよ。偽物に決まってる。合成写真《アイコラ》だっ！」

「本物ですよ」

「噓だ、噓だ、でっち上げだ。この女は違う。民代との写真じゃない」

半分、白状していることにまるで気づいていない。

「民代の時にはガーターじゃなくてセーラー――」政彰があわてて口をつぐみ、頰の肉が揺れるほど首を振りはじめた。「な、なんでこんなことをする。万一、これが、本物だとしても、な、な、なんの何の権利があってこんなことをするんだ。名誉棄損《きそん》だ。プ、プライベートなことじゃないか。それをかいかい会社に持ちこむなんて、お、お、おかしいじゃないか」

「その言葉、そっくりあなたにお返ししますよ」

涼平が睨み返すと、政彰が目をそらした。尖らせた口の中で何やら呟いている。パパに言いつけてやる——だろうか？　いや、ママにか。

「誰か、あいつを」

自分の周囲を屈強なボディガードが取り囲んでいるとでもいうふうに政彰がぐるぐる両手を振りまわす。残念ながら涼平に腕ずくで向かってこようとしているのは、依然として小田桐だけだ。スクリーンの写真に目を丸くしていた小田桐が急に我に返って、ノートパソコンに手を伸ばしてきたが、一瞬早くすくいとった。小田桐はテーブルの上に伸び上がり、涼平の上着の袖をつかんできた。振りほどこうとした瞬間、布が裂ける音がした。上着の左の袖とその下のシャツがいっぺんに破れ落ちて、小田桐の手に残った。

何人かが声にならない声をあげる。涼平の顔に向けられていたはずのたくさんの非難のまなざしが、驚愕にふくらんで顔より少し下に釘付けになっていた。それでようやく自分の肩がつけ根まで剝き出しになってしまっていることに気づいた。今日のティンバーウルフはいつにもまして目が輝いているように見えた。涼平の左肩で嬉々として吠えている。誰かが喉を詰まらせた声を出した。

「なんだ、あれは……刺青か？」

もうどうでもいいや。涼平は声の主に笑いかけ、力こぶをつくって見せてやった。大サービス。ティンバーウルフが両眼を細め、獲物を狙う表情をしているはずだ。一人の声を引き金に、また会議室が罵り声であふれた。

「おい、どういうことだ」

「刺青？」

「ヤクザかこいつは？」

「なんでうちの会社に」

「狂ってる」

「守衛室に連絡しろ」

小田桐は破れたスーツを手にしたまま固まってしまっている。気をきかせようとした一人がプロジェクターの電源を切りにきたが、涼平が歯を剝いて睨みつけると後ずさりした。もう止めるやつは誰もいない。

「おま、お前は――」

クビだと政彰が叫ぶ前に、内ポケットに入れていた辞表をテーブルに叩きつけた。

「辞めますよ、いま辞めた。だから、もうあんたとは上司でも部下でもない、だから言わせてもらうよ」

テーブルの上で両足を踏ん張った涼平は、玉川政彰に中指をびしっと立てたファック・ユー・

サインを突きつける。

「会社はあんたの遊び場じゃない。社員はあんたのおもちゃじゃない。何の苦労もせずに手に入れた肩書で、人に偉そうに指図するな。人の気持ちを操るな。他人の生活をおびやかすな！」

政彰以外のほとんどの人間が怒った顔か苦りきった顔をしているが、それを言葉にする人間はいなかった。涼平の大声に気圧《けお》されただけじゃない。きっと内心では面白がっているのだ。政彰の悪口を聞きたがっているのだ。わがままな若殿がほんのひとときだけでも返り討ちに遭《あ》う姿に溜飲を下げたいのだ。クビになるだろうバカな若造にもっと喋らせて、高みの見物をするつもりなのだ。そうはいくか。涼平はテーブルの下から見上げて来る顔のひとつひとつに指をつき突けた。

「あんたらだってそうだ。あんたも同罪だ。あんたも、あんたも、あんたもだ。四十年も五十年も生きてきて、何を覚えた。何を教わってきた。ゴルフのスイングか？　接待に使う店のリストか？　経費のちょろまかし方か？　いつだって見て見ぬふり。世間に何を言われようが、会社の中でよくやった、お前は偉いって言われるほうが大切なんだ。何が怖い？　生活費か？　女房か？　近所の評判か？　仕事がなくたって金がなくたって、死にはしない。新宿中央公園に行けば生きていけるぞ！」

「いい加減にしろ」ついに溝口専務が怒り出した。「誰に向かってものを言ってると思っているんだ。おい、もうやめさせろ」

守衛が二人飛びこんできた。政彰が涼平を指さして命令した。

「こいつをつまみ出せ、いますぐ」

しかし守衛たちは涼平を捕らえようとはしなかった。一人は直立不動の姿勢で開け放ったドアを押さえ、もうひとりが会議室の外へうやうやしく一礼した。何事かと全員の目がドアに集まった。涼平の目もだ。

きゅっきゅっきゅっ。かすかな摩擦音を立てて部屋へ車椅子が入ってきた。乗っているのは濃紺の和服に赤いショールを羽織った女。大正の美人画のような髪、能面を思わせる白い顔に真っ赤な紅。明石町だ。

篠崎から電話をもらったのは、今朝のことだ。わけのわからない事を一方的にまくし立てられた。

——佐倉にだけは言っとく。お前の仕事の邪魔はしたくないからさ。今日の会議にぜひ出席したいって人がいるんだ。スペシャルゲストだよ。もしかしたら途中で会議が中断するかもしれない。お前が喋るのは何時頃？　それが終わる頃に時間をセッティングしとくから。

それ以上は何を聞いてもまったく教えてくれなかった。「いいんだよ、お前には関係ない。俺、いま相談室でヒジョーにまずい立場にあるからさ。自己防衛のためなんだ。うまくいくかどうかはわからないけれど」篠崎がそう言うから、涼平は今日の会議をどうするつもりかを告白した。会議の後に、もうひと仕事をするつもりであることも。篠崎の言っていた意味が、いまようやくわかった。スペシャルゲストというのは明石町のことだったのだ。

「吉野様！」

溝口専務が直立不動になった。

「久しぶりだね、清ちゃん」

政彰が目玉に血管を浮かせて叫んだ。

「あんた、何をしにきた。会議中だぞ」

「冷たいねぇ、マー坊。久しぶりにバーバが会いに来たのに」

「出て行けよ、婆ぁ」

「だめだよ、マー坊、おイタはもうおしまいだ。今日は私だけじゃないんだよ」

明石町がゆっくりと片手を上げ、背後に伸ばす。百年近く生きてきたとは思えないふっくらした白いその手を、車椅子を押していた老人が握りしめた。明石町が首を曲げて、振り返り、童女のように微笑む。老人が被《かぶ》っていたぼろぼろの作業帽を脱ぐと、直立不動の姿勢のまま、溝口専務が声を詰まらせた。

「会長！」

胸ポケットに「島袋製塩」という文字が入った古びたつなぎの作業服に長靴履き。長い白髪を後ろで束ねた老人は、玉川政次翁だった。

「会議を続けてくれ」

政次翁が静かな声で言った。何年も閉ざされたままだった扉が、軋みを立てて開くような声だった。

「爺さん、もうあんたは引退したんだ。引っこんでろよ」

政彰が尖らせた口から唾を飛ばす。

「……引退？」政次翁が呟いた「そうだったっけ、忘れてしもうた。私は引退したのか？」

政次翁が本当に訝《いぶか》しんでいるような表情で溝口専務の顔を見る。専務が目を潤ませて首を横に振っていた。古株の取締役や部長連中も同じしぐさをした。

「出て行け、出てけ、出て行けよぅ」政彰が足を踏み鳴らし、駄々っ子そのものの口ぶりでわめいた。

「先代！」古参社員が口々に潤んだ声をあげる。

「俺だけじゃない。俺のせいじゃない。嫌だ嫌だ嫌だ倉庫番は嫌だ」末松が復活した。

明石町の声もした。「まぁ、はしたない、あれはなんだいマー坊。パンツぐらいはきなさい」

「小田桐っ、なんとかしろっ！」

「ちょ、ちょっといま……販促課長が俺の尻に嚙みついてて」

もうめちゃくちゃだった。何が起き、どうなろうとしていたのか凉平は知らない。破れた片袖を拾い上げて、会議室の戸口に向かっていたからだ。どうなろうが、もう知ったことじゃない。

「……会長、よくぞご無事で」

「ちゃんとした手続きを踏め」

「そうだ、部外者は帰れ」

「先代に何を言うか！」

「副社長解任動議を――」

「議事にないことはするなっ」

「認めないぞ、なんであんたが」

「私が認めるよ」

涼平のことなど気にとめる人間は誰もいない。会議室の騒ぎを背中で聞いて、一人抜け出した。エレベーターで一階まで降りる。途中の階で乗りこんできた数人が、涼平の左肩に気づいて息を吞んでいた。

一階ロビーの『お客様の声は、神様のひと言』と大書された額の下、社内掲示板の前に人だかりができていた。大きな掲示板いっぱいをA４の書類が埋めている。涼平が捨てずに残していた報告書。お客様相談室に毎日、雨あられと降ってくる神様の声だ。

『珠川味つけらっきょうの蓋は開けにくい。味つけが甘すぎる』

『ポルコの麺は、ぼそぼそでふにゃふにゃ。お宅の製品は二度と食べたくない』

『梅干しの原産地はどこ？　中国産ならちゃんとそう書け』

『パッケージのタマちゃんが可愛くない。そろそろ新しいキャラクターを考えたら』

『タマちゃん袋麵に豚コツ味をつくってみては？』

人を集めているのは、報告書の内容というより脚立に乗った宍戸かもしれない。いちばん上に残った空白にも報告書を貼ろうとして、宍戸が体を伸び上がらせ、スカートがせり上がると、集まった男性社員の間から感動のため息が漏れた。リバウンドボールを狙うように宍戸の真下に群がった長身揃いの若手社員の頭ごしに、ぴょんぴょん飛び上がってこちらに手を振っている篠崎が見えた。

「お〜い、これでいいのかい」

涼平が一人でやろうと思っていたのに。朝の電話でつい篠崎に喋ってしまったのがまずかった。

「……いいんですか篠崎さん、宍戸も？」

宍戸がこくりと頷く。篠崎はにやにや笑うばかりだ。

「全部は貼り切れないからさ、あとは羽沢が回覧メールに流してる。ところでスペシャルゲスト、驚いた？」

「驚きモモの木です。どこにいたんですか先代は？」

「ラーメン屋をひとつひとつ当たっても、見つかりっこないと思って、大穴を狙ってみたんだよ。塩ラーメンなら、ひょっとして製塩所に潜りこんでいるんじゃないかって。一点買い。名のある製塩所なら数はいくつもないからね。そしたら、たった四カ所目で、当たりが来たよ。なんと沖縄だった。石垣島の釜炊き塩。どうせ運を使うなら、違うとこで使いたいもんなんだけどさ——」

篠崎が口をつぐみ、涼平の剥き出しの肩に目を見張る。

「佐倉……それ……」

「あ、ああ」

涼平はあわてて袖を下ろそうとしてから、もうシャツの袖もないことを思い出した。上着を脱いで左肩にかける。篠崎が目を見張ったまま言った。

「……教えてよ、そのシール、どこで売ってるの？」

「それは秘密です」

篠崎はまだ涼平のタトゥーをシールだと思いこんでいるようだ。でも、確かにそうだ。こんなものシールだ。カップ麺のパッケージの調理例写真と同じ。俺の中身とはなんの関係もない。

「ねぇ、篠崎さん、今日の開催場所は？　行きませんか？　俺、今日からまた失業者だ。暇になっちまったから」

そう言うと篠崎はにやりと笑った。

「平和島が狙い目なんだけどさ、俺は午後から訪問謝罪だから駄目だよ。今日の一件がうまくいくなら、心を入れ替えちゃおうかなって思っているんだ。もう一回、クミに会いたいもん。困るな、勤勉な労働者を誘惑してもらっちゃ」

「そりゃどうも、知りませんでした」

「三時には終わるから、先に買ってなよ」

16

クリスマスまであと三週間あるというのに、例によって街はすっかり浮かれていて、有線放送のクリスマスソングや、リボンやツリーを模したイルミネーションや、緑と赤のクリスマスカラーであふれ返っていた。

通りを飾っているショーウィンドゥには綿やスプレーの雪が降っていたけれど、たぶん本物の雪はとうぶん降らないだろう。なにしろここは福岡だ。どこかから流れてくるジングルに追い立てられるように、涼平は小さなボストンバッグと紙袋をぶら下げて、初めて訪れた街を歩いた。地下鉄の天神駅で降り、天神西通りと昭和通りの交差する場所を牛丼屋の看板が見える方向に。待ち合わせ場所のくわしい住所は知らないから、通りすがりの店先で教えられたとおりに道を縫っていく。

ちょっと早すぎただろうか。約束の時間までまだ一時間半もある。しかも向こうは遅刻の常習者だ。左手に見えてきた公園で少し時間を潰すことにした。

入り口近くのベンチに腰を下ろしたとたん、携帯電話が鳴った。

――や、佐倉、元気かい。いまどこ?

篠崎だった。九州だと言うと、声が跳ね上がった。電話の向こう側はずいぶんざわついていて、遠くで館内放送が聞こえている。たぶん競艇場だろう。

「心を入れ替えたんじゃなかったんですか？」

——最後のレースだよ。最後の最後、十二レース。これが終わったら、当分買うのをやめるつもりなんだ。

どうだか。当分っていうのは、たぶん一週間ぐらいだろう。

高野から聞いた話では、珠川食品はこの間の騒動を聞きつけた取引先銀行から会社の改善策の提示を迫られることになるらしい。その内容いかんでは、来年の株主総会には、上層部にまったく違う顔ぶれが並ぶか、あるいは大手に吸収されるかもしれないそうだ。涼平がわめこうが叫ぼうが辞表を叩きつけようが、何かが大きく変わるわけでもない。高野が言っていた。

「みんな大変だよ。こっそり他の会社の面接受けに行ったり、下請けに就職活動してみたり、もう動きはじめてる。実は俺も今、就職情報誌読んでるんだ。ねえな、いいのはなかなか。難破船から逃げてせっかく潜りこんだのが、また難破船だったってわけだ。どこ行っても沈みかけた船ばっかし。もうこの国には大船に乗れる場所なんてないのかもしれないな」

篠崎には結局、会議の日の件でのお咎《とが》めはなし。あい変わらずお客様相談室にいるところを見ると、少しは何かが変わったのかもしれない。ただし本間が室長のまま居すわっているのが、篠崎には気に入らないらしい。

「賞金王決定戦だったら、俺、行けませんから。しばらくこっちにいるつもりだ」

——違うんだ。いいことを思いついたんだよ。ほら、前に佐倉が副社長から聞いたって話。苦情処理の専門会社。やって見ようかなって思って。ちょっとばかり資金ができたからね。第五レースで来ちゃったんだよ、万舟券。もう少し頑張るって言ったのは、本間が消えていなくなっちまうのが前提だったからさ。カミさんとクミも俺が社長になったら見直してくれるかもしれないし。

「あ、いいんじゃないですか」

篠崎なら成功するかもしれない。奥さんが見直すかどうかはわからないけれど。

——人ごとみたいに言うなよ。佐倉、お前も一緒にやるんだ。共同経営ってのはどう？　お前もでかいレースを一発当てて資金をつくりなよ。由里ちゃんも誘ってる。羽沢もいたほうがいいかもな。あんなのでもいないと、ＩＴ時代を生き抜けないからね。

悪くないかもしれない。でも即答はできない。もうひとつの就職口のこともあるからだ。げんこつ亭の光沢からも面接だけはしてやるから、来るなら早くこいと言われている。

いまどき再就職ばかりしていたら路頭に迷う、高野はそう言っていたけれど、なんとかなるもんだ。就職予定先が二つ。上等だ。いざとなれば、げんこつ亭の従業員じゃなくて、裏口の客になればいい。足の下に地雷が埋まってるわけじゃなし。何をしようが死にゃあしない。

午後五時。東京ならとっくに日が暮れている時刻だ。リンコが福岡にいる理由は知らない。いままで行ったことがない街のはずだった。

返信メールにはバイト先とウィークリーマンションらしい滞在先しか書かれていなかった。

猫みたいに寒いのが苦手だから南をめざしたのかもしれない。福岡には「照和」っていう渋いライブハウスがあるんだって、いつか話していたから、そこへ行ってみたかっただけかもしれない。

南といっても日本海側のこの街の寒さは東京と変わらない。でも涼平の頬は熱く火照っていた。もう待ちきれない。ポケットに戻しかけた携帯を再び開いてボタンを押す。福岡の市内局番。若い女の声がした。

——ご注文をどうぞ。

全国にチェーン店があるおなじみのピザ屋だ。配達場所を親不孝通り沿いの公園だと言ったら、呆れられたけれど、そういう客がいないわけではないらしい。配達をオーケーしてくれた。注文は二人前のMサイズ。ポテト入りとアスパラガス入りのハーフ&ハーフだ。

——ドリンク・サービスもありますが。

「いえ、いいです。そのかわり、お願いがひとつ」

涼平の言葉に電話の向こうの相手はまたまた呆れ声を出す。今度こそこんな注文をしてくる客は初めてだって言う感じで。すぐにはオーケーしてくれなかったが、しばらく保留音が続いた後、再び電話口に戻った声は笑っていた。

——オーケーだそうです。クリスマス特別サービス。

「申しわけありません」ここ何カ月間に身についた習性で、必要以上にていねいな口調で言ってしまった。

公園の入り口の丈の低いコンクリートの柵に腰かけてピザの到着を待った。さっきから何度もそうしているように紙袋の中を確かめる。アメ横中田商店のエアフォース・ジャケット。型番は同じだがLサイズがなくて、サイズはM。これで勘弁してもらえればいいのだけれど。

通りの向こう側にデリバリーピザのロゴマークをつけたスクーターが停まったのは、電話をかけてから、十八分後。二、三分置きに時計を眺めていたから正確にわかる。夜の遅いこの街も冬の陽《ひ》の速さには勝てず、あたりは急速に暗くなっていた。クリスマス用のサンタクロースの扮装をした配達員があたりを見まわしている。涼平は大きく、馬鹿みたいに大きく手を振った。

横断歩道の手前、赤信号で立ち止まったサンタクロースが涼平に気づいた。扮装は本格的で、ちゃんと白い髭までつけている。

やけにちっちゃなサンタだ。赤い帽子が目の真上までずり落ちていて、こちらを見返す時に、くいっと押し上げたけれど、すぐにまたずり下がっていた。ぶかぶかの赤いガウンの袖を三重ぐらいに折り曲げて着ている。やっぱりMサイズでよかったかもしれない。

サンタクロースが頬ひげをとる。帽子もむしりとった。

街灯の光だけでは、横断歩道の向こう側の表情まではわからなかったけれど、笑ってくれてはいないようだった。涼平がエアフォース・ジャケットを掲げて見せると、大きく口を開けて何か叫んだ。やっぱり怒ってる。公園沿いの店から流れる有線放送のクリスマスソングにかき消されて、何を言っているのかは聞こえなかった。

信号が青に変わった。

ピザの箱を抱えてサンタがこっちへやってくる。怒りをぶつけようとしているのか、少しは再会を喜んでくれているのか、どんどん早足になっている。涼平も道の反対側からクリスマスソングに包まれた横断歩道へ足を踏み出した。

もう一度、リンコに会えたら、最初になんて言おうか。涼平はずっとそれを考えていたのだけれど、もう迷わなかった。神様の——新宿中央公園の神様の——言葉に従えばいい。よけいなことは言わないつもりだ。

シンプルに行こう。

ややこしいことは、もういらない。

手の中にしっかり握りしめられるものが、ほんのひとつか、ふたつあればいい。眉をきりきりつり上げて、こっちへ近づいてくる、あの偽物のサンタクロースさえいればいい。

交差点の真ん中でリンコがピザの箱を落としてしまったから、涼平はそれを拾った。立ち上がると、すぐそこにリンコがいた。口ひげをとり忘れてる。涼平はそのひげを、そっとつまんではがす。そして、言った。ひと言だけ。

「また、よろしくぅ」

リンコがくしゃっと顔を歪ませる。それからビンタが飛んできた。

二〇〇二年十月　光文社刊

解説

藤田香織《ふじたかをり》
（書評家）

あぁもう。まったくもう。イヤになっちゃうなほんとに！

荻原浩の小説を読むと、ページを閉じた瞬間、いつもそんな気持ちになる。それはもちろん「本当に嫌《イヤ》になってる」わけではなくて、笑いながら「参りました」と頭を下げたくなるような、してやられた感。当然、悪い気なんてしない。

今、本書を手にしておられる皆様のなかには、一九九七年『オロロ畑でつかまえて』（集英社文庫）で第十回小説すばる新人賞を受賞しデビューした荻原浩を指《さ》して「ユーモア作家」と評した文章を目にしたことがある人も多いだろう。当時の選評でも当然この「ユーモア」については触れられていたし、その続編的『なかよし小鳩組』（集英社文庫）ではもちろんのこと、フィリップ・マーロウに憧れ、脱サラして私立探偵になってしまった主人公が念願の殺人事件に遭遇する第三作の『ハードボイルド・エッグ』（双葉文庫）、四作目となる渋谷の街に広まった都市伝説ミステリー『噂』（講談社）などの書評でもよく「あのユーモア作家の荻原浩が、こんな小説を！」的な書かれ方をされていた。それは間違いではないし、新人作家にある「色」をつけるというのは、読者へのアプローチとしても正しかったのだと思う。また、この後に続いた作品が、愛すべきマヌケ者・伊達秀吉（個人的には大好きなキャラクター！）が、「おバカ」で「お利口」な幼稚園児・伝助を誘拐する軽妙なクライムノベル『誘拐ラプソディー』（双葉文庫）、だったこともあり、荻原浩＝ユーモア、という「色」は、なかなか薄れることはなかった。

が、しかし。

その状況は、二〇〇二年に刊行された三つの物語を機に、ゆっくりと変わってきたように思う。

まず初めに出たのが大衆演劇役者・花菱清太郎を中心にした異色の家族小説『母恋旅烏』（小学館文庫）。そして秋にはいじめをテーマにしたホラー要素も色濃いミステリー『コールドゲーム』（講談社）と本書『神様からひと言』が続けて刊行されたのだけれど、このときの驚きは今もちょっと忘れられない。『母恋旅烏』は、比較的それまでの荻原作品に近い「クスリと笑えてホロリと泣ける」人情話でありながら、家族の絆と挫折を味わった主人公の再生という書きようによってはベタベタでアマアマになりかねないテーマを押し付けがましさなしに感じさせ、『コールドゲーム』では「いじめられっ子の復讐」という、これまたどうしたって息苦しくなりそうな話に、ぎりぎりのところで読者が息を吐く隙を与えてくれていた。

その役割を果たしていたのは確かに軽妙な文体であったり、劇画化された登場人物のキャラクターであり、それは大雑把にまとめてしまえば「ユーモア・センス」ということになるのかもしれないけれど、このときにはもうすでに、多くの読者が気付き始めていたのではないだろうか。荻原浩には確かにユーモアがある。

でも、それだけじゃないと。

その感触は、この『神様からひと言』一冊からでも、充分に感じることができる。

本書の主人公は佐倉涼平二十七歳。業界最大手の広告代理店からワケあって中堅メーカーに転職して四カ月。物語は販売促進課に籍を置く涼平が、ネーミング案を任され出席している新製品の決裁会議の場から幕を開ける。

重役たちを筆頭に、各部署の部課長クラスが顔を揃え、RMの目標数値がどうした、多層構造製法がこうしたと、技術用語が飛び交い、新製品〈TF01LL〉についての激論が続く。

本書を最初、予備知識なしに読んだとき、私はこのなんともいえない緊迫した雰囲気に、この新製品は自動車、もしくはパソコンのような物ではないかと漠然と思っていたのだけれど、そのわずか数ページ後に、早くも「やられた！」とふきだしてしまった。こうなってしまうと、もう作者の思うツボ。物語の世界にぐいぐい引き込まれてしまうこと請け合いである。しかし、その会議の席上、トラブルを起こした涼平は即座に販促を追われ、配置換えを命じられてしまう（余談だけれど、第2章の涼平が居酒屋で愚痴を吐き出す場面で、転職先を「ユニバーサル広告社のほうにしときゃあよかったかな」と呟く場面も要注目。未読の方は即行『オロロ畑でつかまえて』と『なかよし小鳩組』を読まれたし。いやぁ、どっちもどっちだったと思うよ！と笑わずにはいられない）。

異動先は「総務部お客様相談室」。本書の核となっているのは、社内で〈リストラ要員の強制収容所〉と呼ばれるそこでの涼平の奮闘ぶりだ。

「お客様からの問い合わせにお応えし、ご意見を伺い、正しい商品知識を啓蒙する、あるいはお客様の声をフィードバックして当社の商品やサービスに反映させる、それが我々の任務だ」と初日に室長からは命じられたものの、その実態はいわば苦情もみ消し係。しかも「お客様」は、正当な「ご意見」を仰《おっしゃ》る方ばかりではない。ストレス解消が目的としか思えないクレーマー女もいれば、異物混入を捏造し謝罪金を受け取ろうとする男もいる。

涼平はそうした対応のひとつひとつを「身をもって」学んでいくのだが、さらにやっかいなのは、会社が苦情に毅然と対応できるほど商品に自信をもっているわけでもない、という点。製造管理も商品管理もいい加減。けれど、誰も責任は取りたくないため正当な苦情すらなかったことにされてしまう。にもかかわらず、社訓は『お客様の声は、神様のひと言』。このデタラメぶりを、いかにもありそうな、でもさすがにありえないよな、という絶妙なラインで描いていくのだから、面白くないわけがない。

けれど、本書はやはり「それだけじゃない」のである。

社内での出来事と並行して描かれている涼平の「過去」と「現在」。誰しも二十四時間仕事ばかりしているわけではないわけで、この涼平のプライベートな部分が核を支えているのは明らかなのだが、そのエピソードがたまらなく効いている。これは昨年（二〇〇四年）本邦初の宮仕え小説！　と評判をよんだ『メリーゴーランド』（新潮社）にも通じるのだけれど、仕事で出会った人々との関係性と、愛する人や家族との絆が両輪となって主人公を支え、成長させていくのがいい。

自分にとって本当に大切なものは何なのか。それを守るためにはこれからどうすればいいのか、どうすべきなのか。実際には「大切なもの」なんてなかなか実感することは難しいし、「どうすべきか」なんて尚更判らない。たとえ判っていたとしても、動き出すのはメンドクサイし、勇気もいる。そんなやっかいな問題は見ないようにしていても、毎日は過ぎていくし、立ち止まるより流されていくほうが楽なのは言うまでもないわけで――。

でもやっぱり、みんな判ってもいるのだ。そんな人生はちょっと寂しいことを。何より面白くないことを。本書はそんないわば「人生の大問題」に気付かせてくれた上、そっと背中を押してくれる。涼平の「神様」が「お客様」だけではなかったように、私たちの周囲にも「神様」はきっといる。この物語にはそう思わせてくれる「希望」がぎっちり詰まっているのだ。

本書の単行本が刊行された翌年の二〇〇三年。荻原浩は前述の『メリーゴーランド』をはじめ、フリーター崩れのサーファーと特攻隊員が時空を超えて入れ替わる『僕たちの戦争』（双葉社）、主人公がある日突然、若年性アルツハイマーに侵される『明日の記憶』（光文社）の三冊の新刊を送り出した。そのどの作品にも相変わらず「ユーモア」は健在ではあるけれど、それ以上に強く輝いていたのはやはり「希望」だった。

振り返ってみれば、荻原作品の根底にはいつもその光が溢れていたように思う。生きること。いろいろあるけど、それでも生きていくこと。泣いて笑って考えて、読み終えたときには「あぁ頑張ろう」と素直に思える――荻原浩の小説の主人公は概《おおむ》ねへなちょこで弱っちいのだけれど、見つめる作者の目はいつもとても優しい。その優しさが、ただ上辺《うわべ》を取り繕っただけのものではないからこそ、私はいつも「イヤになっちゃう」のである。

四十一歳と、決して早いとはいえない年齢で作家デビューを果たしてから今年で八年。意外なことに、以前から続けていたコピーライターの仕事を辞め、荻原浩が専業作家となったのは一昨年だったとか。先日、雑誌でインタビューをさせてもらった時、その理由が「ずっと小説だけでは食べられなかった」からだと聞き、正直、とても驚いた。けれど、だからこそ「今、小説を書くこと自体がとても嬉しいし、楽しい」とも語ってくれた。

これから先、もっともっと、多くの荻原作品が読めることを、今よりもっと多くの人たちがその作品から希望を得られることを。そして荻原氏自身が笑って小説を書き続けられることを、心から（本当に！）願い続けている。

光文社文庫

長編小説
神様《かみさま》からひと言《こと》
著　者　荻《おぎ》原《わら》　浩《ひろし》

2005年3月20日　初版1刷発行
2021年8月5日　50刷発行

発行者　鈴　木　広　和
印　刷　新　藤　慶　昌　堂
製　本　榎　本　製　本

発行所　株式会社　光　文　社
〒112-8011　東京都文京区音羽1-16-6
電話　(03)5395-8149　編　集　部
8116　書籍販売部
8125　業　務　部
振替　00160-3-115347

落丁本・乱丁本は業務部にご連絡くだされば、お取替えいたします。
ISBN978-4-334-73842-6　Printed in Japan

組版　新藤慶昌堂